우리 문화재 수난일지 4

우리 문화재 수난일지 4

2016년 11월 27일 초판 1쇄 인쇄
2016년 11월 30일 초판 1쇄 발행

글쓴이 정규홍
펴낸이 권혁재

편집 김경희
출력 CMYK
인쇄 한일프린테크

펴낸곳 학연문화사
등록 1988년 2월 26일 제2-501호
주소 서울시 금천구 가산동 371-28 우림라이온스밸리 B동 712호
전화 02-2026-0541~4
팩스 02-2026-0547
E-mail hak7891@chol.net

ISBN 978-89-5508-357-6 94910
ISBN 978-89-5508-353-8 (SET)

우리 문화재
수난일지

4

정규홍

학연문화사

▌목차

우리 문화재 수난일지

1915년 4월~

1915년 4월

용암사 불상 절취범 체포

1910년 2월 11일 충북 옥천군 남면 삼향리 용암사龍岩寺 법당에 모셔둔 불상 1구를 강탈당했다. 불상을 강탈한 범인은 옥천군 서면에 사는 김모 외 2명으로 이들은 강도를 공모하고 밤에 몽둥이를 들고 용암사에 들어가 스님 2명을 이불로 싸고 몽둥이로 위협을 하면서 불상을 강탈해 갔다. 그 후 5년이 지나 범행이 들어나 체포되었으나 불상의 행방은 알 수 없다.

용암사는 충북 옥천군 옥천읍 삼청리 산 51-4에 위치하며, 현재 지정유물로는 보물 제1338호 쌍탑과 충북 유형문화재 제17호 마애여래입상이 있다.

1922년에 오하라 도시타케大原利武가 촬영한 용암사석탑 사진을 보면 석탑의 상태가 불안하고 일부의 석탑 부재가 결손된 상태를 보이고 있다.

『매일신보』 1915년 4월 15일자.

일본왕실에 선물한 병풍

　조선 왕실에서는 일본왕실에 선물하기 위해 당대의 대가 김규진에게 주문하여
병풍을 제작케 했는데 『매일신보』 1915년 4월 7일자에는 다음과 같은 기사가 있다.

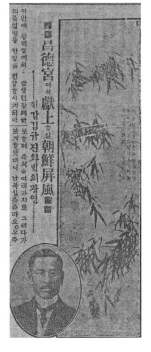

　창덕궁昌德宮에서 헌상獻上하실 조선병풍朝鮮屛風

　이번에 창덕궁에서 금상천황폐하께 6첩병풍 한 쌍
을 헌상하시게 되어 그 휘호와 제작을 해강 김규
진 화백에게 분부되었는데, 고미야小宮 차관이 어
디서 들었는지 좀 보자 한다기에 한 번 심방하였
더니 이것저것 서화 이야기를 하다가 내가 그린
그림을 보고 여러 가지 그림 중에 대화竹畵들이 제
일 좋으니 이후에는 죽석을 전문으로 그리는 것이
어떠하냐고 권고를 하여 나도 무엇이고 한 가지를
잘 하는 것이 좋을 듯 하기에 <중략>
　이번에 창덕궁에서 금상천황께 조선병풍을 헌상하
게 되고 또 휘호와 제작을 나에게 분부하시니 내몸
에는 이러한 영광이 없습니다. 여기에 대하여서는 신臣 누구라고 낙관하라
고 허가까지 있어 목욕재계하고 붓을 들어 2, 3일전에야 겨우 병풍이 다 된
고로 이왕직에 바쳤습니다. 병풍은 순조선식으로 한다하였지만 조선에는
아무리 하여도 적당한 감이 없는 고로 부득이하여 지나깁을 썼습니다. 민
자작이 헌상하기 위하여 동경으로 가신다지요. 잠 돈도 많이 준다는 말씀이

있어요. 비록 창덕궁에서 헌상하시는 물품이라도 내가 그린 죽석과 내손으로 만든 병풍이 천황폐하의 어람을 입게 됨은 너무 황송하며 너무 과한 영광인고로 재삼 사퇴하였으나 고미야 차관이 여러 번 부탁하는 고로 그대로 대답하였어도 너무 공축하므로 황태자 전하께 진, 초 예, 전 네 가지 체로 쓴 서첩을 헌상하기로 하였습니다. 또 예서로 남산송南山頌이라고 쓴 횡축에 '신 김규진'이라 서명하여 헌상하기로 고미야 차관에게 청하였다고 그 병풍을 박은 사진을 내어 보이며 영광으로 여기는 모양이 얼굴에도 나타났더라.

1915년 4월에 중추원 관제가 처음 개정되어 조선총독에 대한 자문기능 이외에 「구관 및 제도에 관한 사항을 조사」하는 역할이 추가되면서 기구가 대폭 확장 강화되었다.

즉 1912년 3월의 조선총독부 관제 개정으로 취조국이 폐지되고 종래 취조국에서 담담하던 입법 자료를 위한 민사, 상사의 관습과 조선 법제, 그리고 구관 제도의 엄무 기능이 참사관실을 거쳐 중추원으로 이관된 것이다.

경남 창령군 계성면 소계동 서상범은 18일 오전 11시경에 금불을 가지고 대구 원정 이나모토稻本고물점에 가서 매매하기 위해 흥정을 하던 중 대구동문파출소 순사에게 발각되어 파출소로 잡혀갔다. 조사한 결과 그 금불은 지난 10일 하오 2시에 서상범의 조카 되는 자가 동네 뒷산으로 나무를 하러 갔다가 땅속에서 발견했다고 한다.[1]

---

1 『매일신보』 1915년 4월 25일자.

야기 쇼자부로(八木奘三郞)의 요지 조사

야기 쇼자부로는 1915년 4월 29일부터 6월 11일까지 전후 45일간 경기도, 황해도, 평안남도 일대의 요지를 조사했다.

1915년 4월 29일 경기도 송파(碧瓦 古窯址)를 경유하여 남한산록의 광주읍에 도착했다.

4월 30일부터 5월 5일까지 광주군 일대를 조사했다. 4월 30일에는 광주읍 사기동 요지를 조사하여 다완류, 청자편을 다수 채집하고, 계속하여 5월 1일에는 분원으로 가는 도중에 남한산 도마동 백자요지를 조사하고, 광주분원 청화백자요지를 조사하여 우수한 백자편을 채집했다. 5월 2일에는 퇴촌면 금사동 백자요지를 조사하여 '祭', '福', '壽' 銘의 도자편을 채집했다. 5월 3일부터는 광주군 초월면 궁평리 청화백자요지 등을 조사했다.[2]

이 일대의 요지를 조사한 내용을 야기 쇼자부로八木奘三郞는 『매일신보』 1915년 6월 30일자에 게재하고 있는데 그 내용은 다음과 같다.

> 남한산의 남록에 사기동이라 하는 지명이 있으니 지금까지 도자기를 굽고 있으나 실제로 볼 만한 자기와 실제로 조사할 가치는 무하고 부근에 분원이라 하는 곳이 있으니 분원은 조선시대 국왕의 어기를 굽던 곳으로 유명하고 경성 부근에 산재한 조선 유물은 학자간이든지 분원물이라 칭하여 모두 분원에서 구운 것을 의미하더라.

---

2 八木奘三郞, 「朝鮮古窯調査報告 續」, 『陶磁』 제11권 3호, 1939년 8월.

분원물이라 함은 염색 일종 및 백자뿐이오 후세에 이르러 유리와, 철사, 진사 등이 간혹 제작되었더라. 분원물分院物이라 함은 이 분원에서 나온 것에 한한 줄로 생각하였더니 사기사砂器師의 말을 들은즉 지금의 분원은 180여 년 전에 타처에서 옮겨온 것인데 부근 노농老農의 담談을 거據하면 분원은 처음에 퇴촌면이라 하고 지금의 분원의 인변隣邊이라고도 하며또는 퇴촌면의 인촌隣村의 실촌면이라 하는데 모두 요적窯跡은 3백년 전의 것이라 전하니 그 차 120년의 간에 분원은 어느 곳에 치置하였는지 추상推想키 어렵고, 그 작품을 본즉 염물染物이 귀중함인지 혹은 기능이 부진함인지 갱更히 하등의 모양을 불부不付하고 다만 중앙부에 원을 그리든지 혹은 「祭」라든지 「福」이라든지 「壽」라든지 여사한 자를 1자씩 서書하였으나 지금의 분원에 이전한 후의 자품에는 당초, 목단, 송 등을 그렸고 원래 분원라 함은 지금에 이르러 지명이 되었으나 기석其昔 경복궁 내에 있는 사용원의 분원의 의의意義라 시대는 분원으로써 관호慣呼하여 그 소재지의 지명으로 화하였으나 역시 와전인데 분원은 고래고향古來故鄕의 땅과 같이 신信하는 자者一유有하도다.

또 분원이 사라지게 된 원인에 대하여 다음과 같이 기술하고 있다.

지금의 분원에는 약토藥土는 모두 강원도에서 채굴하여 한강의 선편으로 운래運來하더라. 그리고 실제 분원에 와서 조사한즉 그 이전은 부근의 토土에도 약성藥性이 있는 고로 2, 3 분원이 설치되었더니 그 후에 이르러는 재료의 부족을 고告함으로 부득이 멀리 강원도에서 채래採來한다하나 실로 그 설에도 일리一理가 있도다. 또 그 이외에 백자의 요적이 다수됨을 보아도 이 부근에 백자의 재료가 많은 것으로 사思한지오. 분원은 현금에 이르러 자본의 관계로 폐하였다 한즉 원래는 왕실에서 보호가 있어 혹은 쌀, 혹은 금, 또 혹은 약토와 같은 재료 등 <중략> 여하간 1년에 1천원 이상의 보조가 유하더니 일한병합과 동시에 보조소멸補助消滅의 운運에 이르러 그 후는 혹 합자조직으로 혹은 사영으로 경영을 계속하였으나 수遂히 휴지休止의 운運에 이르렀고 고래로 역조歷朝에 유명한 이 요업이 지금에 휴지폐멸休止廢滅에 종終함도 유감으로 생각하여 <하략>

5월 7일에는 북한산 우이동 일대의 도요지 조사하고, 8일에는 발굴을 했다. 이에 대해 야기 쇼자부로八木奘三郎는 『매일신보』 1915년 6월 30일자에 다음과 같은 내용을 게재하고 있다.

앵화 명승지 되는 우이동의 요적조사를 행한 바 우이동의 곡간谷間으로부터 북한산의 산록 각처에 걸쳐 10여소의 요적이 유하고 그 요적에서 발굴된 것은 대개 청자뿐인데 모두 이조초기의 것으로 고려시대의 모양을 잃지 아니한 것도 유한 고로 작품은 양호하고 그 중에 예외로 삼도도 있으나 보통청자에 불과하고 앵소장소櫻笑場所의 남방에 경성 곤도近藤골동상의 소유지가 있는데 그 역내域內에서도 3개소의 요적을 발견한바 그 구역은 타 지역에 비하면 소저小低하여 소천小川이 흐르고 그 개울에서는 조선통보 등이 출현하였는데 이는 고분에서 유출함인지 고대에 떨어져 나온 것인지 아직 불명이나 <하략>

5월 11일에는 우이동을 출발하여 개성에서 1박하고, 5월 12일에는 사리원에 도착하여 다시 해주로 향했다.

5월 13일에는 도청을 방문하여 남문루상의 진열실에 진열한 옹진군, 해주군 고요지의 발굴품을 관람했다.

5월 14일에는 광통사지를 답사하고 진철선사비를 조사했다.

5월 15일부터는 황해도 해주군 신촌면 사기동 청자요지, 옹진군 마산면 도요지 발굴하여 '예품禮品' 재명의 분청사기, 백자편, 청자편을 채집했다.

5월 18일에는 그동안 채집한 도자편을 경성으로 발송했다.

5월 19일에는 하심정리 고요지를 조사했다.

5월 20일에는 수동의 요지를 발굴했다.

5월 23일에는 가천면 도요지를 답사했는데 가천면의 각 도요지는 1914년에 가와이河合 문학사, 요코야마橫山 서기 등이 수회에 걸쳐 발굴을 하여 도기편들이 산란했다.

5월 24일에는 천주암 방면의 요지를 발굴했다.

5월 26일에는 채집한 도기편을 경성으로 발송했다.

6월 3일에는 사리원역 서북방에서 요지를 조사하고 평양으로 향했다.

6월 4일에는 대동강면 토성지를 답사하고 다수의 고와를 채집했다. 6월 5일에는 진남포행 열차를 타고 평안남도 안정리 요지를 조사했다.

6월 4일에는 채집한 유물을 발송하고 개성으로 향했다. 개성에 도착한 다음 개성의 나카다 이치고로中田市五郎 소장의 고려자기를 보고, 오후에는 시라이시白石의 수집 고기물을 관람한 다음 개성시내 골동점에서 여러 종의 참고품을 구입했다.

6월 8일에는 개성을 출발하여 배로 강화도에 도착했다.

6월 10일에는 서문외리 및 국화리 기타 고분을 시찰하고 전등사를 경유하여 동막에 도착했다.

6월 11일에는 동막 사기동의 고요지를 조사하여 분청사기편을 채집하고 강화도 고분에서 출토된 분청사기가 동막의 요지에서 제작된 것임을 추정했다. 6월 12일에는 경성으로 귀환했다.[3]

『매일신보』 1915년 6월 30일자에는 「서도요적발견 이왕직촉탁 팔목장삼랑씨 담」이란 제하의 다음과 같은 야기 쇼자부로八木奘三郎의 조사내용을 게재하고 있다.

「서도요적 발견 이왕직촉탁 팔목장랑씨 담」

황해도에는 각지에 무수한 요적이 유하니 접하건대 이조초기부터 중엽까지 걸친 것인데 해주군 사기동에 고적이 유하고 특히 제일 많은 곳은 옹진군인데 현재 군청이 소재한 마산면 방면으로 북면에 상하 심적리라는 촌락이 있으니 상하에 5개 처의 요적이 있고 동 북면 중의 수동이라 부르는 촌락에도 있고 구군청소재지 소강면 동문외리, 가천면 천주암에는 15개소여이나 있어 모두 세간에서 삼도수라 부르는 제일 양질이 많이 있고 가천면 내에는 백자의 요적이 4개소가 있고 기타는 모두 미시마三島인데 역시 모두 품질이 좋고, 백자의 요적 남방으로 8개소의 삼도요적이 있으나 모두 재명품을 만들었고 일본에서 석시昔時부터 전하던 유명한 예품삼도禮品三島가 있는데 이는 히데요시秀吉 시대부터 선택한 중고中古의 명물名物 중에도 그 이름이 나타난 「禮品」이라 칭하는 2자의 명銘이 들어간 미시마三島인데 이는 금일까지 조선이라 함은 알았으나 하처何處라 운운 하는 사事는 알지 못하였음이라 자체字體는 대략 사오체가 유하고 우에 거한 이외에도 삼도의 요적은 많이 있으나 예품삼도는 지금의 가천군茄川郡에 8개 처에 한限하

---

3 八木奘三郎, 「朝鮮古窯調査報告 續」, 『陶磁』 제11권 3호, 1939년 8월.

였고 타에는 발견되지 아니 하였더라 대체 이지역의 백지는 질이 좋시 않

고 무지무문無地無紋하며 천주암은 작년에 조사한 전남 강진군 대구의 지형

과 흡사한 산곡 중앙에 천류川流가 있고 남측에는 요가 유하여 <중략>

평양에서 강서로 향하는 사이에 안정리라 하는 곳이 있는데 그곳에 2개소

의 요적이 있는데 이 중 1개소에서 진남포에서 삼화고려를 제작하는 도미

타 기사쿠富田儀作 씨의 부하가 청자파편을 주워온 일이 있는데 그 후 아무

도 착수치 아니하여 황폐되었으나 <하략>

1915년 5월 12일

경주고적보존회 평의원회

경주고적보존회 평의원회가 1915년 5월 12일에 경북도청에서 개최되다.

동일 출석자는 이 경상북도장관, 이리사와入澤 제1부장, 요시무라吉村 제2부

장, 다케사키竹崎 대구부윤, 마쓰모토松本 대구자혜의원장, 나카야마中山 복심법

원서기장, 안토安東 동척대구출장소장, 다카다高田, 고쿠구치極口, 기무라木村 도

서기, 나가에中江 부협의회원, 마시다增田 부일대구지사주간 등이다.

이 날 결의된 사항은 다음과 같다.

경주고적보존회 사업 경과 및 장래의 계획

1. 본회 창립사정(생략)

2. 사업 진행의 모양模樣

기부금 기타의 수입 금 3천9백76원52전

대정4년 3월 말까지의 총수입금 差引 현재 금 1천9백23원76전

사업 개요

3. 본년도의 사업 계획

* 진열관 증축 22평 660원,
간시소看視所 12평 360원,
변소 2개소, 계 1천120원
* 진열관 정원 축조 3백원
* 진열관 내부 진열 고붕
高棚 6개 240원, 요붕腰棚
120원, 계 360원

경주고적보존회 진열관

* 공진회장, 대구정차장, 경주남문 밖의 고적지도 건설 3개소 150원

* 안내기 및 회엽서 인쇄비 200원

* 관내 장식으로 편액 조각비 50원

부대사업으로 도로는 본년 3월 경주 부산간 2등도로부터 분기점에서 불
국사까지 1리의 도로를 지방비 보조로 2칸 폭으로 개축 완료하고, 또 목하
협의비로 읍외 고적을 연결하는 유람도로를 공사 중에 있으며 동시에 읍
내 종각으로부터 분황사까지의 도로를 개수할 계획이다.[4]

이 해의 가장 큰 사업은 경주를 방문하는 여행자들을 위해 고적보존회의 질

---

4 『釜山日報』 1915년 5월 14일자.

열관을 증축하는 일이었다. 진열관에 대한 구체적 추진은 이미 1913년 5월 이후 시작이 되어 1915년 5월 이전에 경주시 동부동에 있던 구 경주부윤 관아 건물의 일부를 이용하여 온고각 본관 마련하고 빈약한 유물이나마 일반에게 공개하였다. 그리고 경주고적보존회 1915년 사업계획 중에 '진열관 증축 22평'으로 나타난 것은 1915년 5월 이후의 사업으로 1915년 경주읍성 북문 안에 있던 양무당養武堂 부속건물 한 채를 옮겨와 진열관으로 꾸몄다는 건평 25평의 온고각별관5이 이에 해당하는 것으로 추정된다.

1915년 5월 31일

금몽암 화재

금몽암禁夢庵은 강원도 영월군 영월읍 영흥리에 소재하는 암자로, 원명은 지덕암旨德庵이었다. 일찍이 단종이 양위를 하고 영월에 왔을 때 이 암자에 왔다가, 이 암자가 그 전 궁에 있을 때 꿈속에서 유람하던 곳과 흡사함에 놀랐다고 한다. 이로 인하여 실로 우연한 일이 아니로다 하고 대궐금禁, 꿈몽夢자를 써서 금몽암禁夢庵이라 하고 이후로 왕가의 후원을 받아왔다.

1915년 5월 31일 실화로 인하여 불당과 종루가 일시에 불타버렸다. 불탄 건물은 55칸이고, 서산대사 이후 도승道僧 영정이 9폭, 석불괘축石佛掛軸이 2구도

---

5 慶州古蹟保存會, 『新羅舊都 慶州古蹟案內』, 1934.

불타고, 남은 것은 주불 비로자나불 1상과 산령각山靈閣 1동 뿐이다.[6]

1915년 5월

금동불광배

    경기도 가평군 이곡리에서 도로개수 공사 중 동네 조선인 소유지로부터 석
검 하나를 발견하였다.[7]

    조선총독부에서 일본왕실에 여러 물품을 헌상했다. 상공과에서 나전세공,
옥석제품, 고려자기 및 기타 자기, 농무과에서는 미, 대두, 율, 전매과에서 인삼,

6 『每日申報』 1915년 7월 7일자.
7 榼田義助,「朝鮮發見の石劍」,『考古學雜誌』제5권 제2호, 1915년 10월, p.92.

연초, 소금, 수산과에서는 명포, 한천 등을 헌상했다.[8]

구로이타 가쓰미黑板勝美가 충북 충주읍에서 어느 한 개인이 소유하고 있던 금동불광배를 구입하여 본부박물관으로 가지고 왔다.[9]

1915년 6월 1일

세키노 타다시關野貞가 유인원기공비劉仁願紀功碑 탁본 외 3점을 도쿄제국대학에 기부하다.[10]

1915년 6월 2일

해인사 팔만대장경 인출을 완료하다.

데라우치총독寺內總督의 특별지시로 3부를 인출印出하였는데, 이는 데라우치寺內가 일본 천용사泉湧寺에 봉납하기 위한 목적에 있었다. 해인사 팔만대장경 인출작업은 1914년 10월부터 1915년 3월까지 중앙시험소 기타 제지소에서 종이를 제작하고 1915년 3월 15일부터 인부 50인으로 학무국 오다 간지로 사무

---

8 『每日申報』1915년 5월 19일자.
9 朝鮮總督府, 『博物館陳列品圖鑑』 제5집, 1933.
10 關野貞研究會 編, 『關野貞日記』, 중앙공론미술출판, 2009.

관의 감독 하에 인쇄하여 6월 2일에 인쇄를 마쳤다. 인쇄공 연인원수 1306인, 판목의 출입 및 인쇄지 정리 등에 요한 인부 총 966인이었다.

데라우치는 해인사로 가 팔만대장경 인출 과정을 직접 참관을 했다. 다음과 같은 기사가 있다.

『매일신보』1915년 6월 20일자 기사

데라우치 총독은 20일부터 5일간의 예정으로 남선지방 시찰에 오르기로 정하였는데 여정은 20일 아침에 남대문 발 열차로 남하하여 경부선 김천을 지나 자동차 또는 마馬로 경상남도의 해인사에 닿아 시찰한 후 진주로 출발하여 해로로 목포로 회향하여 동지를 시찰한 후 호남선으로 귀경할 터이오. 수행원은 모리森 무관, 오오후지大藤 부관, 이케베池邊 비서관, 후지나미藤波 통역관 등이오 다치바나立花 중장과 사토佐藤 군의관이 동행한다는데 해인사는 현금 백여 동 3천여 평의 건물이 있는 대가람인데 8만1천2백58매의 대장경판을 가지고 있는 사찰이다(『매일신보』1915년 3월 20일자).

총독 향 해인사 22일은 진주로
총독 일행은 21일 아침에 숙소를 나와 수비대 및 헌병대 등을 순시한 후 일동이 말을 타고 70리의 산로로 해인사를 향하여 유명한 대장경을 참관하고 사내에서 1박을 한 후 22일은 다시 거창으로 돌아 진주로 향할 예정이라더라(『매일신보』1915년 3월 22일자).

데라우치 총독은 21일 오후 3시 해인사에 도착하여 대장경 이외 사중의 고물을 참관 한 후 1박하고 금일(22일) 오전 7시에 출발하여 전일과 같이 조선식 교자輸子를 타고 모두 승마라 35두의 행렬로 12시 반 거창에 도착하였다가 점심을 먹고 자동차로 220리의 노정이 되는 진주로 향함.

총독은 도중 안의, 함양, 산청, 단성의 각읍을 통과하는 때에 정렬 환영한 일선관민에 대하여 하차하여 일일이 경례를 받고 오후 6시 반에 진주에 도착하여 관민의 환영을 받은 후 도장관관사에 들어가 1박을 하였는데 명조(23일 아침)는 도청 기타 관청을 순시하고 10시 진주 발 삼천포에 나와 11시 광제환에 탑승할 예정이다.

총독은 금조(23일) 진주를 출발하여 90리의 노정을 자동차로 삼천포에 나와 11시에 광제환을 타고 목포로 향하였는데 목포에는 24일 아침에 상륙할 예정이다(『매일신보』1915년 3월 24일자).

대장경의 유래

합천 해인사 대장경각은 전후 2동인데 정면이 각 33칸이오 남북이 각 5칸이니 이는 즉 대장경의 판고라.

향일 총독이 이 사를 시찰할 시 선착한 소전사무관의 안내로 이 판고에 들어가 순차로 경판을 참관 한 바 경판은 중앙 및 벽에 설한 5단의 가架에 매단 양면으로부터 2중으로 병렬하고 잔여 및 경권의 대부분은 가상에 퇴적堆積하였으며 판고의 구조는 거재를 용하고 주위의 벽은 상하에 혈창을 뚫고 대기유통의 주의가 주도한지라 총독은 차제로 보步를 옮겨 제2의 판고에 들어가니 판고내의 모양은 전장하 같더라.

소전 사무관의 설명에 의한 즉 경판의 수는 최근에 번호를 붙여 조사한 결과 8만 1천2백30매, 결판 28매 완수 8만 1천 2백58매인데 결판은 목하 조각 중에 속하고 용재는 재목인데 장 7촌2분, 광 2척2촌5분, 두께 1촌2분 내지 1촌5분, 판면은 장 7촌4분, 광 1척5촌5분인데 4우에 동제의 금구를 붙이고 판면은 윤곽만 유하고 봉선은 무하며 1행 14자씩 23행이오 한 자의 큰 것은 방 5, 6분 가량인데 양면에 경명, 권수, 정수 및 천자문에 의한 함호를 각하고 전면에 광택이 유함은 희박한 칠색이라 하더라.

총독은 소전 사무관의 들으면서 자세히 순람한 후 판고를 나와 다시 타당에 안내되었는데 그곳에는 20여 인의 직공이 엄중한 감독 하에 성히 경판을 인쇄하되 총독의 심려에 기하여 대장경 3부를 인쇄할 목적으로 3월 15일부터 이에 착수하여 70여 일로써 완성할 예정이라 하니 총독의 심려라 함은 하야何也오 개완전蓋完全한 역법으로써 천하의 지보를 영원히 보존코저 함에 不外하더라(『매일신보』 1915년 4월 1일자).

삼천포 오노(大野)의 별저를 나오는 네라우지
(『부산일보』 1915년 3월 27일자)

1915년 6월 12일

보신각 이전 공사 낙찰

시구개정공사로 인하여 경성 종로 이정목 모퉁이에 있는 종각과 관제묘를 옮기기로 결정하였는데, 그 옮기는 공사는 6월 12일 총독부에서 입찰한 결과 경성 이구타 마쓰타로生田松太郎에게 낙찰되어 8월에 이전 공사를 하기로 했다.[11]

시구개정으로 이전할 보신각(『매일신보』 1915년 6월 15일자.)

---

11 『每日申報』 1915년 6월 13일자.

1915년 6월 19일

19일 마산역전 상반여관에서 시정공진회에 출품할 고고자료 및 미술품을 선정하기 위한 말송 이왕가 사무관의 감정이 있었는데 개인 소장품으로 다음의 6점이 선정되었다.[12]

종규괘물鐘馗掛物   松原早藏 소장
화발당금火鉢唐金   松原早藏 소장
불상입체佛像立体   三增久米吉 소장
나동螺銅   三增久米吉 소장
산수축 3매   松田 소장
대원군난화병풍   홍청삼洪淸三 소장

1915년 6월

데라우치는 조선 고분에서 발견한 벽화와 기타 미술품을 촬영하여 일본 왕실과 왕족에게 보내다.[13]

---

12 『釜山日報』1915년 6월 24일자.
13 『每日申報』1915년 6월 6일자.

세키노 일행의 경주 고분 발굴

1915년의 조사에는 세키노, 야쓰이 외에 새로 도쿄대학 건축과를 졸업한 고토 게이지後藤慶二가 참가했다. 고토는 구리야마를 대신하여 참가했다. 이번 조사는 주로 개성, 경주, 부여 고분을 발굴 조사했다.

1915년 6, 7월의 세키노關野 일행의 경주 일대의 조사는 이에 대한 구체적 보고서를 남기지 않아 자세한 내막을 알 수는 없지만, 그 일정과 발굴 유물에 대한 것은 당시 부산일보에 일부 기록을 남기고 있다.

경주 지방의 조적조사를 위해 조선총독부 촉탁 야쓰이, 공학사 고토後藤慶二는 1915년 6월 19일 경주에 도착하여, 6월 20일에는 모로가諸鹿의 안내를 받아 읍내에 산재한 고분을 답사했다. 21일에는 황남리 소재의 속칭 조산이라 하는 대형 적석총 1기 및 내동면, 천북면 동천리 등에 산재한 보통 신라고분을 발굴하기로 결정했다. 그 중 황남리 소재의 적석총은 그 형상이 극히 거대하여 내부구조가 타의 고분과는 다를 것으로 예상하여 많은 의문을 가지고 있었던 것이다. 이 고분의 발굴 선정에는 이와 같이 종래의 의문점을 해결하기 위한 목적을 가지고 있었던 것이다. 야쓰이 일행은 황남리의 대형고분에 대해 6월 21일에 발굴에 착수했다.

이 고분은 읍내에서 떨어진 울산 포항가도 분기점 부근에 산재한 대형고분 17기 중의 미추릉의 서북에 있는 1기로, 그 외형이 타의 보통 고려장 또는 옛날 무덤이라 부르는 석곽을 가진 신라시대 고분에 비해 모양이 거대한 모습으로 거의 언덕 형상을 하고 있다. 그 내부의 구조 역시 다른 신라고분과 같이 횡혈식 석곽을 가지고 있는데 반해 지름 약 6, 7촌 내지 1척의 환석丸石으로 쌓고 그 상부에 흙으로 덮었다. "옛날 이 같은 무덤을 조산造山이라 부르던 것도 이

황남리 고분(표시된 부분이 검총, 『조선고적도보』)

번 세키노 일행의 발굴로 그 의문이 해결되었다" 라고 하고 있다.

적석총 발굴조사에 의해 밝혀진 것을 개략하면, 먼저 내부 구조는 이 고분의 중심 약 1평 여로 약 2척2촌 지반으로부터 굴하에 경 6, 7촌 내지 1척의 환석을 적중積重하여 사체를 안치하고 다시 동형의 환석을 고 12척7촌 폭 약 20척으로 쌓고, 성토를 지반으로부터 높이 5칸여 폭 20여 칸의 언덕 모양의 원분으로 만들었다. 발굴 결과 천장으로부터 약 3척 굴하의 성토 중앙에서 다수의 신라토기파편(이 속에는 기하학적문양을 가진 것도 수편 있다) 및 개부발형토기蓋付鉢形土器 1개와 토령土鈴으로 추정되는 토기파편 합 3개를 발견했다. 다시 보통 석곽을 기진 현실부에서는 적석 내에서 부장품으로 보이는 순은의 창신 2개, 직경 약 1척7촌의 검, 도 및 태도, 신라토기 3개, 파형波形문양을 가진 호 1개, 토

검총 출토 유물

기 및 고배의 파편, 지석砥石 1개, 목관파편 수개가 발견되었다.[14]

7월 1일은 도쿄로부터 경주에 온 조선총독부 촉탁 세키노와 만나 함께 발굴에 종사했다. 이 고분은 7월 1일에 종료했다. 무덤의 이름은 검이 출토되었다고 해서 검총劍塚이라 이름을 붙였다. 이 검총은 경주 신라고분으로는 최초의 학술적 조사라 할 수 있으나,[15] 거대한 외형에 비하여 적은 출토물로 인하여 세인들의 주목은 받지 못하고 발굴사진과 도면 수매가 『조선고적도보』 제3책에 게재되어 있고 그 해설편에 부장품에 대한 약간의 설명이 곁들어 있을 뿐이다.

세키노는 별도로 잠시 일본에 귀국했다가 6월말에 경주에 들어와 7월 1일에 야쓰이와 고토 등과 합류하여 7월 1일에 검총 발굴을 종료했다.

1915년 7월 1일부터 함께 한 세키노關野는 야쓰이 세이이치谷井齊一, 고토 게이지後藤慶二와 함께 내동면內東面 보문리普門里, 천북면川北面 동천리東川里에서 4기의 고분을 7월 12일까지 발굴하였으나 이에 대한 자세한 보고서는 남기지 않았으며, 『조선고적도보』 제3책에는 출토유물도판과 그 해설편에 출토유물에 대한 약간의 해설을 남기고 있을 뿐이다.

---

14 「慶州古蹟調査」, 『부산일보』 1915년 6월 23일자, 27일자; 「慶州古蹟調査(1~3)」, 『부산일보』 1915년 7월 8일자, 9일자, 10일자; 關野貞, 「新羅及百濟の古墳」, 『朝鮮及滿洲』 97호, 1915년 8월.

15 『朝鮮古蹟圖譜』 第3冊, 圖版 1100~1118, 同解說, pp.41~42; 關野貞, 「朝鮮美術史」, 『朝鮮史講座』, 朝鮮史學會同人, 1923, p.92.

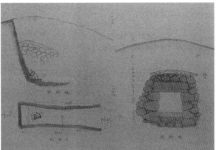

완총과 측면도

발굴조사를 한 고분은 보문리에서 3기(그 중 1기는 곽이 2개) 및 동천리에서 1기로 합 4기이다. 이곳에서 기술의 편의상 발굴순서에 의해 번호를 붙여, 먼저 제1호로 기재하는 이 고분은 보문리 진평왕릉 후방에 해당하는 1915년 6월 중 구로이타가 발굴조사를 시도 중 일정상 중지한 것으로 사람들이 소위 조산이라 부르는 적석총의 부근 명활산의 남록에 있는 것이다.

먼저 발굴한 것은 보문리의 진평왕릉 후방에 해당하는 명활산 남록의 고분으로 지역 주민들이 밭을 개간하기 위해 고분의 성토를 파가서 이미 곽에 도달할 정도에 달해 있었기 때문에 그 형태가 큰 것인데 비해 발굴이 용이했다. 이 고분은 길이 9척, 폭 2척5촌, 높이3여의 석곽石槨과 약 1척내외의 절석으로 만들고 폭5촌, 길이 3척의 석재 6개로 개석을 만들고 곽의 내부 주위에 점토를 둘렀다. 이 속에서 신라토기 완감류埦坩類 6개, 철제금륜鐵製金輪, 목편木片, 철정鐵釘 등을 발견했으며,[16] 완埦이 출토되었다고 해서 후에 완총埦塚이라 이름을 붙였다.[17]

또 제2호고분은 그 구조 곽의 양식 등은 거의 제1호분(완총)과 다른 것이 없고, 제1호분은 개석을 가지고 있는데 반해 제2호분은 곽 위에 직접 사리砂利를 쌓고 그

16 「慶州古墳調査 再報(1). 關野博士 其他 一行」,『釜山日報』1915년 7월 24일자.
17 谷井濟一, 「新羅の墳墓」,『考古學雜誌』, 1915년 12월, pp.64-65;『朝鮮古蹟圖譜』第3卷.

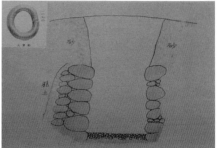

금환총

위에 점토로 덮고 성토를 한 점이다. 이 고분에서는 토기, 목편木片, 소도小刀로 인식

되는 철편鐵片, 금환金環, 이식耳飾 등을 발견하여[18] 금환총金環塚이라 이름을 붙였다.[19]

세 번째 발굴한 고분은 거대한 표형고분으로 이번 발굴조사에 따라 4개의 고

분 중 가장 주목되는 것이다. 그 형상은 일본의 소위 전방후원식前方後圓式과 흡

사한 표형고분으로 그 모양은 약간 보통의 고분보다 큰 것으로 종래 학자들 간

에 그 외부의 형상으로 볼 때 필히 내부에 곽 2개가 있는 부부묘의 류로 추정되

었다. 내부에 예상대로 2개의 석곽을 가지고 있는 것으로 그 중 1개는 보통 신

라시대 고분이 가지고 있는 것과 그의 동양식으로 최고 8척 폭 5척 고는 5척 정

도의 절석으로 쌓고 위에 석곽이 있었다.

발굴할 때 현실 내에서 겨우 그 형적으로 남아 있는 두개골 및 완腕, 대퇴골

의 골편이 각기 그 위치에서 발견되었다. 두개골이 있는 장소에는 종래 일찍이

발견된 적이 없는 조각을 한 순금제이식 1대, 또 완腕이 있는 위치에서 은 및 동

18 「慶州古墳調査 再報(2). 關野博士 其他 一行」, 『釜山日報』 1915년 7월 25일자.

19 谷井濟一, 「新羅の墳墓」, 『考古學雜誌』, 1915년 12월, pp.64-65; 奧田慶雲, 『新羅舊都 慶州
誌』, 1919, pp.128~136; 關野貞, 「新羅及百濟の古墳」, 『朝鮮及滿洲』 97호, 1915년 8월.
자세한 보고서는 남기지 않았으며, 『朝鮮古蹟圖譜』 제3책에는 출토유물도판과 그 해설
편에 출토유물에 대한 약간의 해설을 남기고 있다.

제의 완륜腕輪 각 1개 및 수정과 유
리제 절자옥切子玉과 아울러 소옥류
가 발견되었다. 기타 발견품으로는
가하학적문양을 가진 토기감土器坩,
소도小刀 등의 부장품 외 목편, 철정
및 철제환鐵製環 등이 발견되었다.

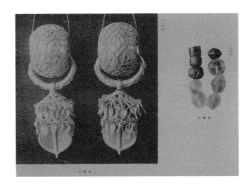

보문리 부부총 출토 이식

또 다른 1개의 고분은 전기 고분발
굴의 경험으로 보아 동일 석관을 가지고 있을 것으로 추정하고 발굴한 결과 예상
외로 전혀 다른 형식의 적석총으로 그 구조는 전에 황남리에서 조사한 류로 내부
중심이 넓어 무려 1평 정도의 지반으로 1척 가량 굴하에 돌을 깔고 그 위에 소사리
를 깔았다. 내부에서 앞에서와 같은 조각을 가진 순금이식 1대, 곡옥曲玉 1개, 은제
완환銀製腕環 2개, 동제완환 1개, 은제지륜 10개, 태도 1개, 도 1개, 관 및 마구로 추정
되는 동금구銅金具 10여 개, 은제령 대소 4개, 소도 2개, 철부 1개, 토기 고배 및 각부
호 등 10여개, 목관파편으로 추정되는 목편 등이 발견되었다. 이런 등의 발견된 부
장품의 종류로 볼 때 전자는 부인의 총이고 후자는 남자의 무덤으로 판명되었다.[20]
한 고분에 부부의 무덤을 함께 했다고 해서 부부총夫婦塚이라 이름을 붙였다.[21]

마지막으로 발굴한 동천리에 소재하는 가칭 제4호고분으로 외형은 완전한
것처럼 보였으나 이미 도굴을 당하여 겨우 토기파편 수 개와 관棺을 대용代用한

---

20 「慶州古墳調査 再報(2). 關野博士 其他 一行」,『釜山日報』1915년 /월 25일자.
21 谷井濟一,「新羅の墳墓」,『考古學雜誌』, 1915년 12월, pp.64-65; 關野貞,「新羅及百濟の
　古墳」,『朝鮮及滿洲』97호, 1915년 8월; 奧田慶雲,『新羅舊都 慶州誌』, 1919, pp.128~136;
　『朝鮮古蹟圖譜』第3卷.

골와편骨瓦片을 발견하는데 그쳤다.[22] 이 고분은 와瓦가 출토되었다고 헤서 와총瓦塚이라 이름을 붙였다.[23]

이에 대한 것은 1915년 11월 일본 고고학회 '본회 11월례회'에서 '신라고분新羅古墳'이라는 제목으로 야쓰이 세이이치谷井濟一가 대략적인 부장품 출토에 대한 것을 발표하였는데 "경주 부근의 분묘 5개소 즉 황남리 검총劍塚, 보문리 금환총金環塚, 부부총夫婦塚, 전총畑塚, 금강산의 와총瓦塚"이라고 기술하고 있다.[24]

와총 출토품

세키노 일행은 발굴 기간에 분황사, 황룡사지, 사천왕사지, 불국사, 석굴암, 헌덕왕릉, 성덕왕릉을 비롯한 남산 불적을 조사 했다.

세키노가 도쿄에서 경주에 도착하여 보낸 일정은 그의 일기에 따라 정리해 보면 다음과 같다.[25]

1915년 6월 30일. 오전 8시에 부산에 도착하여 10시 20분 발 열차를 이용하여 오후 1시 20분에 대구에 도착, 1시 40분에 대구를 출발 4시 40분에 경주에 도착, 경주여관에 투숙, 야쓰이, 고토 양씨와 합류

7월 1일. 맑음. 분황사, 황룡사지를 보고, 황남리석묘에 이름. 감, 병 도검

22 「慶州古墳調査 再報(3, 4). 關野博士 其他 一行」,『釜山日報』1915년 7월 27일자, 28일자.

23 『朝鮮古蹟圖譜』第3冊 參照.

24 谷井濟一,「新羅の墳墓」,『考古學雜誌』, 1915년 12월, pp.64-65.

25 關野貞研究會 編,『關野貞日記』, 中央公論美術, 2009.

등을 발견

7월 2일. 서악리 무열왕릉을 보고 기타 고분 시찰

7월 3일 바람 불고 비가 옴. 고적보존회진열소 및 소평씨의 수집 와를 봄

7월 4일. 바람 불고 비가 옴. 종일 진열소 조사

7월 5일. 바람 불고 비가 옴. 종일 진열소 조사

7월 6일 맑음. 서악리, 보문리고분 3곳을 발굴

7월 7일 맑음. 안압지 황룡사지 조사, 보문리 瓢塚 발굴

7월 8일 맑음. 금강산 고분 발굴

7월 9일 맑음. 경주 발, 사천왕사지, 신문왕, 흥덕왕릉을 경유하여 불국사에 도착하여 석굴암을 갔다가 돌아와 불국사에 숙박

7월 10일 오전에 맑았다가 오후에 비. 불국사를 출발하여 상신리사지, 냉천굴지, 등을 조사하고 남산리에서 숙박

7월 11일 맑다가 바가 옴. 남산사지, 포석정지를 조사

7월 12일 맑다가 비가 옴. 오전에 명활산 부부총을 보고, 오후 8시에 신라 유적 강연

7월 13일 맑음. 오전에 경덕왕릉을 보고 오후에 자동차로 대구에 도착

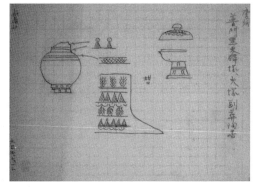

세키노의 일기에 나타난 보문리부부총의 부장 도기 그림
(날짜는 1915년 7월 12일로 기록되어 있다)

세키노는 경주, 부여 등지의 조사를 마치고 7월 27일 총독부회의실에서 「백제의 고분」이란 제목으로 강연을 했다. 그 내용 중에 이번에 발굴한 경주 고분과 관련한 내용도 포함되어 있는데, 그 내용은 다음과 같다.

금회 여행 중 나는 경주남문 외에서 신라기의 초기로 인認한 고분을 발굴하였는데 이를 백제의 것과 비교 대조하건데 매우 흥미가 있으니 즉 그 묘는 위는 흙으로 이루었고 그 다음에는 돌을 쌓아 층을 만들었으며 그 다음에는 목관木棺을 치置한 형적形迹이 유有한데 검과 토기의 파편을 발견한 지라 신라초기에는 석관을 사용한 것이 없음을 이로써 가히 증거하겠는데, 또 경주의 동방 명활산에 표단형瓢簞形의 고분이 있으니 이를 발굴하여 보건대 그 일방一方의 분墳은 남문 외와 동일한 식으로 축조하고 그 중으로부터 순금의 이환과 도검 등이 출현하여 남자의 분묘와 같으며 타의 일방一方으로는 이미 장이 5척, 광이 4척, 고 6척 가량의 석곽이 내부에 재在하고 순금의 이식耳飾, 요환腰環, 주옥珠玉, 토기 등이니 이는 여자를 매장한 처處인 듯하더라.[26]

세키노 일행은 이번 발굴조사 결과에 대해 다음과 같은 결론을 얻었다고 한다.

4개의 고분을 종합해서 고찰해 볼 때 적석총은 신라초기의 고분으로 신라특유의 형식으로 점차 진보 발달하여 곽을 설하게 이르렀고, 나아가 지나의 영향을 받아 제4호 고분과 같이 완연한 석곽을 가지기에 이르렀다. 그 적석총의 연대

---

26 『每日申報』 1915년 8월 22일자.

에 대하여 종래 세인들이 의문을 가졌던 곡옥류의 사용으로 이식사용의 범위
는 단순히 여자에 그치지 않고 남자도 역시 사용한 사실 등을 알 수 있었다.[27]

북묘에 중앙학림이 설립되다.

1915년 6월에 30본산연합회에서 북묘北廟를 대부 받아 중앙학림中央學林을 설
립하게 되었다.

서울에 관우묘關羽廟는 남대문 밖의 남묘(소위 生關王廟), 동대문 밖의 동묘(소
위 死關王廟), 서대문 밖의 서묘, 혜화문 안의 舊宋洞 북묘, 종로 보신각 부속 묘 이렇
게 5개소가 있었다.[28] 그 중 북묘北廟는 1908년 6월에 이미 폐지키로 결정하고,[29] 동
소문 내 북묘에 봉안하였던 관왕소상關王塑像은 1910년 5월 28일 동대문 밖 동묘東
廟로 합봉하였다. 그리고 북묘 건물은 신궁경의회神宮敬義會에서 사용했다.[30]

신궁경의회神宮敬義會에서 사용하던 북묘의 건물 및 대지를 30본산연합회에
서 조선총독부로부터 대부받아 중앙학림中央學林을 설립한 것이다.

불교계의 고등교육기관인 중앙학림은 3·1 운동을 비롯하여 상해 임시정부
와 연결을 가지고 국내 항일활동에 참가하였던 인재들을 배출한 산실이었다.
아이러니하게도 1920년대 초반 불교계 항일운동의 중심지 역할을 하였던 중앙
학림의 설립은 조선총독부의 권유에 의해서 이루어졌다. 중앙학림의 출범 배
경은 1915년 1월 1일부터 10일까지 각황사에서 개최된 30본산 주지회의원 정
기총회에서 중앙학림 설립에 관한 사항이 논의됨으로서 시작된다. 이 회의에

27 「慶州古墳調査 再報(4), 關野博士 其他 一行」, 『釜山日報』 1915년 7월 28일자.
28 考古生, 「京城이 가진 名所와 古蹟」, 『별건곤』 제23호, 1929년 9월.
29 『大韓每日申報』 1908년 6월 30일자.
30 『皇城新聞』 1910년 5월 29일자; 『大韓每日申報』 1910년 5월 29일자.

서는 조선사찰각본사연합제규朝鮮寺刹各本寺聯合制規를 제정하고 30본산연합사무소 체제를 탄생시켰다. 그런데 1월 4일 이 회의장에 총독부의 내무부장과 지방국장 그리고 고등보통학교교유高等普通學校教諭 다카하시 도오루高橋亨가 방문하여 조선불교에 관한 훈유訓諭를 하였다.[31]

『매일신보』1915년 6월 17일자에는 다음과 같은 기사가 있다.

조선불교의 서광

중앙학림설립... 기지는 원 북묘... 래 7월 내 개학

30본산연합사무소에서는 금년 1월 내무부장의 훈유訓諭로 인하여 불교진흥의 방침을 정하고 경성에 중앙학림 설립의 건 총독부에 신청하였더니 허가가 되어 그 학림 위치는 원 북묘의 기지를 특별히 대부가 되었으므로 <중략> 오는 7월내로 개학키 위하여 목하 열심 준비 중인데 운운.

이후 중앙학림은 1915년 11월 5일 개교하게 된다. 이래 조선불교 30본산연합사무소에서 경성부 숭일동 3번지의 관유건물(전 북묘)을 대부 받아 불교중앙학림의 교실 및 기숙사로 사용해오다가 불교중앙학림을 폐한 후, 1924년 1월에는 재단법인 조선불교 중앙교무원에서 동광학교東光學校로 명의 변경을 신청해 옴에 따라[32] 불교계열의 동광학교가 설립되었으나 곧 보성고등보통학교에 합병되었다.

이후 1926년에는 이곳에 불교중앙학교를 설립하였다가 다시 보성고보교의

---

31 『法寶新聞』 2006년 11월 13일자.
32 「북묘(北廟) 대부 건물 일부 매각[賣拂] 및 건물 신축 건」, 국립중앙박물관 소장 조선총독부박물관 공문서, 목록번호 : 96-101.

교사로 변경되었다.

관련하여 다음과 같은 기사가 있다.

보성고보도 이전, 북묘에 짓고

교무원의 신년 계획

재단법인 조선불교 중앙교무원에서는 기부 모집액 60만원 중 약 4분의 1
이 걷히었고 그 나머지는 연 8푼 이자로 매년 기부자인 30본산으로부터
받아들여 지금까지 보성고등보통학교를 경영하고 그 외는 중앙기관을 유
지하여 오던 중 작년 11월경에 시내 숭인동에 있는 북묘 터와 윤덕영 씨
토지 약 6천여 평을 2만 8천500원에 사들였는데 오는 봄부터 그 자리에
불교전문학교 교사를 짓는 동시에 그 옆에 보성고등보통학교도 새로이 연
와제로 건축하여 지금 수송동에 있는 것을 그리 이전하기로 계획한다(『동
아일보』1926년 1월 5일자).

지난 14일 교무원에서는 임시평위원회를 열고 불교전문학교 교사는 원 북묘
기지에 신축하고, 보성고등보통학교는 시내 혜화동 북묘 앞에 새로이 건축하

후 즉시 이전하리라는 바 불일간 공사에 착수(『동아일보』1926년 6월 19일자).

『별건곤』 제23호(1929년 9월)에는 북묘의 유래를 다음과 같이 설명하고 있다.

북묘北廟는 경성 제관묘 중 가장 역사가 일천日淺하니 이태왕 20년 계미9월
에 낙성한 것이다. 이 북묘 건설에는 우서운 이야기가 있으니 즉 이태왕은
임오년 봄에 우연히 한 꿈을 꾼즉 어떤 장한壯漢이 장검을 가지고 그를 해
하랴 하는데 관우가 구하야 주고 또 수일 후 민비의 꿈에도 또한 그와 같은
일이 있음으로 원래 미신 좋아하는 그들은 이 관우關羽를 위할 필요가 있다
생각하고 내탕금內帑金을 지출하야 이 묘를 짓고 그 낙성식에는 왕이 친히
전작례奠酌禮를 행하고 왕세자까지 수행하며 또 비를 세우되 문은 어제하고
민영환忠正으로 서書케 하였다. 그런데 공교하게도 그 익년 갑신지변에 리
태왕은 이 북묘에서 란을 피하였으므로 그와 일반 세상 사람들은 관왕의
현령이 부합한다고 하고 더욱 관묘를 신앙하였었다. 갑오혁신 후 차묘는
공폐空閉하였다가 약 10여 년 전에 30본산에 대여하야 불교중앙학교을 이
곳에 설립하였다가 지금은 보성고보교의 교실이 되었다(지금은 新건물).[33]

---

33 考古生,「京城이 가진 名所와 古蹟」,『별건곤』 제23호, 1929년 9월.

1915년 7월 5일

무명회(無名會) 진열품

매일신보사에서 개최한 '무명회無名會' 례회는 7월 5일 오후 6시부터 조선금석문연구회를 개최하고 오후12시에 산회했다.

이날 오다小田 편집과장, 오다小田 중추원 서기관, 아사미淺見 고등법원판사, 구도工藤 토지조합국과장, 가와이河合 동양협회학교분교 주간, 오카다岡田 동물원 주임, 가츠라기 스에지葛城末治, 오세창, 아유카이 후사노신鮎貝房之進, 아베阿部 매일신보사장 등 각 회원 출품의 조선금석문 및 금석탁본이 다수 진열되었다.

그 중 중요한 것을 기하면 우선 최근에 발견한 조선고비문 중에 평안남도 용강군에 있는 '점선산비명秥蟬山碑銘'과 평양관찰부에서 발견한 '고구려고성석각高句麗古城石刻', 오대산에 있는 '상원사종명', '북한산신라진흥왕순수비기', '황초령진흥왕순수비기', 창녕의 '진흥왕탁경비기', '현화사비명', '경주고선사서동화상탑비명', '갈항사삼층석탑기', '중초사당간주석기', 오세창 소유의 '낭선군금석첩', 아사미 린타로淺見倫太郞 출품의 공민왕 필 '영호루비', 오세창 출품의 고려판 '산곡집山谷集' 등이 진열되었다.[34]

---

34 『每日申報』1915년 7월 8일자.

1915년 7월 19일

총독부 기수 키고木子賢隆는 영주 부석사에 출장하여 1개월을 예정으로 부석사 조사에 착수했다.[35]

1915년 7월

사라진 북한산성 행궁

1915년 7월의 경기도 일대의 호우로 북한산성 동쪽 골짜기의 산사태로 산성 안의 행궁이 삽시간에 쓸려 사라졌다.

이 행궁은 1711년 북한산성 축성 당시에 왕의 임시 거처로 지은 궁이다. 이궁離宮이라고도 불리는 행궁은 왕이 거처하는 궁의 격에 맞추어 축조된 관아건축으로 전시에 임시 피난처 및 지휘소로 사용될 뿐 아니라 요양을 목적으로 하기도 했다. 행궁의 규모는 임금이 생활하는 공간인 외전外殿과 왕비가 생활하는 공간인 내전內殿으로 이루어졌으며 전체 규모가 124칸에 달했다.

『매일신보』 1921년 5월 9일자에 게재된 「근역지槿域誌」에는 북한산성 행궁이 사라지기 전의 모습을 다음과 같이 기술하고 있다.

---

35 『釜山日報』 1915년 7월 21일자.

북한산성 행궁(『조선고적도보』)

정문은 3칸 3호요 단층 양하兩下인데 중간의 누상은 좌우보다 1단이 높고 소무랑小廡廊이 있으니 문에 들어가면 즉 외정外庭이라 좌우에 소무小廡가 서로 마주하였고 다시 나아가면 중문이 있고 좌우에 작은 석담이 있어서 내정內庭의 삼면을 위圍한 무랑廡廊에 연접連接하였고 내정후부內廷後部에 1단이 높은 곳에 있는 것은 정전正殿이라 약 4면 7칸이오 단층으로 구조되었는데 그 제도가 경복궁 강녕전과 흡사하고 그 후로 다시 소무문小廡門을 격隔하여 한 전우殿宇가 있어 혹은 비빈妃嬪의 피난처인 듯하더라. 요컨대 이런 등의 건물은 만일의 경우에 국왕의 난을 피하기 위하여 설設한 바 이궁離宮인데 그 규모가 원래 협애狹隘하고 장식구조도 <중략> 오랫동안 수리를 게을리 하였으므로 자못 폐퇴廢頹에 속하였더라.[36]

---

36 白錦生, 「樺域誌」, 『每日申報』 1921년 5월 9일지.

●북한산파셔디 셔울북한산은
쳔셕이명려항야 경치가졀승훈곳
인고로하졀을당항야외국인이피
셔항는쟈만갈나뎍당효가옥어업
슴을유갑히알고영국셩공회는롬
씨눈외수국의허가를엇어그곳에
잇눈이왕항지소롬슈리항며군긔
고롤헐어·그뎌목으로다시四기소
의가옥을신건항야외국인의피셔
디롤삼기로방금역수항눈듕이
더라

『신한민보』1912년 7월 22일자

『北漢誌』에 나타난 북한산성 행궁

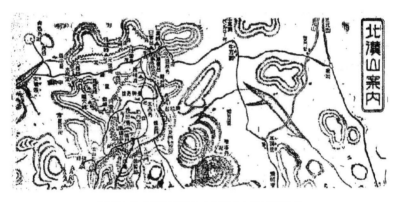
북한산 안내 (『동아일보』1939년 10월 28일자)

오랫동안 관리를 소홀히 하는 동안 1909년 4월에는 이 궁의 서고에 비장하였던 사서史書와 기타 서적은 종친부로 옮겨가고,[37] 사고 건물은 1912년 1월에 총독부의 요청으로 10년간 영국 교회에 대여해 주었다.[38]

영국 성공회에서는 피서지로 사용하기 위해 군기고를 헐어버리고 그 재목으로 다시 4개소의 가옥을 새로이 건축하여 피서지로 삼기도 했다.

---

37 『皇城新聞』1909년 4월 6일자, 8일자.
38 『純宗實錄』1912년 1월 8일자.

부여 및 공주 일대의 백제유적 조사

세키노 일행은 경주 일대의 조사를 마치고 7월 14일에 대전에 도착하여 서방 유천면 괴정리고분을 보고, 15일에는 대전을 출발하여 연산의 개태사지를 답사했다.

7월 16일에는 부여 능산리에 도착했다. 부여에서는 도쿄제국대학 문과대학 조교수 구로이타 가쓰미黑板勝美가 대학의 명에 따른 조사의 일환으로 능산리왕릉 중하총, 서하총의 발굴 조사를 하고 있었다. 세키노 등은 17일부터 19일까지 능산리 횡혈총橫穴塚, 전석총塼石塚, 할석총割石塚을 구로이타와 함께 발굴하고, 능산리의 왕릉 중상총을 발굴했다.

고분을 발굴하는 동안에 부소산성 및 금성산을 조사하여 다수의 도기파편과 고와를 채집했다.

7월 20일에는 부여를 출발하여 학산을 경유하여 무량사를 조사했다.

7월 21일부터 임천 성흥산성, 대조사를 조사하고 세키노는 단독으로 공주로 들어가 공주산성을 조사하여 도기파편, 고와편 등을 채집하고 23일에 경성으로 돌아갔다.[39]

부여 발견 와
(도쿄대 문과대학 소장, 조선고적도보3)

---

39 藤井惠介, 부乙女雅博 외 2명 편,『關野貞アヅア踏査』, 東京大學總合硏究博物館, 2005; 關野貞硏究會 編,『關野貞日記』, 中央公論美術, 2009.

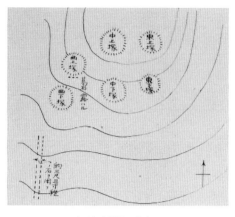

능산리 왕릉 배치도

능산리왕릉 발굴

백제의 고도 부여는 1909년 세키노 타다시關野貞 등에 의해 고건축 조사의 일환으로 외형적인 조사가 있었으며, 1915년에 와서 본격적인 발굴조사가 이루어졌다.

능산리陵山里의 백제왕릉이라 전하는 고분군은 부여의 동쪽 방향 부여면 능산리의 구릉상에 동서 3열 각2기로 6기가 전하는데, 1909년 세키노 타다시關野貞 일행이 부여에 2일간 체재滯在하였으나 능산리에 속칭俗稱 왕릉王陵이라 칭칭稱하는 고분이 있었다는 사실을 알지 못했다. 이는 당시 윤씨尹氏 성姓을 가진 어느 양반가兩班家에서 왕릉 근처에 묘墓를 축성築成하고 그 세력을 이용하여 근처의 사람들에게 이곳에 왕릉이 있다는 말을 하지 못하도록 단단히 단속을 하였던 터라 세키노 일행은 이를 알 수가 없었다. 그런데 1915년에 이르러 한국인 군서기郡書記가 우연히 이러한 사실을 듣고 현지를 살펴본 결과 6기의 총이 한 곳에 모여 있음을 확인하고 당국에 보고를 하여 본격적인 발굴조사가 시작되었다.

이곳은 6기의 고분이 상하 2열로 각열별 3곳으로 6기가 1군을 이루고 있다. 도쿄제국대 교수 구로히타 가쓰미黑板勝美가 발굴한 것은 가장 큰 하열 중앙총 (중하총)을 발굴했는데 이미 옛날에 도굴을 당하여 봉토 중에서 목관의 파편, 김두병金頭鋲을 발견하는 외에는 아무런 부장품을 발견할 수 없었다. 다시 발굴한 것이 그 서편의 서하총이다. 서하총은 일군의 고분 중 가장 작은 규모의 고분으로 역시 옛날에 도굴당하여 부장품은 남아있지 않았다. 분묘의 형식을 밝히는데 그쳤다.

세키노 일행이 발굴한 것은 중상총에 해당한다. 이 일군의 6기 중 3기를 발굴한 것이다. 중상총에서는 석상石床 위에서 목관木棺 내지 그 덮개의 파편破片을 발견하고 시체의 두부頭部에 해당되는 곳에서 금동보관金銅寶冠의 식금구飾金具로 생각되는 금동팔화형금구金銅八花形金具 대소大小 수 개를 발견하였다.

능산리왕릉 중상총 현실(조선고적도보3)

또 능산리왕릉에서 동남방 8정 정도 떨어진 논산가도 북방의 산록, 다수의 고분군 중 외형이 완전에 가까운 것 3기를 발굴하고, 가칭 전상총塼牀塚이라 했다. 하등의 부장품을 발견하지 못했다. 이 총의 위의 방향 것을 또 발굴하고 가칭 할석총割石塚이라 했다. 다른 하나는 횡혈총橫穴塚이라 이름을 붙였다.

이에 대한 보고는 세키노 타다시關野貞가 1915년 8월에 「신라新羅 급及 백제百濟의 고분古墳」, 그 해 12월에 「백제百濟의 유적遺蹟」이라는 제하題下의 보고서를 일본 학계에 발표했다.[40]

세키노는 백제 유적의 조사를 마치고 경성에 돌아온 후 7월 27일 총독부회의실에서 「백제의 고분」이란 제목으로 조사 내용을 강연을 하였는데, 그 대략은 다음과 같다.

40 「考古學會記事」, 『考古學雜誌』 第6卷 2號, 1915년 10월, pp.51~54; 關野貞, 「新羅及百濟にの古墳」(1915년 8월), 『朝鮮之硏究』, 朝鮮及滿洲社, 1930; 關野貞, 「百濟の遺蹟」 『考古學雜誌』 第6卷 3號, 1915년 11월.

「백제의 고분(2)」 관야 박사 강연

남한산의 도읍하였을 시대의 유물은 여하하냐 말하면 대저 당시의 소위 남한산이 금일의 남한산인지 이에 대하여는 하나의 의문이나 내가 선년에 남한산을 답사할 시에 한강연안에 석촌이라 칭하는 부락이 있으며 그 촌 중의 전田중에 대소의 고분이 산재하였으나 백제시대의 유물이 아닌가 하여 동행하였던 율산 공학사가 발굴하여 본즉 이 고분은 경사가 완만하며 신라시대의 물은 심히 급준한데 그 중에는 다수한 소석이 적재하고 그 다음에는 토층이 되었으며 그 중심에 철정과 토기의 파편이 유하더라. 이로 인하여 보건데 이 고분에는 석곽을 축조하지 않고 단 목관상木棺上에 소석小石을 치置하였을 뿐이라. 일본의 고분에도 이런 종의 물物이 유有한데 이 곳에서 발견한 토기는 소소素燒에 가까워 백제초기로 인정하겠으며 제2기 공주에 천도한 후 유물에 이르러서는 금회에 답사한 공주의 산성 그 자신이 자못 흥미가 유한지로다. 공주의 산성은 성 중으로부터 다수한 고와와 그 파편이 발견되었더라 이 성은 백제가 공주에 도읍하였을 시에 축조한 것이니 그 축조한 방법에 특색이 유有한지라 즉 산상山上으로부터 하천에 연沿하여 반드시 곡谷을 포包하여 성벽을 두른 것이라. 이 축조방법은 음료수의 부족이 없도록 하여 고구려, 신라시대의 성에도 이와 동일한 축성법을 취한 것이 있으며 이 선 부근에는 2, 3의 고분이 있으니 즉 금강의 북 무릉武陵의 고분이 있으며 또 공주의 서북에는 무치武峙의 고분이 산재하였으며 또 공주의 동에는 무현武峴의 고분이 있으며 동국여지승람에 소위 동방일리東方一里 백제왕의 묘가 유有하다 함에 상당相當한 지라. 이 시대의 묘는 분 중의 실 즉 석곽石槨이 성成하였더라(『매일신보』 1915년 8월 22일자).

「백제의 고분(3)」관야 박사 강연

내가 1909년에 부여를 여행할 때 그 지방민들에게 이 부근에 고분이 없느
냐고 물은 즉 그런 고분은 없다고 답하더니 <중략> 본년에 이르러 비로소
그 지방인은 이를 왕릉이라 칭하여 이를 발견하였는데 하고何故로 이 왕릉
이 세상에 출현치 아니했는지 말하면 윤모라 하는 양반이 이 릉 부근에 묘
를 조성했음으로 만약 왕릉이라는 것이 세상에 알려지면 분묘를 이전치
아니하면 불가하겠음으로 동네사람으로 하여금 불언케 하였음이라 흑판
박사가 능산리에서 고분 2개를 발굴하였는데 나도 역시 1개를 발굴하였노
라 내가 발굴한 것은 1차 굴취掘取함과 같이 생각하였더니 과연 그 고분의
전실 천정 일각一角을 굴취掘取함에 이르러서는 그곳에는 일개인은 능히
출입할만한 넓이로 붕괴되었는데 그 내부에 들어가 본즉 넓이 6척, 길이
12척, 천정의 높이 7척 가량인데 사방의 벽은 화강암의 1장석이 유한데 또
그 장석으로 만든 상상床上에 관의 대석이 유하고 그 위에는 목관이 파괴
되어 그 파편만 낙재落在하고 기타 유물은 모두 가져가버렸으며 목관은 내
외를 칠漆로 도塗하고 정釘을 6촌 간격으로 타打하였고 그 대의 단端에 두
개골과 하악골下顎骨이 잔존하였으며 또 두부처頭部處에는 관의 금구와 같
은 것이 유하고 그 금구는 실로 조선에서 발견한 중 제일의 백제시대의 복
장품이니 석시昔時에는 도금하였던 것과 같아 현재는 청록이 생겼는데 두
頭의 주위에는 영락瓔珞을 내렸던 금구인 듯하더라. <중략> 이 고분은 형
식은 공주와 석촌의 물物과 다르고 극히 장려壯麗하더라. 이를 왕릉이라 칭
하고 또 촌명村名을 산직리山直里라 부르므로 인하여 본 즉 귀인貴人의 묘가
재在함을 가히 추측한지로다(『매일신보』 1915년 8월 24일자).

『매일신보』 1919년 5월 3일자에는 다음과 같은 기사가 있다.

중상총 발견 유물(『조선고적도보』3)

능산리에 백제왕릉 전설지傳說地가 있다. 전설지라 함은 불분명의 의意를 표시함과 같지만은 실제에는 왕릉이 분명하다. 그 증거를 들건대 능산리는 고래古來의 명칭이니 왕릉 소재지가 아니면 능산리의 명칭이 어찌 있으며 능묘는 천삼백년의 풍우와 사람의 발굴함에 의하여 퇴이頹圯하였으나 당년 규모의 웅장한 형적은 남아 있다. 지난 년 세키노關野, 구로이타黑板 양 박사와 야쓰이谷井 문학사의 시굴試掘한 결과에 의하면 5개소의 능묘는 내부의 장치가 장려하여 석관石棺과 여如함은 잔 1칸반 광고廣高 각 1칸의 석판으로 구조하고 출입구의 석판호石板戸를 설설設 하였는데 석판의 제작은 극히 정미精美하여 백제공예의 정화를 현현現한 유일무이의 작품이며 석판의 내면에는 회화繪畵가 있고 승묵繩墨도 분명하며 <중략> 유물은 선소鮮小하나 내관內棺 칠도금漆塗金의 파편과 금관의 파물破物이 있으며 부근 10여 개소의 고분도 당병의 발굴을 입은바 그 내부의 구조는 심상尋常한 고분 보다는 우미優美하되 왕릉의 구조와는 매우 열劣하여 비빈妃 嬪 및 대신의 분묘인 듯하며 묘도墓道는 층층 석계石階의 유적이 약존略存하다. 여하간 백제왕릉 됨이 명백하거늘 부근 암장자暗葬者 호민豪民의 혐기嫌

룬로 인하여 은폐隱蔽된 자者이라.[41]

조선반도사 편찬사업 착수

조선반도사편찬은 1915년 7월에 착수하고, 1916년 1월에 자료 수집에 착수하여 참의贊議 류정수柳正秀 이하以下 15명의 부참의副贊議에게 편사사무編史事務를 담당케 하고, 동년 3월에 교토대학 교수 미우라三浦周行, 동대학同大學 강사 이마니시 류今西龍, 도쿄대학 교수 구로히타 가쓰미黑板勝美를 촉탁으로 임명하여 지도 감독에 임하게 했다.[42] 이는 1915년 조선반도사 편찬사업이 중추원으로 넘어오기 전에 총독부 취조국에서 모든 사료를 통제 압수하여 철저하게 분석하고 일제에 부담이 되는 것을 철저하게 말살抹殺 분서焚書한 다음 그 엄무를 중추원에 넘긴 것이다.

조선반도사朝鮮半島史 편찬사업의 그 개요를 보면,

사서들의 적멸을 기期함은 도리어 그것의 전파를 격려하는 결과가 되는 것이다. 차라리 공명公明, 적확的確한 새로운 사서史書로서 함이, 조선인에 대한 동화同化의 목적을 달성함에 있어서 첩경捷徑이요, 또한 그 효과 현저할 것이니 <중략> 이것이 조선반도사朝鮮半島史의 편찬이 필요한 이유요, 또한 편찬사업의 근본정신인 것이다. <중략>

금번 중추원에 명하여 조선반도사를 편찬하게 한 것도 또한 민심훈육民心

---

41 江景支局 一記者,「부여의 景勝(1)」,『每日申報』1919년 5월 3일자.
42 朝鮮總督府中樞院,『朝鮮慣習制度調查事業槪要』, 1938, p.141.

訓育의 일단一端에 자資하고자 하는 것이다. <중략> 조선인을 무지몽매無知蒙昧의 역域에서 억압하기는 오늘날 이 시세에 있어서는 불가능한 일이다.[43]

라고 밝히고 있다. 즉 사료인멸의 역효과를 파악한 일제는 한국인을 금압으로 일관하는 소극적 자세를 버리고 적극적으로 한국인을 조사, 연구하여 동화同化의 목적을 이루겠다는 것이다.

조선반도사 편찬사업은 처음 박은식의『한국통사韓國痛史』[44]가 중국에서 간행되어 수많은 부수가 국내에 반입되어 한국인들 사이에서 널리 애독되고 한국인들의 독립정신을 크게 고취시키자, 이 저서의 심대한 영향에 일제는 크게 당황하게 되었다. 일제는 박은식의『한국통사』등 한국 사서들에 대항하기 위하여 일제조선총독부는 일본 사학자들을 동원하여 1916년에 조선반도사편찬위원회朝鮮半島史編纂委員會(1922년에 조선사편찬위원회로 개정 1925년에 조선사편수회로 개정)를 조직하고 처음에는『조선반도사』를 준비하다가 계획을 수정하여『조선사』의 편찬을 시작하였다.[45] 「조선반도사편성요지朝鮮半島史編成要旨」는 이 사실을 다음과 같이 기록하고 있다.

조선인은 타他의 식민지에 있어서의 야만반개野蠻半開의 민족과는 달리 …… 고래로 사서의 존재하는 것이 많고 또한 새로운 저작의 것도 적지 않다. 이 중에

---

43 『朝鮮史編修會 槪要』第2章, '朝鮮半島史編纂' 條, 朝鮮總督府朝鮮寺編修會, 1938, pp.6-7.
44 痛史의 結論部分에,
　　"……이에 갑자년(1864)부터 신해년(1911)에 이르기까지 3편 114장을 써서 책명을 痛史라 하였으니, 감히 正史를 자처하려는 것이 아니고, 우리 동포들이 國魂이 담겨져 있는 것임을 인정하여, 버리거나 내던지지 않게 되기를 바랄 뿐이다."
45 朝鮮總督府 朝鮮史編修會,『朝鮮史編修會事業槪要』, 1938.

서 전자는 독립시대의 저술로서 현대와의 관계를 결여하고, 헛되이 독립국獨立國의 구몽舊夢을 추상追想시키는 폐弊가 있다. 후자는 현대 조선에 있어서의 일청日淸, 일로日露의 세력경쟁을 서술하여 조선의 향배를 설명하고, 혹은『한국통사韓國痛史』라고 칭하는 재외조선인의 저서와 같이 사事의 진상을 구명하지 않고 함부로 망설을 지어낸다. 이들의 사적史籍이 인심을 좀먹고 혹하게 하는 해는 참으로 말로 다 표현할 수 없는 것이 있다. 그러나 이 절멸絶滅의 책을 강구하는 것은 헛되이 노勞는 많고 공功은 없을 뿐 아니라, 혹은 그 전파傳播를 격려할른지도 알 수 없다. 오히려 구사舊史의 금압禁壓에 대신하여 공명적확公明的確한 사서로서 하는 것이 첩경捷徑으로서, 또한 효과도 훨씬 현저하게 될 것이다. 이것이『조선반도사朝鮮半島史』의 편찬을 필요로 하는 이유의 주된 것이다.[46]

라고 밝히고 있어『한국통사』의 국내 반입에 위기를 느낀 일제는 그 여파가 독립운동으로 연결되는 것을 차단하는 것에 부심하였음을 알 수 있다. 이를 계기로 종전의 한민족사 금압정책禁壓政策에서 선회하여 적극적인 역사 왜곡에 착수하게 되었다.

해강서화연구회(海岡書畵硏究會) 발족

해강海岡 김규진金圭鎭은 1915년 7월에 회장에 김윤식, 부회장에 조중응으로 하여 '해강서화연구회'를 발족시켰다 귀족과 서화에 뜻있는 사람의 아들들을 받아

---

46 朝鮮總督府,『朝鮮半島史 編成要旨』, 1916년 9월, pp.3-4; 朝鮮總督府 朝鮮史編修會, 『朝鮮史編修會事業概要』, 1938, p.6.

들여 지도하였다. 지도과목은 서법과 화법이다. 3년 과정을 마치고 제1회 졸업을 한 사람은 일본인까지 합쳐 19명이다. 사군자와 서예로 일가를 이룬 송은 이병직은 이규원과 함께 1회 졸업생이다. 그 후배로는 고암 이응노, 강신문 등이 있다.

1915년 8월 1일

한국역사의 중요한 사료를 인멸함에 있어 구로이타 가쓰미黑板勝美도 다음과 같이 유감을 표하고 있다.

최근에 안타까운 것은 귀중한 조선 사적은 다수의 골동벽으로 인하여 일본의 취호取好에 투投하여 그 손으로 파괴되고 유물의 행방을 불명에 종終한 것이 있음이라, 이에 대하여 총독부에서도 엄중히 감독하는 것은 기쁜 것이나 조선에 재주하는 일본인도 크게 주의함을 바란다. 원래 골동벽은 고상한 도락道樂에 벗어나지 않고 또 이로 인하여 귀중한 고물보존을 완전히 하는 경우도 적지 않으나 이와 반대로 그 고물이 여하한 유래를 가지고 여하한 장소로부터 여하한 상태의 하에서 나온 것이지 하는 것이 불명不明하게 되면 가령 진귀한 하나의 미술품으로 보관하는바- 된다할지라도 우리들의 연구에 대하여는 유감이 없지 않다.[47]

47 黑坂勝美, 「南鮮史蹟의 踏査」, 『每日申報』 1915년 8월 1일자.

1915년 8월 10일

종각 이전 준비공사 중 석비 발견

종로의 종각 이전공사를 준비하기 위해 8월 10일에 종각 후방 온돌석 아래를 팠는데 우연히 석비 한 개를 발굴하였다. 석비의 길이 4척8촌, 폭 1척5촌, 두께 1척의 화강석으로 표면에는 대자로 '양이침범죄전측화주화매국洋夷侵犯罪戰側和主和賣國'이라 각해 있고 측면에는 작은 글

종각 이전에 분망한 종로
(『매일신보』 1915년 8월 12일자)

씨로 '계아만년자손戒我萬年子孫', '병인작신미립丙寅作辛未立'의 문자가 있었다.[48]

1915년 8월 17일

전라북도 태인군 칠보암을 폐지하다.[49]

---

48 『每日申報』 1915년 8월 12일자.
49 『朝鮮總督府官報』 1915년 8월 17일사.

1915년 8월 18일

본사 월정사 말사 강원도 원주군 진부면 염불암念佛庵 폐지하다.[50]

본사 영명사 말사 평안남도 중화군 해압면 약천사藥泉寺를 폐지하다. 평안남도 중화군 해압면 고봉사高峰寺를 폐지하다.[51]

1915년 8월 25일

전라남도 해남군 삼산면 대흥사 말사 정방암井芳庵, 성도암成道庵, 완도군 백운암白雲庵을 폐지하다.[52]

보신각종 이전

보신각이란 명칭은 1895년 고종이 '보신각普信閣'이란 현판을 내린 이후 사용된 것이다. 1915년 시구개정에 따라 각은 원래 자리에서 약간 뒤쪽으로 옮겨지게 되었다.[53]

---

50 『朝鮮總督府官報』1915년 8월 18일자.
51 『朝鮮總督府官報』1915년 8월 18일자.
52 『朝鮮總督府官報』1915년 8월 25일자.
53 서울특별시 시사편찬위원회,『국역 경성부사』제1권, 2012, p.213.

『매일신보』1915년 9월 8일자에는 다음과 같은 기사가 있다.

이전 중의 종각

경성에 유명한 종로의 종 '인경'은 지난 25일부터 종로 보신각과 함께 이사 가기를 시작하였더라. 중량 4만5천근의 큰 종과 4칸 반에 3칸 넓이 되는 종루를 그대로 옮긴다는 근래에 처음 보는 역사인고로 그 부근은 항상 구경꾼들이 들어있는데 이 보신각은 이번의 시구개정으로 인하여 십자거리의 모퉁이에서 비스듬하게 뒤로 들어오는 것이라 종각에는 종이 달리고 종루의 집 위에 다섯 자 두터이 흙을 덮고 그 위에 기와를 이은 집인 고로 그 이사는 실로 용이한 일이 아니라. 생전이란 내지인이 천여원의 도급을 맡아 아직 기한은 많이 남았으나 공진회 개회까지는 일을 맞추려고 작금은 다수한 인부를 들여 주야로 "이여차이여차" 하건만 종각은 도무지 까딱도 아니하는데 만일 이 종각이 움직여 흔들리는 날에는 큰일이니까 조금도 움직이지 않고 옮겨 들어가는 것이 정말 어려운 일이라 벌써 4칸 가량이나 옮겨 들어갔지만 8일 까지 다 들여놓을 터이오. 종각의 주초도 매우 커서 인부가 열둘이나 들어야 한 개를 겨우 움직이는 고로 비상히 곤란한데 이번에는 땅을 깊이 파고 조약돌에 양회로 바닥을 다졌는 고로 한번 옮겨 놓으면 전보다 튼튼하리라더라.

경성 종로 보신각 이전 공사 중 8월 28일에는 종각의 상량문을 발견했다.
상량문은 들보 중간에서 발견했는데 도홍빛 비단으로 넓이 2자5치, 길이가 10자 이상이나 되었다. 글자는 전부 사방 1치나 되고 끝에는 동치同治8년(1869) 10월 28일 유시 준성이라 하였으며, 문은 정기세鄭基世가 찬撰하고 글씨는 김대근의

1899년의 보신각(국립중앙박물관 소장 유리건판)

서로 '숭록대부향례조판서 봉교필자김대근근서奉教筆者金大根謹書'라 하였다. 이는 발견 즉시 총독부로 가져갔다.[54]

보신각종(보물 제2호)은 문화재청 설명 자료에 의하면,

조선 세조14년(1468) 만들어 신덕왕후정릉 안에 있는 정릉사에 있었으나, 그 절이 없어지면서 원각사로 옮겨졌고 임진왜란 이후 종루에 보관했다. 고종32년(1895) 종루에 보신각이라는 현판을 걸게 되면서 보신각종이라고 불렀다. 현재는 국립중앙박물관 경내에서 보관 중이다.

라고 하여 보신각종은 원래 정릉사에 있던 것임을 밝히고 있다. 하지만 이것에 대한 명확한 근거 자료가 보이지 않는다.

『연산군일기』1504년 10년 12월 9일조에 "홍천사興天寺에 불이 났다. 전년에 불난 홍덕사와 홍천사가 모두 도성 안에 있어 양종兩宗이라 칭하였는데, 1년이 못 되어 모두 불탔다" 하는 기록이 보이고, 『중종실록』1510년 3월 28일조에는 "이날 밤에 정릉사貞陵寺 5층 사리각舍利閣에 불이 났다" 라는 기록이 모두 정릉과 관계한 기록이므로, 여기서 말하는 정릉사는 정릉의 원찰인 홍천사興天寺임을 알 수 있다.

54 『每日申報』1915년 8월 31일자.

정릉의 원찰인 흥천사興天寺에는 세조8년에 주조한 흥천사종이 있었으나 흥천사가 불타고 흥천사 대종은 1536년 김안로의 건의로 동대문 근처로 옮겨지게 되었다.

흥천사종에 대해 『별건곤』 제23호(1929년 9월)에 실린 「경성오대종변정록京城五大鍾辨正錄」에서는 다음과 같이 설명하고 있다.

> 제4종 즉 정릉종貞陵鐘은 흥천사興天寺가 폐폐廢한 뒤에 원각사(금 탑동공원지)에 이현移懸하였다가 중종7년에 원각사圓覺寺가 폐하니 당시 권신 금안로가 동대문에 이치하야 신혼晨昏에 명명鳴코자 하다가 미기에 안로가 실패하야 여의치 못하고 이래 350여 년을 동대문측에 있다가 영조24년 5월에 상上이 "지부地部의 신臣에게 위謂하야 왈 흥인문 내와 광화문 외에 각각 일종一鐘이 있는데 종면에 광묘光廟: 世祖와 내전의 휘호徽號가 있고 또 어제御製가 있으니 다 각을 설하고 저貯하라" 명함으로 그 각을 설하고 치하엿다가 최근 이태왕3년 병인 광화문 중건 시에 각사 승려를 명하야 동대문종을 운반하야 문루에 달고 법회를 설하며 문의 낙성을 축祝하였더니 융희4년 4월28일에 리왕직박물관에 이장하였다.

하고 있어, 이것이 바로 정릉종 즉 흥천사종이다.

또 『자유신문』 1946년 5월 22일자에는 다음과 같은 기사가 있다.

> 흥천사종 덕수궁으로
> 480년의 오랜 역사를 가진 흥천사의 종을 덕수궁 종각에 달게 되었다고 문교부 교화국장 최승만 씨가 21일 발표하였다. 1462년 세조대왕 시대에 주조하

이 청동의 종은 1510년 홍천사가 소실될 때까지는 이 절 안에 있었던 것이다. 화재 후에 경복궁 광화문 누각으로 옮겼던 것을 1910년에 일본 사람이 그 종을 창경원으로 옮겼고 그 후 지금으로부터 9년 전에 덕수궁으로 옮겨 근일까지 버려두었던 것인데 미군 기술자가 20일 이 종을 다시 달게 된 것이라 한다.

이 때 옮겨 단 것이 덕수궁 광명문 안에 있는 홍천사종(보물 제1460호)이다. 그렇다면 보신각종은 어떤 것인가. 보신각종에 대한 명확한 기록이 보이지 않는다. 『별건곤』 제23호(1929년 9월)에 실린 「경성오대종변정록京城五大鍾辨正錄」에서는 다음과 같이 설명하고 있다.

현금 보신각普信閣에 있는 것이니 상기 박물관종과 가티 경성의 고물로 형제종으로 저명한 것이다. 그런데 이 종의 출처는 다만 『조야회통朝野會通』세조기에 무오戊午13년에 대종을 주조鑄하야 운종가雲從街에 치置하고 신혼晨昏을 경驚하였다 운운云하고 어떤 경로로 지금 보신각으로 왔다는 말이나 그 종명鐘銘 또는 다른 기록이 없으며 실제에 이 종도 표면이 모두 소용消融되고 다만 성화4년成化四年 2월(世祖13년) 이하 54행에 당시 감주자監鑄者의 씨명만 기하였으므로 그 내력을 잘 알 수 없다(氏名도 消落이 많다). 그러나 성화4년 즉 세조13년에 주조란 것만은 확실한 즉 상기 제종과는 혼동할 수 없는 것이다. 그런데 근래 내외인內外人의 발표한 여러 기록을 보면 대개는 본종을 정릉종貞陵鐘으로 오인誤認하니 독자는 특히 유의할 것이다. 그리고 현재 보신각은 이태왕6년 10월28일에 큰 화재가 있어 소화燒火된 후 그 해 10월28일에 중건한 것이니 그 상량문은 정기세가 찬하고 서는

례판 금대진의 필이오 보신각 3자는 최근 이태왕32년 3월15일에 게揭하였
으니 해강 금규진의 필이다.

여기에서 '성화4년'을 세조13년이라 한 것은 '세조14년'의 오기로 보이며, "근
래 내외인의 발표한 여러 기록을 보면 대개는 본 종을 정릉종으로 오인하니 독
자는 특히 유의할 것이다" 라는 문구는 주목이 되고 있다. 왜 이런 착오가 생긴
것인가. 『별건곤』 제23호(1929년 9월)에는 별도의 논설로 「세상에 나온 잘못된
기록들, 경성에 관한 제기록의 착오, 독서인은 주의하라」란 글을 싣고 있는데,
'보신각종에 관한 착오'는 다음과 같다.

보신각종에 관한 착오
이것도 본지 경성오대종변정록 급 인경의 신세타령 기사에 상재詳載하였거
니와 이 종은 그 종명에 성화4년 2월(世祖13년 戊午)에 주하였다고 명백히
기記하였는데 증보문헌增補文獻 비고여지고備考輿地考라던지 연려실기술별집燃
藜室記述別集에는 연대가 아주 상위相違되는 정릉사종貞陵寺鍾 또는 원각사종圓覺
寺鍾과 혼동하여 기록하였기 때문에 근래 내외국인의 기록에도 모두 착오가
생겨서 혹은 정릉사貞陵寺의 종이라고도 하고 혹은 원각사종이라고도 한다.
그런 기록이 하도 많으니까 자茲에 일일 열기列記치 않거니와 요사이 홍문사
에서 발행한 경성편람에는 그저 모호하게 임란 후 주조한 것이라고 하였다.

1915년 8월

도리이 류조(鳥居龍藏)의 사료조사

도리이 류조鳥居龍藏는 8월 23일에 부산에 도착하여 약 100일간의 경상도, 충청도, 강원도 등에 대한 사료조사를 하게 된다. 경주에서는 반월성대하半月城台下를 발굴조사하고,[55] 충남 부여에서는 지표면에 노출된 석곽을 발굴하여 석기, 토기, 석검, 석족 등을 채집했다.[56]

이 해 『매일신보』에는 조사와 관련하여 「일선몽민족日鮮蒙民族 관계」(『매일신보』 1915년 8월 28일자), 「X민족의 출처」(『매일신보』 1915년 8월 28일자). 「조선민족에 대하여」(『매일신보』 1915년 9월 3일, 9월 4일자, 9월 5일자). 「석굴암의 불상」(『매일신보』 1915년 9월 29일자) 등을 게재했다.

묘향사 매몰

평북 영변군 묘향사妙香寺는 대소 법당이 수십여 곳이나 되는 거찰인데 7월 말 경부터 큰 비가 와서 별안간 묘향산의 한쪽이 붕괴하여 묘향사 법당 8채가 흙속에 파묻혔다.[57]

---

55 早乙女雅博,「新羅の考古學調査「100年」の研究」,『朝鮮史研究會論文集』39, 朝鮮史研究會, 2001년 10월.
56 稻田春水,「石器時代に於ける石器及土器の發見」,『考古學雜誌』6-2, 1915년 10월.
57 『每日申報』1915년 8월 27일자.

1915년 9월 11일

시정5년조선물산공진회 개회

근정전 식장 앞의 데라우치총독 및 관계자들
(『매일신보』 1915년 9월 12일자)

물산공진회의 개회식은 1915년 9월 11일에 거행되었다. 이 날 10시가 되기 전에 야마가다山縣 사무총장 이하 각 위원이 회장에 도착하고 1400여 명의 내빈들이 식장인 근정전 앞에 도열하자, 오전 10시15분에 데라우치寺內가 식장에 도착하여 근정전 정면 보좌寶座에 앉자 식이 시작되었다. 데라우치寺內는 야마가다山縣사무총장으로부터 사무보고를 받고 이어 개회사를 했다. 개회식 행사가 끝나고 신무문神武門 밖 융무당隆武堂 앞 넓은 정원에서 축하회가 계속되었는데 이 축하연에서 데라우치寺內는 '천황폐하 만세' 삼창을 선창했다.[58] 당시 그는 아마 한국을 영구히 속국화屬國化 했음을 만방에 선포한 것이라고 생각했을 것이다.

조선물산공진회를 개최하는 취지와 그 목적은 대략 다음과 같다.

조선물산공진회개최취지

조선총독부 시정 이래 5년의 성상을 경한 금일이라 반도에서 생하며 長하

---

58 朝鮮總督府, 『施政5年記念朝鮮物産共進會報告書』第1卷, 朝鮮總督府官房總務局, 1916년 9월, p.218.

는바, 1500여 만 조선민족은 물론 그 혜학惠學을 몽蒙하였다 할지오. <중략>
이제야 제반시설 경영상의 기초가 확립하는 행운에 다달아 산업 기타 문
물이 개선 진보됨을 보겠으니 이것이 실로 금수강산인 조선반도를 위하
여 일하일축一賀一祝을 가하여도 오히려 부족할 지어다. 장하다 금추에 개
최하는 공진회여, 보편적으로 조선 각지의 물산을 수집 진열하고 각반各般
의 시설상황을 전시하는 동시에 한편으로는 생산품과 아울러 생산사업의
우열 득실을 심사하야 당업자當業者를 고무하며 한편으로 신구시정을 비
교대조하야 조선인에게 신정의 혜택을 자각케 하는 동시에 이 기회를 이
용하여 다수한 내지인을 초치招致하야 조선 실황을 시찰케 함도 후일 조선
개발상 자익資益이 일을지니 이 어찌 조선 개발상 양침良針이 아니리오. 대
정4년은 조선총독부 시정5주년이 됨으로 시정5주년기념의 취지로서 본년
추기秋期를 기하여 조선물산공진회를 경성 경복궁 내에 개최하게 되었도
다(「朝鮮物産共進會開催趣旨」, 『신세계』 3권 9호, 新文社, 1915년 1월).

시정5년간의 조선 발전

1. 공진회의 목적

조선총독부가 개설되어 신정을 시행한 후로 于슥 5개성상을 지났도다. 원
래 경세제민經世濟民의 대사업은 다년의 노력을 기다려야 목적을 관철할
것이라 할지라도 과거 5개년의 짧은 세월로써 치평治平의 혜택은 이미 13
도에 보급하여 반도의 산하는 면목을 일신하고 조선통치의 기초가 확립
함을 보았도다.

<중략> 이번의 조선공진회는 다만 그 규묘가 크다 함이 아니라 그 개최하

게 된 목적이나 또한 공진회 그것의 성질이 기왕 내지 도처에서 개최하던 공진회와는 다소 취지가 달라 그 명칭은 간단한 물산공진회라 할지라도 그 실은 조선 것을 전시하는 박람회라 불러도 과장의 말이 아니로다.

무릇 공진회라든지 박람회라든지 그 개최에 당하여 당국자의 목적됨은 곧 정세精細히 물산을 수집하여 넓이 인민에게 뵈여 산업의 개량 발달을 도모하고 겸하여 인민 간에 근검역행勤儉力行을 양성함에 있고 동시에 또 다수한 사람을 초치招致하여 그 토지를 興旺케 함에 있으니 총독부의 공진회 개최 취지는 반도 장래의 산업개발을 기약함으로써 직접의 목적을 삼을 뿐 아니라 간접의 목적으로 조선의 민중으로 하여금 안일을 피하고 <후략>

(『매일신보』1915년 9월 5일자)

즉 신구시정을 비교하여 현재의 시정 즉 일제의 통치가 우월하고 얼마나 많은 발전을 가져오고 한국인에게 혜택을 주고 있는가를 자각케 한다는 것이다.

그 계획의 요항要項은 "출품은 조선 물산 뿐만 아니라 산업, 교육, 위생, 토목, 교통, 경제 등에 관한 시설 및 그 개선 진보의 상황을 묘사함에 진력함"이라고 하고 있다.

공진회장은 근정전, 교태전, 경회루, 등 주요한 건물을 적당히 수리하여 회상의 일부로 사용하였고 기타 재래의 선물은 이를 일소하여 각종의 진열관을 새로 설비하였다. 이때 새로이 미술관건물을 신

공진회 포스터(이 포스터에 대해 『매일신보』1915년 4월 22일자에는 이 포스터 사진을 게재하고 "성황을 미리 고하며 손님을 부르는 공진회의 광고그림, 내지 조선의 각처에 분배함"이라 하고 있다.)

축하여 그 앞에 정원을 만들고 석불, 석탑류를 두었다. 또 장내의 경회루 부근의 일각에 매점, 음식점, 유흥장 등을 경영하여 야간에도 개방하여 일대를 유흥장화 했다. 진열관은 제1호관, 제2호관, 심사관, 미술관, 기계관, 박애관, 농업분관, 참고관, 철도국관, 관측관, 동척특설관 등과 진열관이란 미명 하에 우사, 계사, 양돈사까지 설치[59]했는데 일국—國의 궁궐이 하루아침에 소, 돼지우리가 된 셈이다.

각 진열관의 공사는 1915년 8월 15일까지 완료하고 바로 진열한 것으로 보인다. 『매일신보』 1915년에는 다음과 같은 기사가 있다.

공사 진행 정도, 15일까지 전부 준공
공진회 각관 공사의 진행되는 모양을 들은즉 각관이 모두 완성을 고告케 되었으나 전부의 공사를 종결하려면 오는 15일경은 된다하고 목하 각관은 비계까지 철퇴撤退하였는데 미술관은 그 후 다소 표면에 모양을 변경할 필요가 있어 그대로 두었으나 이 역시 오는 15일까지는 철퇴할 예정이오. 또 정문 절부매장切符賣場도 15일로서 종료할 터인즉 이상의 건물에 대하여는 양 3일 중 토목국으로 실지 검사를 정식으로 행한다더라.

『매일신보』 1915년 9월 10일자에서는 공진회장의 회장과 진열관에 대해서 다음과 같이 설명하고 있다.

---

59 京城府, 『京城府史 第3卷』, 1934, pp. 260~262.

본회 회장

본 공진회의 회장은 경성 경복궁으로서 이에 충하였는데 동 궁은 경성 시가의 북단 백악의 전록에 재하니 <중략> 금회의 공진회장에는 동 궁 내 7만 2천 평의 광활한 지역을 충용하여 근정전, 교태전 및 48본의 대석주 상에 가축한 구조 특히 윤환의 미로서 저명한 저 경회루 등의 주요한 건물을 적당히 수리하여 회장의 일부에 사용하는 외는 재래의 건물을 일소하여 각종의 진열관을 신영설비하였으니 공진회의 사용 건물은 총계 5천226평에 이른 지라. 그 규모 설비가 조선의 미증유이니 다만 신정 시행 후의 제1회 공진회로 이를 종전 내지 개최의 부현연합회의 공진회에 비하여도 일층 장대한 것이라 이를 지오. 금회의 신영에 계係한 미술관은 특수의 의장

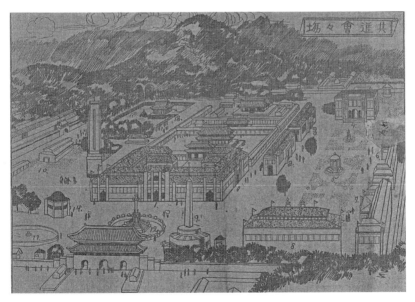

공진회 회장(1 제1호관, 2 영림창별관, 3 기계관, 4 미술관, 5 음악당, 6 참고관, 7 제2호관, 8 심세관, 9 철도국 특설관, 10 연예관, 11 양어장, 12 정문, 13 경회루, 14 동척 특설관)

을 응凝한 영구적 연와조의 건물로 그 전면에는 대정원을 설하고 이에 조선고대의 예술을 대표할 석불상, 석탑류를 거부据付하여 음악당을 치하고 식수, 화단, 포석 등 특히 입장자의 눈을 기쁘게 하기 족할 풍취를 더하였으며, 또 장내 경회루 부근의 한 구획은 매점, 음식점 및 여흥장 등의 경영에 개방하고 경성협찬회로 하여금 이를 관리케 하여 특히 야간의 개장을 허가하고 일반 시민 및 여행객의 입장을 자유로 하게 하였다더라.

진열관

진열관은 제1호관, 제2호관, 심세관, 미술관, 기계관, 박애관, 농업분관, 수산분관, 참고관에 나누고 그 외에 별도로 참고미술관, 인쇄사진관, 철도국관, 관측관, 동양척식회사특설관, 우사, 계사, 양돈사 등이 있는데 구 궁전 및 회랑을 이용한 박애관, 참고미술관, 인쇄사진관, 관측관, 농업수산분관 및 우계양동사 외에는 모두 이번에 새로 지은 곳에 관계한 것이다.

제1호관은 제1부부터 제6부까지의 출품 진열로 즉 농업, 척식, 임업, 광업, 수산, 공업의 각 부류에 속하는 조선 내 출품을 부류별로 진열하였는데 건평수는 1천4백76평이다.

제2호관은 제7부부터 12부 출품의 진열로 즉 임시은사금사업, 교육, 토목 및 교통, 경제, 위생 및 자혜구제, 경무 및 사옥司獄의 각 부류에 속한 조선 내 출품을 부류별로 진열하였는데 이 건평수는 7백51평이다.

심사관에는 각 도 과거 5년간의 도세추이道勢推移의 상황 즉 각도의 시설 및 그 성적을 보여준 출품을 도별로 진열하였는데 그 건평수는 2백24평이다.

농업분관 및 수산분관은 근정전의 익랑翼廊을 이용한 것인데, 제1부 농업 및 제5부 수산에 속한 것 중 농구, 과실, 화훼, 삽화, 분재, 어구모형을 진열하였으며 총건평수는 6백70평이다.

박애관은 사정전의 건물을 이용한 것인데 적십자사의 출품을 진열하였는데 건평수는 63평이다.

미술관에는 회화, 조각, 자수, 칠기 등의 현대미술품 및 고고자료를 진열하였는데 본관은 영구적 연와조 건물로 총건평수는 1백66평이다.

기계관에는 조선 내외의 출품에 관련한 각종 기계를 진열하여 개관 중에 운전하여 관람할 수 있게 했다. 총건평수는 2백평이다.

참고관의 출품은 조선 외의 생산품인데 조선에 있는 각종 생산의 참고할 만한 것을 진열했는데, 기계 및 기구, 직물, 칠기, 문구 및 완구, 잡공품, 농잠구, 어업용구 기타 특별히 유익하다고 판단되는 것들로 건평수는 5백61평이다.

이상으로 진열관사의 총평수는 4천5백50평인데 그 외 식장으로 근정전, 귀빈관으로 교태전, 사무실로 자혜전 등을 합하면 총건평수가 5천2백26평이다.

관측관(『매일신보』 1915년 10월 30일자)

미술관은 구조적으로는 벽돌조이지만 외벽에는 모르타르를 발라 석조건축물처럼 보이게 하였다. 내부의 진열품에 대해『매일신보』1915년 10월 23일자에는 다음과 같은 기사를 싣고 있다.

공진회, 미술관

본관은 석조 영구 건물인데 입구 중앙에는 신라시대에 건립한 경주 남산의 서방 험애상險崖上에 안치하였던 약사여래좌상을 안치하고 그 배후 계단의 좌우에는 경주 구 감산사에 있던 미타여래의 상과 미륵보살의 상을 치置하였고, 또 계단 위의 중앙 및 계단 아래 좌우의 벽면에는 경주 토함산 소재 석굴암 벽면 박육각명불모형薄肉刻名佛模型을 석고반육조石膏半肉彫로 삽입하였는데 이 불상 등은 모두 1천2백여년전의 진품걸작이니 당시 예술의 정화를 규지窺知키 족하고, 계단 아래 동측의 진열실에는 고려시대의 청자, 백자, 회고려와 경주읍 사천왕사 고허古墟에서 발견한 신라조 벽채도판신장碧采陶板神將의 상과 경주 고분에서 발견한 신라시대의 순금장신구, 고와, 토기와 낙랑시대의 전과 임나시대의 구옥과 고구려시대의 고와, 토기 등인데 모두 고색이 창연하여 고고학자에게 무상한 취미를 주고 그 다음은 이조초기의 삼도완三島碗인데 그 아치雅致를 가국可掬하겠으며, 계하階下 서측의 진열실에는 신라시대 고범종과 고려시대 청동고경 및 청동판종구靑銅板鐘具와 이조시대 청동고종, 나전궤, 도칠연상塗漆硯箱, 갑주甲胄, 화승총, 가야금, 철적鐵笛, 철로鐵爐, 동향로, 동인銅印, 동귀銅龜, 인장 등이오. 계상의 동방 진열실에는 연담 김명국의 설중산수도雪中山水圖, 천주완월도天柱玩月圖, 단원 김홍도의 구룡폭도九龍瀑圖, 신화무적神化無跡, 화훼

도, 마고선도麻姑仙圖 등이 가장 주목처인데 단원은 전체 선인화가 묘수妙手
요. 근대에 이르러 완당의 홍매, 대원왕의 난석병풍蘭石屛風이 가장 저명하
고 또 숙묘조肅廟朝에서 금강산 건봉사에 하사하신 절함도折檻圖는 천하의
일품이오. 기타 정겸재의 도연명도, 화첩, 어몽룡의 매죽도, 이희윤의 산수
도, 불화, 현재 심사정의 효경산수도曉景山水圖, 류음열 마도, 녹죽도, 백로
도, 이정의 묵죽도, 이경운의 연주첩聯珠帖, 진재해의 도원도, 강희안의 누
각산수도, 최북의 산수도, 창강 조속의 화조도, 이인문의 십우도, 조영우
의 추경산수도, 표암 강세황의 묵죽 등이 유명하고, 정선군수의 출품에 계
係한 관찰사환락도觀察使歡樂圖는 고시 평양의 풍속을 규지窺知키 족하며, 조
선사절래조지도朝鮮使節來朝之圖 등은 옛날 일한교통의 일단을 참고하기 족
하니 이는 전연 이조 오백년간의 회화를 진열한 것이오.

계상의 서방 진열실에는 삼국시대의 도금불상과 육조시대의 청동관음과 신
라시대의 석조화엄경, 불상과 고려시대 <일부 누락> 석각불상과 이조초기의
청동불상 등과 기타 이조 오백년간의 문헌을 가징可徵할 국조보감, 세종실록,
실록자, 조선활자의 연혁 및 인쇄법, 목활자, 인쇄용 먹 및 인쇄용구, 규화명
선奎華名選, 한구자韓構字, 대학류의大學類義, 정리자整理字, 사본寫本, 묘지명, 유
현유묵儒賢遺墨, 금강사경金剛寫經 및 금회에 인쇄한 해인사대장경 등 <후략>

『매일신보』 1915년 10월 7일, 8일자에는 공진회를 관람한 또 다른 사람의 관
람기를 게재하고 있는데 이들이 보는 눈은 한국 예술을 저하하려는 의도는 보
이나, 당시의 출품 목록과 개인 출품자의 소장품을 살피는 데 참고가 되고 있다.

고고학자의 수탄만장垂誕萬丈할 진품귀물珍品貴物이 다多함

공진회 미술관을 관람하는 자의 참고에 공供하기 위하여 조선 고미술에 조예造詣가 심다深多한 야기 쇼자부로八木奘三郞 씨의 담談을 게揭하건데 미술관 동계상東階上의 진열은 조선 고대의 회화이라, 그러나 조선의 회화는 불상과 조각과 같은 고시대의 물物이 불선不尠한 모양이라, 위선 신출물은 양석연楊石然의 백로白鷺의 화인데 사람의 눈을 야기惹起케 하며, 다음에 지나인 양묵림楊墨林이 완당에게 증여贈與한 철괴선인鐵拐仙人의 상像과 완당은 이의 답례로 보낸바 폭幅의 묵적墨蹟도 파頗히 유미有味하더라. 중앙 탁상에는 조선 대불화大佛畵가 있는데 손과 팔의 사법寫法이 자못 부자연유치不自然幼稚하나 조선의 불화로는 비상히 취미가 유有하더라.

금강산 건봉사의 보물 절함도折檻圖는 숙종의 낙관이 있는 진품이라 유래由來로 조선의 거찰에는 옛날부터 왕실 소장의 명화와 외국으로부터 증래贈來한 미술품 등을 왕궁으로부터 기증한 것이니 왕왕히 일본 아시카가足利時代의 명화 등이 조선 사찰에 소장된 바 있다하며, 다음에 관찰사환락도觀察使歡樂圖라 하는 것은 거금 3백 년 전의 소작所作인데 평양의 토지와 풍속을 묘사한 것이니 전부 8매의 폭이나 진열한 것은 5매 뿐이오. 또 탄은灘隱의 죽竹도 묘妙하니 임신지역壬申之役에 일본군을 대적하던 이조 당년의 왕족이 전란 중 오른 손을 잃고 이래로는 왼손으로 붓을 잡은 사람인고로 이 죽竹도 왼손으로 그린 것이라 하며, 또 김명국의 천주완월도天柱玩月圖라 칭하는 3백 년 전의 남화도 유有하고, 또 당시 유일의 화가 단원 김홍도의 그림에는 화조를 묘사한 한 폭이 있는데 이 사람은 원래 인물화 중 특히 선인仙人 등의 묘수妙手오. 또 현재玄齋의 호랑이는 조선인 동물화 중에는 극진품極珍品이며 그 다음에는 작자는 불명하나 용호대폭龍虎大幅이 있는데 미술부의 회화부는 시시時時로 진열품을 교체하는데 현재품은 제2회의 진열품이라더라.

미술관 계하 서측의 1실에는 고려, 이조 양 시대의 미술품, 고고품, 발굴품 등이 진열되었는데, 위선 이조시대의 범종, 향로, 저箸, 시자匙子, 약분藥盆, 인印, 통화通貨이니 그 다수는 고분 중으로부터 발굴한 고대의 부장품과 이조시대의 갑주甲冑, 나전세공 등이 많아 고고학자의 수탄垂誕을 난금難禁할 물품 뿐이라, 그 고려조의 향로를 보건데 그 다수는 지나 원명시대 작품을 모방한 청동은상감의 고색이 창연한 것인데 모두 각지 거찰에 전래하던 것이라 하며, 기타 순조선식의 형型과 사찰의 이름을 새긴 향로도 적지 않고 또 발굴 중에는 각종의 부장품이 많으나 조선의 특징은 순금 및 순은제품이 많고 문양에는 卍 기타의 문자를 새겨 내지에서 소위 사인絲印이라, 일본에서 고고학자 의론議論이 많은 사인絲印을 조선에 래來하면 다견多見하겠고, 또 조선에 유한 사인은 금, 요 등 만주방면의 민족으로부터 전래한 것이라, 그 다음에 고분으로부터 나온 고전古錢은 순금, 순은의 고전이 많아 일본 등에는 그 류가 없는 것이라, 다음에 장 2촌 폭 1촌의 경문經文을 입入한 경합經莢도 있고, 은중안銀衆眼의 청동병, 청동매화병青銅梅花器: 便器도 있으며 특히 조선의 고종古鐘은 용두의 형을 부付한 특징이 있고 주위에 천녀天女를 새김도 역묘亦妙하다. 기타 오고령五鈷鈴, 삼고령三鈷鈴으로부터 고려시대의 청동범종도 출품하였고 또 경鏡에는 지나(중국)의 한, 송, 명 각 시대에 모模한 제반의 형이 출품되었으며 또 북측 진열탁에는 모두 이조시대의 미술품인데 위선 그 향로의 조각을 보아도 이조의 모양은 일반이 사생적과 같고, 그 인접해 있는 금색 찬란한 갑주甲冑는 원대元代의 형을 모한 것인데 석일昔日에 왕실에는 모두 28착着이러니 민비시閔妃時에 산일되었다 하며 또 고려조의 물은 현물은 없으나 석인형石人形의 조각으로 지知하겠으며, 그 다음에 경궤經櫃는 나전세공의 화려한 것인데 석일로부터 나전세공은 우수하였고, 또 계상 서측의 실에는 서사내사와 이여송, 송운松雲의 묵적, 가사 등이 유하고, 또 유명한 해인사의 대장경 6,805권의 대책大册도 유하고, 계하 벽면의 석고육상은 경주 석굴암의 조각을 그대로 제작한 것이더라(「조선고미술연총朝鮮古美術淵叢」, 『매일신보』 1915년 10월 7일).

미술관 내 계하 동측 진열관에는 불상 다음에 조선의 자기가 유한데 청자, 백자, 삼도수 등이 그 골자를 이루었고 고려소高麗燒의 特長되는 空色의 청자와 삼도수三島手의 일품, 지나제와 무이無異한 백자의 각 색 등은 모두 입장자로 하여금 감탄하겠으며, 위선 청자의 중요한 것은 조각의 수반水盤과 합盒, 화병, 수주水注 등의 일품이 진열되었는데 그 형과 그 색과 그 관택이 모두 탄복할 것 뿐이오 특히 시구詩句를 쓴 대화병 등도 유하나 가장 감심感心할 것은 이곳에 그린 화조 기타의 세미한 도안이 모두 흙과 철분을 중안衆眼으로 하여 정교를 극하여 타에 유례가 없는 것이라, 또 청아한 우과천청雨過天晴한 색도 고려소의 특장인데 지나의 청자와 같이 농후치 아니하고 그 담박한 천처天晴의 색은 실로 완상가의 수탄垂誕할 바이라. <중략>

공진회 미술관의 진열은 제1회의 진열체환陳列替換을 하였는데 회화부에 새로 출진한 것을 일견한 즉 쿠니와케國分三亥 씨의 출품 변상벽의 견묘犬猫, 同 김득신의 동우도童牛圖, 김곡충 씨의 출품한 이인문의 십우도十友圖, 아유카미후사노신鮎貝房之進 씨의 출품한 완당의 필적, 미나카와 코사이皆川廣濟 씨의 출품한 묵적, 정선군수의 출품한 관찰사의 유락을 묘사한 것觀察使歡樂圖, 신 다

미술관(정면에는 지광국사현묘탑을 이치)

쓰마進辰馬 씨의 출품한 조선사절의 그림, 또 화첩으로는 쿠바 나오스케久芳直介 씨의 출품한 이경윤 낙파駱坡의 필로 이룬 것, 단원의 신화무적神化無跡, 사사키佐佐木 씨의 출품 겸재의 그린 것 등이 크게 일반의 주의를 야기惹起하였고, 기타 미즈코시水越理庸 씨 출품의 겸재의 도연명의 그림, 구도 쇼헤이工藤壯平의 선조왕의 묵직, 시대미상한 불화 등의 가견可見할 것이 적지 않으며 대장경은 2개의 탁자위에 가득 채웠는데 문자도 선명하고 제본과 지질과 표장이 모두 미려美麗하더라(「朝鮮古美術淵叢」,『매일신보』1915년 10월 8일).

부속관이 되는 강녕전 및 연생전延生殿에는 참고품으로 석기시대 유물과 일본인의 서화, 공예 등을 진열하고,[60] 미술관 앞 정원에는 원주에서 운반해온

60 『毎日申報』1915년 10월 29일자에는 다음과 같은 기사가 있다.
　참고미술관
　참고미술관은 강녕전(康寧殿), 경생진(慶生殿), 연생전(延生殿)으로써 충(充)하였는데 강녕전의 중앙에는 내월(來月)에 거행할 어즉위식의 모형을 진열하고 그 좌측에는 미술건 고고기고의 일부를 진열하였으되 태반 석기시대의 서도 설부 석종 등 무려 수백점

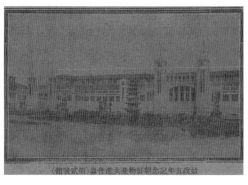

『부산일보』 1915년 9월 20일자
앞 쪽으로는 각지에서 옮겨온 석탑 등을 배치해 놓고 있다

탑, 개성 혹은 경주 지방에서 가져온 신라 고려시대의 불상, 기타 유물을 배치했다. 야외 전시물들은 대부분 개성, 원주, 충주, 이천 등지에서 옮겨온 것이 대부분인데, 이는 경비 절감을 위해 운송 관계상 용이한 곳에서 옮겨온 탓이 아닌가 생각된다.

『조선휘보』(1915년 10월)에 게재된 「공진회순람기」에는 다음과 같이 묘사하고 있다.

정원의 이곳저곳에는 신라와 고려시대의 사리탑과 석불과 철불을 배치하였다. 음악당을 사이에 두고 그 남북에 있는 것은 이천의 삼계공양탑三界供養塔이라 하고, 그 남쪽에 있는 오층탑을 원주의 보제존자탑, 칠층탑은 개성의 봉경탑奉經塔이라 하는데, 북쪽에 있는 것을 원주의 현묘탑이라 하는데 조각이 가장 정교하고 뛰어나며, 이를 중심으로 대일여래大日如來의 석상 2

이오. 기타는 내지인 출진에 계(係)한 목조각, 석조각 및 인장 등으로 수공의 정교함이 보는 사람으로 하여금 토설(吐舌)을 불금(不禁)케 하고, 또 4벽에는 내지인(內地人) 회화 수백점이 있고 동방 진열실에도 전부 내지인 미술가, 서화가의 손으로 이룬 참신기발(嶄新奇拔)의 회화 수백점이 있고 서방 진열실은 미술관 제1분관 및 제2분관의 2부로 구별하고 제1분관에는 일선서화가의 수(手)로 성(成)한 서화를 착종괘치(錯綜掛置)하여 활발, 기발, 교밀한 아치와 <후략>

원 위치의 영전사지(令傳寺址) 普濟尊者舍利塔 3기
(강원도 원주시 태장동 122-1, 건판 001741, 『유리원판목록집Ⅰ』, p.75 / 120692)

존, 문수 및 미륵의 철제좌상 2존을 사방에 배치하였던바 어느 것이나 모두
고색창연하여 천고의 조각에 해당하는 물건임은 의심의 여지가 없다.[61]

여기서 개성의 봉경탑奉經塔이라 하는 것은 현재 국보 제100호인 남계원7층
석탑이다. 이 석탑은 경기도 개풍군 청교면 덕암리에 있는 개국사라고 전해지
는 곳에서 옮겨왔다고 하여 개국사탑이라 하였는데, 후일 고유섭 선생에 의해
남계원지임이 밝혀져 오늘날은 남계원지7층석탑으로 부르고 있다.[62]

또 「공진회순람기」에서 오층탑이라 하는 것, 즉 원주의 보제존자탑과 원주
의 사리탑은 실제는 삼층탑의 오인으로 보인다.

원주 전 영전사지에서 옮겨온 탑은 3기이다. 그런데 현재 그 명칭에 있어서

61 「共進會記事, 共進會巡覽記」, 『朝鮮彙報』, 1915년 10월, p.15.
62 高裕燮, 『韓國美術史及美學研究』, 열화당, 1963.

경복궁으로 옮긴 후의 천수사(泉水寺) 삼층석탑
(강원도 원주시 호저면, 건판 025932,
『유리원판목록집Ⅳ』, p.118 / 無769-12)

경복궁으로 옮긴 후의 천수사지5층석탑
(원주시 호저면, 건판 025931,
『유리원판목록집Ⅳ』, p.118 / 無769-11)

는 영전사지조제존자사리탑 2기, 천수사지3층석탑 1기로 명명되어 있다.

세키노 일행이 촬영한 것으로 추정되는 유리건판 사진을 보면 '영전사지보
제존자사리탑 3기'이라 하여 3기의 탑이 나란히 서있다. 그런데 경복궁으로 옮
겨진 후에는 그 명칭이 한 기는 천수사지3층탑으로 잘못 기록된 것이다.

옮겨진 후 중앙의 것(건판 022199)이 영전사지 보제존자사리탑동탑, 그 오른
쪽(가까운 쪽)이 서탑(건판 025925)으로 명명했다.

오른쪽 인물과 가까이 있는 탑은 경복궁으로 옮겨진 후 천수사지삼층탑으로
명명되었다.

하지만 이 탑은 영전사지에 나란히 서 있던 3탑 중의 하나이다.

영전사지의 세 탑을 옮기면서 인근에 있는 천수사지5층석탑도 함께 옮기는

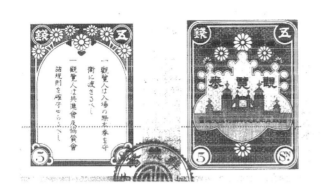

공진회관람권　　　　　　　　　공진회 그림엽서와 우편국 기념부인

과정에서 혼란이 와서 천수사지로 잘못 명명한 것이 아닌가 생각된다.

　『유리원판목록집Ⅳ』에는 천수사지가 원주시 호저면이라고 하는데 그 위치를 알 수 없다. 또한 천수사지5층석탑의 경우에는『조선고적도보』제6책 도판 2929와 거의 일치하고 있는데, '강원도 원주군 호저면 본저전동 오중석탑'이라고 기록하고 있다. 따라서 호저면 본저전동에 천수사지가 있었다는 얘긴데, 이에 대한 것은 숙제이다.

1915년 9월

《동양미술전람회》 개최

　1915년 '시정5주년기념조선물산공진회'를 계기로 조선신문사 주최로 명동의 한성병원 자리에서《동양미술전람회》를 개최하였다.

이 전람회에 대해서는 1915년에 간행한 『신문계』(3권 3호, 1915년 10월)에 '태화산인太華山人'이란 필명을 사용하는 사람의 「조선신문사의 주최 동양미술전람회를 일관─觀함」이란 글에 실려 있다. 당시 출품된 것은 한국, 중국, 일본의 고대부터 현대에 이르는 서화와 진귀한 물품을 수 천 점 진열하였다고 하는데 서화가 중심이긴 하지만 구체적으로 밝혀진 것이 없어 정확한 규모는 알 수 없다.

당시 출품작 중에 중요한 것 몇 가지 중요한 목록을 살펴보면 다음과 같다.[63]

작품명	출품자	비고
古銅雕龍大香爐	高木德彌	가격 : 1만원
大象牙(길이 5척)	吉村亥之吉	가격 : 1만원
大硯	千葉蒼胤	가격 : 1만원
吉祥玉如意(길이 3척)	古城梅溪	가격 : 1만원
神仙鳥獸彫刻山形碧玉	三田政治	가격 : 1만원
朝鮮古代樂器碧玉簫	高田德彌	가격 : 1만원
寶劍	寺內 총독	가격 : 2만원
寸瓢	奧田建夫	가격 : 3천원
山水圖(徐雨亭 筆)	城六太	
海上觀音圖(고려시대, 필자미상)	조선인	가격 : 1천원
蘇東坡笠屐圖(청 朱鶴年 필)	林田康雄	주학년이 완당에게 준 것
山水圖	林田康雄	朱鶴年이 阮堂에게 준 것으로, 阮堂의 贊이 있음
淸風池閣圖(謙齋 筆)	城六太 (경성상업회의소 의원)	

63 太華山人, 「朝鮮新聞社의 主催 東洋美術展覽會를 一觀함」, 『新文界』 제3권 10호, 新文社, 1915년 10월.

작품명	출품자	비고
仙童吹笙圖(檀園 筆)	千葉蒼胤 (취조국 사무촉탁)	
雲龍圖	三田政治	
遺墨 2폭(金玉均 筆)	呼子友一郎 (창덕궁경찰서장)	
簇子(翁方綱 筆)	和田常市	
疎竹圖(72세 장씨)		
8幅蘭(大院君 筆)		
宣祖御筆屏風	原勝一경성상업회의소 회두○	
白石圖(白雲和尙 筆)		추사가 평생 애장

출품자는 대부분 일본인으로 이루어졌는데 그 이유에 대해, "출품한 고대 물품과 명필 명화의 소장자는 모두 내지인 (일본인)이오 조선인의 출품함을 볼수 없으니 이는 조선인의 미술품을 에석愛惜할 줄도 모르거니와 가지고 있다할지라도 다른 사람의 안목眼目에 걸어 놓기를 꺼려하여 깊숙이 보관하는 승성乘性이 있으므로 한 사람의 출품도 없으니.....운운" 하고 있다. 이 내용으로 본다면 출품을 공고하였으나 한국인 수장가들이 참여하지 않았다는 것으로 해석된다. 그러나 실제는 한국인 수장가들을 배제하였던 것으로 보인다. 이 전시회는 한국인을 배제하고 일본인 출품자들로만 구성하였으며, 비록 '동양미술' 이라했으나 한국 미술의 입장에서 본다면 진정 대표작이 전시되었다고 할 수 없다.

온고각 현판

온고각 현판은 일제강점기 조선총독부 총독 데라우치 마사타케寺内正毅가 1915년 9월 중순에 쓴 것이다. 경주고적보존회는 현판을 진열관 본관 건물, 즉 '경주 최초의 박물관'에 걸어두고 온고각溫故閣이라 이름하였다. 온고각의 溫故는 논어의 '온고이지신溫故而知新'라는 구절에서 따온 말이다.[64]

1915년 10월 17일

분황사탑 수선과 유물 발견

분황사탑은 신라 선덕여왕 3년에 창건된 것이라 전하고 있으며,[65] 돌을 벽돌 모양으로 다듬어 쌓아올린 모전석탑模塼石塔이다. 원래 9층이었다는 기록이 있

---

64 경주박물관 설명문.
65 『三國史記』卷第五 新羅本紀 第五 634년.

수리 전의 분황사탑

으나 지금은 3층만 남아있다. 초층 사면에는 입구를 설치하고 그 좌우에는 금
상역사상金剛力士像을 조각하어 배치하었다. 또 탑의 4우四隅에는 석사자石獅子를
두었다. 이 석사자상은 처음에는 6구였으나 1921년에 2구는 경주고적보존회
진열관에 이치移置하였다고 한다.[66]

　분황사탑의 수선 전의 사진을 보면 탑 주변이 매우 황폐하고 탑 위에는 작은
나무와 잡초들이 우거져 있으며 탑의 일부는 허물어져 있는 상태이다. 이를 정
리하기 위해 1915년에 탑을 해체 수리를 하게 되었다. 탑을 수리하는 과정에서
1915년 10월 17일에 탑의 3층에서 석함을 발견했는데 석함에서 상당의 귀중한 유
물이 발견되었다. 『매일신보』 1915년 10월 24일자에는 다음과 같은 기사가 있다.

66 「 千年 古都 慶州地方」, 『계비』 제38호, 1973년 9원

古器珍物發見
芳篁寺古塔石槨에서

目下總督府의 直營으로 保存工事中인 慶尚北道慶州郡內東面新基里芳篁寺九層塔第三層中에서 方二尺의 石槨을 發見하야 去十七日工事監督은 慶州警察署長의 立會로 開掘하얏는데 其石槨中에는 銀製盒一個 金銀針筒二個 飾玉三百四十八個外 百十七個의 可驚할 것을 數의 古器物을 收納하얏는데 聞한 것을 據한즉 該塔은 新羅第二十七世善德女王三年에 陳飡昔國源이 都監이 되여 築造한 것인되 壬辰役에 其半을 毀撤한 後 愚僧이 又其半을 毀撤하얏다는 傳說이 有하야 方今其三層뿐을 殘存하니 實로 距今一千三百八十二年前의 것으로 所謂隋의 文化를 模倣한 朝鮮最古의 建築物이라 稱하는바 今回發見한 古器物은 種類로 察하는바 其當時의 貴族或은 王族의 家庭裝飾用其거는 아인지 左右間稀世의 珍物이 多하다더라

고기진물古器珍物 발견, 분황사 고탑 석곽石槨에서

목하 총독부의 직영으로 보존공사 중인 경주군 내동면 신기리 분황사9층탑 제3층 중에서 방2척의 석곽을 발견하여 지난 17일 공사감독은 경주경찰서장의 입회로 개굴開掘하였는데 그 석곽 중에는 은제합銀製盒 1개, 김은침통金銀針筒 2개, 식옥飾玉 348개 외 117개의 가경可驚할 다수의 고기물을 수납收納하였는데 문聞한 것을 거據한즉 해 탑은 신라 27세 선덕여왕 3년에 진손陳飡 석국원昔國源 도감이 되어 축조한 것인데 임진역에 그 반을 훼철한 후 우승愚僧이 또 그 반을 훼철하였다는 전설이 유有하여 방금 그 3층 뿐을 잔존하니, 실로 거금 1382년 전의 것으로 소위 수隨의 문화를 모방한 조선 최고의 물이라 칭하는 바라 금회 발견한 고기물은 종류로 살피건대 그 당시의 귀족 혹은 왕족의 가정장식용구가 아닌지 좌우간 희세의 진물이 다多하다더라.

이 같이 탑에서 발견된 유물은 세키노에 의해 연구라는 명목 하에 일본으로 옮겨져 일본학자들에게 먼저 선을 보였다. 또 이 수선은 일부 문제점을 안고

있다. 1917년 8월에 분황사를 답사한 춘원 이광수는 "소여所餘의 3층만 1천여
년의 풍우에 마세磨洗한바 되어, 두頭에 지엽枝葉이 무성한 고목까지 대戴하였더
니, 선년 총독부에서 수선을 가하여 다시 붕괴될 염려는 없으나, 만금萬金이 유
有할 지라도 구득購得키 난難한 창연蒼然한 고색古色을 실失한 것은 극히 유감이
다"[67]라고 수선의 문제점을 지적하고 있다.

　권덕규는 수리 후의 모습을 다음과 같이 비평하고 있다.

　　탑은 안산암을 연와 같이 - 다듬어서 방형으로 구층을 쌓았는데 어느 때에
　　삼층이 무너지고 그 후에 사승寺僧이 중수하다가 잘못하야 또 삼층을 무너
　　뜨리고 삼층만 남았었다. 그러한데 대정 4년에 총독부로부터 수선을 가할

　　때에 그 안에서 석함을 발
　　견하야 구옥句玉, 유리琉璃,
　　금구金具, 영자鈴子 따위와
　　다수의 장식품을 발견하
　　였는데 그 중에 고려주高
　　麗鑄의 숭녕통보崇寧通寶가
　　나와서 고려 때에 중수한
　　증적證跡을 얻었다. 이것이
　　사승이 중수하였다는 그
　　세대가 아닐는지도 모를

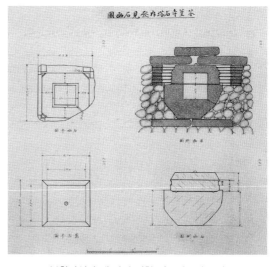

분황사석탑 내 발견 석함도(조선고적도보)

67　春園生, 「五道破旅行」, 『매일신보』 1917년 8월 31일자.

것이라. 이 삼층만도 그 웅대한 법法이 경복궁의 근정전을 쳐다보는 듯한 감이 있다. 어쩌면 그렇게 구상構想이 웅대雄大하며 건축이 장건壯健하였는 고 나는 이 3층을 미루어 9층을 생각하였다. 신라의 발발潑潑한 생각이 천 하를 통일하고 인국隣國을 조공朝貢받을 뜻으로 제1층은 하국何國, 제2층은 하국何國, 제3층은 하국何國하여서 국민에게 대국주의를 보이노라고 쌓은

석함 내 발견 유물

것이며 그 탑이 9층 그대로는 경주의 사산四山 을 솟아올라 하늘을 뚫고 천하를 내려보는 양 樣이 과연 대국의 이상을 대표하였을 것이다. 그러한데 수선修繕을 가加하노라고 탑 위를 마 말라 놓은 것이 형용할 수 없이 안 되었다. 그 전에는 탑 위에 무너진 흔적痕跡이 그대로 있어 서 9층이든 것을 분명히 설명說明하는 듯 하던 것이 이제는 어린애가 상투를 짠 모양으로 아 주 웅태부리가 되어 버리었다.[68]

1915년 분황사탑에서 나타난 석함은 경주고적보존회에 이치하고 나머지 유 물들은 모두 총독부박물관에 보관했다고 한다. 분황사 석함 내의 출토 유물은 『조선고적도보』 3권 도판 992~1081로 게재하고 있다.

---

68 權惠奎, 「慶州行」, 『개벽』 18호, 1921년 12월.

1915년 10월 27일

경상북도 경산군 대흥사大興寺를 폐지하다.[69] 대흥사는 현재 터만 남아 있다.

1915년 10월

홍법대사실상탑 경복궁으로 이전

1927년 9월 조선총독부에서 발행한『조선』의 '홍법대사비급법경대사비' 조에,

본 비는 충주읍 동방40리 동량면 하천리 개천사 적跡에 재하니 비석은 고
려조 시대에 건설한 것인데 그 유래는 상지詳知어려우나 당시의 고승 홍법
대사비급법경대사의 공덕을 찬칭讚稱하야 영구히 후세에 전하고자 건설한
것이라고 한다. 동소同所에 천복天福8년에 건설한 홍법대사의 실상탑이 유
有하더니 대정4년 10월에 소위 국보보존상 경성 경복궁내에 이전하고 법
경대사의 비만 기양존치其樣存置하였다.

라고 기술하고 있다.

1933년에 발행한 이영 편『충주발전사』(忠州發展史刊行會)에도 1915년 10

---

69 『朝鮮總督府官報』 1915년 10월 27일자.

월에 경복궁내로 이전하였다고 기록하고 있다.

홍법국사弘法國師는 신라말 고려 초의 승으로 신라53대 신덕왕대에 출생하여 고려 태조 원년(930) 구족계를 받고 그 후 현신玄信을 따라 입당入唐하였으며 귀국하여 선풍을 크게 일으켰다. 성종成宗은 대선사大禪師의 호를 내렸고 목종穆宗은 국사國師로 봉하여 봉은사에 이주케 하였다. 비문이 마멸되어 자세히는 알 수 없으나 그는 결가부좌結跏趺坐한 채 입적하였다. 그 해는 명백하지 않다.[70] 이 부도탑은 이에 따른 탑비가 있으나 이 비문에는 부도탑 건립의 상황이나 연대를 밝혀 놓은 내용이 없다. 다만 비문 말미에,「세차정사9월일립歲次丁巳九月日立」이라 하여 탑비의 건립연대를 밝히고 있는데 '세차정사'는 명문의 앞뒤 내용을 보아 고려 8대 현종8년(1017)임을 알 수 있다. 따라서 이 부도탑의 건립연대도 같은 시기로 추정할 수 있다.[71]

홍법대사실상탑은 일본『고고학』제7권 10호(1936년 10월)에, '조선의 석조미술 자료'란 제목으로 사진과 함께 "이 탑은 비와 함께 충청북도 충주군 동량면 하천리 정토사지에 있던 것인데 현재 옮겨져 총독부박물관에 있다" 라고 게재하고 있다.

야쓰이 세이이치谷井濟一가 1912년 11월 19일에 이곳을 답사하였을 때는 홍법국사의 탑과 비신이 건재하였다.[72] 그 후 언제인지 모르게 원 위치에서 반출되어 충주군청에 있었다.

장준식에 의하면, 1915년 6월에 일본인 무라카미 도모지로村上友次郎가 발행한 충주지방의 풍물사진을 담은『최근지충주最近之忠州』라는 책자에 '충주군청

70 金禧庚,「高麗 石造建築의 研究」,『考古美術』175, 176 合本, 韓國美術史學會, 1987.
71 鄭永鎬,「高麗浮圖의 研究」,『考古美術』175, 176 合本. 韓國美術史學會, 1989 p.41.
72 谷井濟一,「朝鮮通信」,『考古學雜誌』3-6, 1913년 2월, pp.49-50.

정내 금불과 실상탑'이라는 제하의 사진이 실려 있는데 이들이 안치되어 있는 주변에는 철책을 둘러 보호하고 있어 충주군청 내에 잠시 동안 있었던 것이 아니라 상당기간 있었던 것으로 보인다[73]고 한다.

이를 다시 확인한 것은 구로이타 가쓰미黑板勝美이다. 구로이타가 홍법대사실상탑을 목격한 것은 1915년 5월 2일로, 충주군청에 옮겨 놓은 홍법대사실상탑과 철불을 조사하고, 복명서에는 '고려시대 초기 홍법대선사묘탑弘法大禪師墓塔 및 신라시대의 철불鐵佛'(復命書 圖版9)이라는 제하의 사진을 게재하고 있다.[74] 이 사진 역시 철책을 둘리고 있는 모습의 사진이다. 당시 구로이타는 1915년 4월 21일에 부산에 첫발을 들여놓은 후 8월 2일 경성을 떠났는데, 그가 떠난 2개월 후에 총독부박물관으로 옮겨진 것은 구로이타의 입김이 어느 정도 작용한 것이 아닌가 생각된다.

『매일신보』1913년 4월 25일자에는,

충청 개천사 법경대사

충청북도 동량면 하곡리에 오래된 개천사라 부르는 사원이 존재하여 그 주직 법경대사가 사망 후 고려 현종 8년에 석부도 및 석비를 건립하여더

---

73 장준식, 「중원지방의 석조부도」, 『충북의 석조미술』, 충북개발연구원 부설 충북학 연구소, 2000, p.302.

74 1927년 9월 조선총독부에서 발행한 『朝鮮』의 '弘法大師碑及法鏡大師碑' 조에, "本碑는 충주읍 동방40리 동량면 하천리 개천사 跡에 在하니 비석은 고려조 시대에 건설한 것인데 그 유래는 詳知어려우나 당시의 高僧 弘法大師碑及法鏡大師의 공덕을 讚稱하야 영구히 후세에 전하고자 건설한 것이라고 한다. 同所에 天福8년에 긴설한 홍법대사의 실상탑이 有하더니 大正4년 10월에 소위 국보보존상 경성 경복궁내에 이전하고 법경대사의 비만 其樣存置하였다" 라고 기술하고 있다.

1933년에 發行한 李英 編『忠州發展史』(忠州發展史刊行會)에도 1915년 10월에 景福宮內로 移轉하였다고 기록하고 있다.

府士族岸伸吉兩名이犯호文書僞造行
促詐欺取財와右兩名의被告事件에關
法院檢事는死亡호高麗顧宗八年에住古
職法須火僧愛知縣名古屋市士族당時京
城南大門通三丁目居住雜貨商鬼頭千
藏及同縣名古屋市士族당時京城紅葉
町居住石材探堀販賣業荒川文雄兩名

伊東判事及境檢사에開廷
前十時부터京城地方法院取調開廷이라
士族岸伸吉이終히省悟호鬼頭一
起訴事實이라訊問이終호흥에被告徐元東
岸伸吉를顧序及鬼頭千藏、荒川文雄를召喚
호후審判을始호야各被告의犯罪事實及
認호며特히保管호야辨論을求호니검사

證據調查가有호야保證
도며徐元東及岸伸吉을鬼頭及荒川
各被告의同情을低頭홀不流涙
호야論결호야殊罪호야各四個月
율처刑호고岸伸吉及荒川을刑
罰호야論結호얏더라

니, 지금으로부터 5, 6백년 전에 사원이 폐멸 후 해 탑비는 洞有(동소유)에
속하여 동민이 해마다 제사를 행하더니 그 탑에 관하여 경성 명치정 1전
목 152번지 스기杉…… <해독불능>

부 사족 기시岸 신키치伸吉 양명이 범한 문적위조 사기 취체와 우 양 명의
피고사건에 관하여 애지현 애지군 상감촌 평민 당시 경성 남대문통 32정
목 거주 잡화상 기토 센조鬼頭千藏 및 동현 명고옥시 사족 당시 경성 홍엽
정 거주 석재 채굴 판매업 아리사와 후미오荒川文雄 양씨에게 대한 위증피
고사건은 23일 오전 10시부터 경성지방법원 단독부에서 이토伊藤 판사 및
경 검사의 계로 개정하였는데 운운.

라는 기사가 보이고 있는데, 이것이 1913년 개천사(정토사)의 석조물 반출과
관계한 기사로 보이나 그 전후가 명확치 않다.

경복궁에 있는 이 부도탑의 지대석을 살펴보면 방형으로 화강암석재이다. 장대
석으로 여러 개 결구하여 방형으로 이루어 졌는데 이점에 대해 정영호 교수는 석
재가 부도탑과 같지 않고 치석수법이나 짜임새 등도 부도탑 조성의 기법과 맞지

않은 것 같아 원 위치에서 함께 옮겨온 것인지 의심스럽다[75]고 한다. 1983년 발굴조사에 의하면 실상탑이 서 있던 자리는 직경2미터 정도로 우묵하게 파여 있고 연화대석 1매를 비롯하여 다듬은 석재들이 주변에 산란해 있었다고 한다. 또 석비가 있었던 자리는 현지표에서 80~100센치 지하에 유구가 있음이 밝혀졌다. 즉 석비대좌로 마련한 돌거북의 자리가 나타났는데 4매의 장대석을 결구하여 돌거북을 안치한 지대석이 발굴되었고 이 장대석들의 상면 안쪽으로는 돌거북의 윤곽이 꼭 맞도록 음각되어 있었다. 그래서 탑비는 원위치에서 옮겨올 때 지대석을 함께 옮겨오지 않았으므로 현재는 옮겨올 당시의 새로운 석재로 지대석을 구축해 놓았다.[76]

또 『조선고적도보』에는 "충청북도 충주군 소재 폐개천사 홍법대선사실상탑"

이란 제하의 원위치 사진이 게재되어 있는데 그 사진에는 옥개석 위의 상륜부를 모두 갖추고 있다. 그런데 현재의 실상탑은 상륜부를 모두 잃어 버렸다. 경복궁으로 옮긴 이후 도실된 것으로 보인다.

실상탑은 현재 용산국립박물관으로 옮겼다.

원지의 모습(『조선고적도보』)

봉덕사종을 경주고적보존회로 옮기다.

봉덕사종은 신라 경덕왕이 아버지인 성덕왕의 공덕을 널리 알리기 위해 만

---

75 鄭永鎬,「高麗浮圖의 硏究」,『考古美術』175, 176 合本, 韓國美術史學會, 1989.
76 자주실「荷谷 마을의 불교유적에 대하여」,『예성문화』제12호, 1991년 4월.

봉덕사종 이동장면(『조선고고행각』(1930))

들려 했으나 뜻을 이루지 못하고, 손자 혜공왕이 771년에 완성하여 봉덕사[77]에 달았다. 그래서 성덕대왕신종 또는 봉덕사종으로 부르고 있다. 현존하는 한국 최대의 종으로 무게는 18.9톤에 달한다.

조선시대에 들어와 1460년에 수해로 인해 봉덕사가 없어지자, 1460년에 영묘사로 옮겼으며, 1506년에 다시 봉황대鳳凰臺 아래에 종각을 짓고 보존하였다.

『신증동국여지승람』에 "치면 소리가 백여 리까지 들린다. 뒤에 봉덕사가 북천에 침몰하자, 天順4년(1460)에 영묘사에 옮겨 달았다" 하고, 또 "부윤 예춘년이 남문 밖에 옮겨서 종각을 지어 달아놓고 군사들을 징집할 때 쳤다"고 한다.

『동경잡기』에 의하면 1506년에 부윤 예춘년이 부의 남문 밖 봉황대 옆에 종각을 짓고 봉덕사종을 매달아, 성문을 여닫을 때와 정오에 타종을 하여 시각을 알리는데 사용했다고 한다. 봉황대 아래의 종각 사진으로는 1902년 세키가 경

---

77 奉德寺는 『三國遺事』 권2 紀異篇 聖德王에서 성덕왕이 재위 5년(706)에 흉년이 들자 이를 구제하기 위해, 또 태종대왕을 추복하기 위해 세웠다고 되어 있고, 『三國遺事』 권3 塔像篇 奉德寺鐘에는 孝成王이 부왕 성덕대왕의 冥福을 빌기 위해 세운 것으로 되어 있다.

봉황대 앞의 종각

주에 왔을 때 남긴 '경주부종각'이라 하여 남긴 사진이 있으며, 1912년에 데라
우치 총독이 경주를 방문했을 때 종각 앞에서 찍은 사진이 남아 있다.

이후 경주고적보존회가 설립되고 보존회 진열관의 유물 수집이 한창이던 1915
년 10월에 경주 남문 밖 종각에 있던 봉덕사종을 고적보존회로 옮기게 되었다.
봉덕사종이 경주고적보존회로 옮겨진 시기에 대해서, 『매일신보』 1915년 9
월 22일자의 「신라구도의 고적」란에는 "봉덕사종이 경주읍내 봉황대 아래 종
각 내에 있으니"라고 하고 있어 이때까지는 봉황대 아래 종각에 그대로 있었
음을 알 수 있다. 경주고적보존회에서 간행한 『신라구도 경주고적안내』(1934)
에는 1915년 10월에 "봉황대 아래 종각에 있던 성덕대왕신종을 경주고적보존
회로 이건했다"라고 하며, 오쿠다 데이奥田悌는 『(신라구도)경주지』(玉村書店,
1920)에서 봉덕기종이 유래아 옮기 경위를 상당히 구체적으로 설명하고, 봉덕

경주부 종각(『조선의 건축과 예술』)

사종이 경주박물관으로 옮겨진 시기에 대해, "다이쇼大正5년(1916) 4월 종각과 함께 현재의 박물관 구내로 옮겼다"라고 하고 있다.

또 잡지 『개벽』 제38호(1923년 8월)에 실린 「일천년 고도 경주지방」에는 "봉덕사가 홍수에 윤몰淪沒된 후 영묘사靈妙寺에 이치移置하였다가 거금 465년 전에 이 사寺가 역시 폐사된 후 다시 봉황대하鳳凰臺下에 종각을 세우고 이치하였다는데, 이것을 또다시 대정5년 4월에 보존회관내로 종각과 함께 이치하였다 한다"라고 하고 있다.

따라서 1915년 10월에 봉황대 아래에 있던 종각 건물과 종을 함께 경주고적보존회로 옮기고, 보존회에서 종각을 새로이 건립하고 종을 매달아 완공한 것이 혹시 1916년 4월이 아닌가 짐작을 해보지만 확실치는 않다.

1938년 12월 31일부터는 경성중앙방송국에서 봉덕사종소리를 재야의 종소리로 방송하게 되었다.

사찰 재산목록 제출 독려

조선총독부 내무부장관은 각 도장관에게 주지 취직 및 사유재산 목록에 관하여 각도 관내 사찰 중 사찰령시행 이래 주지 미정의 것 및 재산목록을 제출치 않은 것이 다수 있다고 하여 제출을 재차 했다. 이 같은 미제출로 사무정리 상 지장이 적지 않을 뿐 아니라 수년에 걸쳐 사무관리자寺務管理者가 불정不定한 상태에 있어 사유재산寺有財産의 관리를 비롯하여 제사諸事에 불편이 많으며 나아가서는 사찰의 유지보존이 위태로울 우려가 있다. 이에 관하여 지급 처리를 하고자 하는 바 이 수속을 이행하기 어려운 것에 있어서는 그 이유를 갖추어 12월 말일까지 제출할 것을 지시하다.[78]

일본 증상사로 보낸 대장경

데라우치는 제경요집諸經要集 및 타라니잡집陀羅尼雜集을 간행하여 일본 증상사增上寺에 기증했다.『매일신보』1915년 10월 23일자에는 다음과 같은 기사가 있다.

내장경 기증

데라우치寺內 총독에 사례謝禮

데라우치 총독은 저번에 증상사增上寺에 보관한 고려판대장경 중 궐본闕本된 제경요집諸經要集 및 타라니잡집陀羅尼雜集을 간행하여 동소 요집 1책, 동 잡집 2책을 동사소寺에 기증하였더니 동사에서는 해該 궐본의 보

78 『朝鮮總督府日報』1915년 10일 27일자.

충을 득得하고 심深히 총독의 호의를 감感하여 지난 17일부 서면書面으로써 데라우치 총독에게 정중한 사의를 표하더라.

데라우치의 특별지시로 해인사 팔만대장경 3부를 인출할 때 결판된 것은 다시 판각하였는데, 이때 결판된 것을 보완하기 위해 일본 증상사增上寺에 소장한 인본印本도 함께 참고하여 새로 판각할 수 있었다. 이에 대한 답례인지, 아니면 증상사 측의 요구인지는 알 수 없으나 데라우치는 증상사 소장의 대장경 중 일부 부족분을 간행하여 증상사에 기증했다.

해인사의 결판을 보충하기 위해 증상사 소장본을 조사하면서 해인사 소장 판목과 대조하여 빠진 부분을 발견했을 것으로 짐작된다. 위 신문기사에는 어디에 소장된 판목을 인출한 것인 지는 나타나 있지 않으나, 당시 대장경 판목을 완벽하게 보존한 곳은 해인사뿐이기 때문에 해인사 소장 대장경판목으로 인출한 것으로 보인다.

*도쿄(東京) 증상사(增上寺) 소장 대장경

도쿄東京의 증상사增上寺에는 세조3년에 해인사에서 인출한 대장경판본을 소장하고 있다.

이 대장경은 야마토大和의 원성사圓成寺 승僧 시게히로榮弘 화상이 조선에서 가지고간 대장경을 원성사圓成寺에 보관하여 두었던 것을, 1609년에 도쿠가와

바쿠후德川幕府로부터 사령寺領 백오십 석을 주고 증상사에 납입케 한 것인데,[79] 1899년에 일본 국보로 지정할 때 6631권이었다.

원성사圓成寺에 대장경이 건너간 것은 성종13년(1482)으로, 『성종실록』 성종 13년 4월 9일조에,

일본日本 국왕國王이 영홍 수좌榮弘首座 등을 보내어서 내빙來聘하고, 이천도 왕夷千島王 하차遐叉가 궁내경宮內卿 등을 보내 와서 토산물土産物을 바쳤다. 일본국日本國의 서계書契에 이르기를,

"우리나라 화주和州에 교사敎寺가 있는데, 원성사圓城寺라고 합니다. 중 명 선明禪이라는 자가 미타불彌陀佛 불상을 봉안奉安한 지 여러 해가 되었습니 다. 옛날 당唐나라에 묘지 거사妙智居士라는 자가 미타彌陀를 염송念誦하여 밤낮으로 게을리하지 않았는데, 어느 날 저녁에 꿈을 꾸니, 신인神人이 말 하기를, '참 부처[眞佛]를 배알拜謁하고자 하거든 모름지기 일본국의 원성 사圓城寺에 가거라' 하였습니다. 꿈을 깨고 나자, 상서로운 꿈대로 찾아 우 리 나라에 와서, 저 절에 이르러 친히 진용眞容을 배알하고 처음의 소원을 이루었다고 합니다. 그러니 그 영험靈驗을 온 나라가 모두 우러러보던 터 였는데, 병술년에 병화兵火로 인하여 불각佛閣과 승사僧舍가 모두 불타버렸

79 小田幹次郎,「內地の渡れる 高麗大藏經」, 『朝鮮』 1921년 3월.
　　中村直勝,「增上寺藏 宋版一切經の由來」, 『私學論叢』(弘文堂書店, 1930)에 의하면,
　　增上寺所藏의 一切經은 宋版, 元版, 高麗版 二本이 있는데, 慶長14년(1609) 3월 4일에
　　大和 圓成寺 舊藏이었던 고려판 대장경 凡六千四百六十七卷을 증상사에 納付, 翌15년
　　(1610)에는 伊豆 修禪寺에서 元版大藏經 五千三百九十七卷을 寄納, 十八年(1613)에는
　　箟山寺의 宋版大藏經을 增上寺에 納했다고 하다.

습니다. 다만 다행하게도 본존本尊의 불상 1구─軀만이 남아 있으나, 여기에 향화香火를 바칠 곳이 없습니다. 절의 일을 주간主幹하는 자가 말하기를, '진실로 상국上國에 도움을 구求하지 않는다면, 어떻게 금벽金碧으로 단장한 옛 절의 모습을 회복할 수 있겠느냐?'고 하기에, 중 영홍 수좌榮弘首座를 차정差定하여 첫 번째의 상아 부신象牙符信을 주어서, 〈상국에〉 가서 그 뜻을 말씀드리게 하고, 또 『대장경大藏經』을 구하여 절 안에 안치安置하여서 일국一國의 복복을 증식增殖하는 땅을 삼고자 하니, 바라건대 법보法寶를 나누어 주시어 변방의 백성들에게 이利가 되게 하시고, 자재資財를 시여施與하시어 불법佛法의 이利를 일으키게 하시면, 상국上國의 덕화德化가 지극하지 않은 바가 없겠습니다. 변변치 못한 방물方物을 별폭別幅에 갖추 기록하였으니, 엎드려 채납采納하시기를 바랍니다"

라고 일본 측에서 대장경의 사여를 요청한 기록이 보인다. 그리고 『성종실록』 성종13년 4월 18일조에는, 일본 왕이 청한 대장경과 절을 짓는데 쓰이는 비용의 지급을 대신들과 의논한 기록이 보인다.

결국 그들이 요청한 대장경을 사여하게 되는데, 『성종실록』 성종13년 5월 12일조에는, 경상도에 있는 대장경 1부를 사여한 기록이 보인다.[80]

---

80 『成宗實錄』成宗13년 5월 12일 조.
일본(日本) 국왕(國王) 원의정(源義政)의 사승(使僧) 영홍(榮弘)과 이천도(夷千島)주(主) 하차(遐叉)가 보내 온 궁내경(宮內卿)이 하직하였다. 그 일본 국왕에게 답(答)한 글은 이러하였다.
"우리나라는 귀조(貴朝)와 더불어 대대로 신뢰와 화목을 돈독히 하였습니다만 창해(滄海)가 멀리 가로놓여 그리운 생각이 오래도록 간절하였는데, 이제 귀사(貴使)로 인(因)하여 귀체[動履]의 건강하심[佳勝]을 잘 알았으며, 후(厚)한 선물을 받아서 진실로 기쁘

*세조 3년에 인출한 대장경

일본 원성사에 사여한 대장경은 세조3년(1457)에 인출한 50부 중의 1부이다. 세조3년에 대장경 50부를 인출하게[81] 된 원인은 일본 측의 집요한 대장경 요구에 따른 것이다.[82]

대조 이후 계속해서 일본에 대장경을 사여하다보니 조선에 남아 있는 대장경은 거의 동이 나게 되어 세조 때에는 대대적으로 대장경을 찍어야만 했다.

이규경李圭景은『오주연문장전산고五州衍文長箋散考』XⅧ, 경사 조條에서,

명나라 천순2년天順二年(1458)에 대장경을 인쇄할 계획을 세웠다가 천순3년(1459)2월에 비로소 일에 착수하여 그 해 9월에 준공하였는데, 계양군 증, 영천부원군 윤사로 등이 감독관이 되고, 해인사의 주지 죽헌이 감무관이 되어 정작 38만 5천 8백 95첩의 인지印紙를 들여서 대장경 50건件을 인쇄하였다.

하는데, 그 원인에 대하여는 김수온金守溫이 지은 「인성대장경발印成大藏經跋」에,

고 감사합니다. 요청하신 조연(助緣)과 《대장경(大藏經)》은 별폭에 적은 대로 회사(回使)에게 부쳐 보냅니다. 상아부(象牙符)는 본래 두 나라가 서로 징험을 삼아서 간사하고 거짓된 것을 막으려고 한 것이니, 어찌 반드시 한두 차례 가지고 온 뒤에 믿을 수 있겠습니까? 내사(來使)가 본뜻을 충분히 알지 못하여 두고 가고자 하기 때문에, 사신에게 부쳐서 회송(回送)하니, 조량(照亮)하십시오. 호초(胡椒)는 제약(劑藥)에 쓰이는 바인데, 그 종자를 내사를 인하여 부쳐 주셨으므로 다행하게 여깁니다."

81 『世祖實錄』世祖3년 6월 26일에 의하면, 경상도 관찰사에게 대장경 50벌을 2월에 시작하여 6월에 끝내도록 명하였다.

82 일본 측이 대장경 요구에 대한 것은 『우리 무합재 수나사』에 일부 수록하였음.

다행히도 그 판본이 해인사에 갖추어져 있다. 근세에 좋은 것들을 전부 인
쇄했으나 간간이 국가에서 일본에 하사하였기 때문에 있는 것이 얼마 되
지 않는다. 그러므로 약간 부를 인쇄해 내어 <중략> 이제 일을 시작하여
50부까지 완성되었으므로 우리나라 큰 불사에 두루 안치하려하니 경들은
조치를 취하고서 그것을 차례대로 알리도록 하라' 하셨습니다.[83]

라고 기록한 것처럼 일본에 건너간 것이 그 원인이 되었던 것이다.

이 사업은 국가의 대사로서 여기에 들어간 물자만 해도 엄청난 것으로 『세
조실록』에,

대장경 50부를 찍는데 쓸 물자로 충청도에서 종이 51125권, 먹 875개, 황
납 50근, 전라도에서는 종이 99004권, 먹 1750개, 황납 125권, 경상도에서
는 종이 99004권, 먹 1750개, 황동70근, 참기름 100말, 강원도에서는 종이
45126권, 먹 875개, 황납 125근, 황해도에서는 종이 51126권, 먹 875개, 황
납 60근을 모두 관청에서 자체로 마련하여 해인사에 보냈다.[84]

라고 한다. 이런 엄청난 물자로 대장경 50부를 인쇄하여 각지에 보관케 하는데
다음과 같다.

해인사에 1본, 흥천사에 1본, 예조에 1본을 안치하고 남은 47본 안에서 1
건은 좋은 것으로 골라 복천사, 그 나머지는 각 사찰에서 맞아다 안치하고

---

83 『靑莊館全書 第55卷』 앙엽기편.
84 『世祖實錄』, 世祖3년 6월 26일 조.

화상들의 의논을 계문啟聞하였다. 그래서 합천 해인사에 2건, 고령 반용사에 4건, 진주 백암사에 1건, 오대사에 1건, 칠불사에 1건, 응석사에 1건, 성주 용연사에 1건 안봉사에 1건, 영산 보림사에 1건, 밀양 재악사에 1건, 안동 백련사에 1건, 양산통도사에 1건, 중방사에 1건, 대둔사에 1건, 경주 천룡사에 1건, 불국사에 1건, 함양 군자사에 1건, 의령 보리사에 1건, 영천 거조사에 1건, 징향사에 1긴, 상주 관음사에 1건, 양주 회암사에 1건, 지평 상원사에 1건, 순천 송광사에 1건, 강진 만덕사에 1건, 영암 도갑사에 1건, 능성 쌍봉사에 1건, 장흥 성불사에 1건, 광양 옥룡사에 1건, 무장 참당사에 1건, 남원 승련사에 1건, 해남 대둔사에 1건, 진원 하천사에 1건, 광주 증심사에 1건, 태인 운주사에 1건, 무안 법천사에 1건, 담양 용천사에 1건, 보은 복천사에 1건, 옥천 지륵사에 1건, 고성 유점사에 1건을 안치했다.[85]

이 같이 세조 조에는 대대적으로 불경을 찍었기 때문에[86] 각지의 사찰에 봉안하였던 인본들은 뒷날에 국제간에 수호 증품으로써 일본에 건너가 현재 일본의 각 사찰 특히 도쿄의 증상사를 비롯하여 고야산高野山의 건인사健仁寺 등에 수장된 수많은 고려 대장경들은 거의 이때의 중인본들이다.[87]

85 李德懋,『靑莊館全書 第55卷』 앙엽기편.
86 『世祖實錄』, 세조3년 6월 26일 조.
87 金斗鍾,『韓國 古印刷技術史』 探究堂, 1973

1915년 11월

경기도 부천 소래면 대리(大里) 효일사석탑 반출

1916년 충청남도 보령의 석탑이 불법으로 밀매되어 인천의 고노 다케노스케河野竹之助의 정원으로 반출된 사건으로 인해, 총독부에서 1916년 6월에 오다 간지로小田幹治郎를 인천에 파견하여 조사케 하였다. 이 과정에서 고노의 정원 외에 일대의 다른 석조물까지 조사를 하였는데, 1916년 6월 5일자로 총무국장에게 보고한 '인천고탑 조사복명서'[88]에 "또 사진 제6호는 인천 산수정 아이다飯田茂登雄의 소유지에 있는 석탑으로서 소사역(경인선)에서 약 1리반의 산중에서 있었던 것"이라

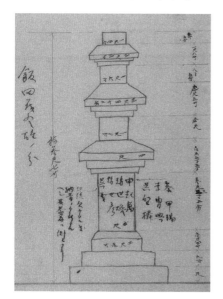

사진 제6호(오다의 복명서)

고 하고 도판(사진)을 제시하고 있다.

오다 간지로의 복명서에는 이 석탑의 원 소재지를 소사역 1리반의 산중이라고 하는데, 근처의 산으로는 소래산이 있다.

『신증동국여지승람』 인천도호부仁川都護府 불우佛宇조에, "효일사曉日寺 소래산蘇來山에 있다" 하고, 산천山川 조에는 "소래산은 부동쪽 24리 되는 곳에 있으며 진산이다" 라고 기록하고 있다. 따라서 석탑의 원 소재지는 효일사로 추정되고 있다.

---

88 국립중앙박물관 소장 조선총독부 공문서 목록 번호 : 96-137.

1916, 1917년경에 조사한『조선보물고적조사자료』에는 이 석탑에 대해 다음과 같이 기록하고 있다.

동국여지승람에 이르는 효일사曉日寺에 해당該當하는 것으로 생각되는 사지다. 약이백보約二百步의 평탄지平坦地에 석탑1기가 있음, 산주山主라 칭하는 대리大里 양령묵梁寧默이 다이쇼大正4년 음력 10월 인천부에 거주하는 반전무등웅飯田茂登雄에게 매각하여 현재 인천 동인저내同人底內에 세워져 있다. 3층으로 높이 14척 입쑈의 폭 4척, 최하부의 입쑈의 대석에 채갑단蔡甲端, 이흥李興, 오성△吳聖△, 신△욱(?)만申△旭(?)萬, 조세환趙世煥, 조세언趙世彦, 오성△吳聖△의 문자가 각刻해 있음.

이이다飯田茂登雄는 1905년 교토대학을 나와 한국에는 언제 건너왔는지는 알수 없으나 1912년 5월부터 인천미두취인소 지배인으로 활동하다가 1919년부터는 사장으로 재임한 것으로 나타나 있다.[89]

효일사석탑은 현재 행방불명이다. 명문이 있는 고로 국내에 있다면 찾을 수 있겠으나 현재까지 출현하지 않는 것으로 보아 국외로 반출된 것으로 추정된다.

---

89 朝鮮公論社,『(在朝鮮內地人)紳士明鑑』, 1917;『每日申報』1919년 2월 6일자.

1915년 12월 1일

조선총독부박물관 개관

조선총독부에 의한 고적조사사업이 진행되고 있는 동안인 1915년 9월에 경복궁내에서 시정5주년기념 물산공진회가 개최되자 이를 계기로 1915년 11월에 조선총독부박물관을 설립하게 되었다.[90]

조선총독부박물관은 1915년 11월 시정5년기념물산공진회의 종료와 동시에 경복궁의 일부를 박물관 구역으로 정하여 개관 준비에 착수하였다.

12월 1일에 일반에게 관람할 수 있도록 하여 동시에 '관람인 心得'을 11월 19일 고시하였다. 관람시간은 본부의 출근시간에 준하여 일요일 및 축제일의 그 다음날은 휴관일로 하고 관람료를 5전錢으로 정하고 관람권을 발매하였다. 아동은 무료로 하고 또 2종의 특별관람권(무료)을 발행, 1종을 사용하는 것은 1회에 한하고 사용기간은 1년으로 정했다.[91]

박물관의 사무는 총무국 총무과 소관으로 하고, 직원 및 용인傭人은 봉임奉任 1인, 판임 1인, 고원 1인, 순시 2인, 사使 3인을 두었으며, 총독부 사무관 겸 참사관 중추원 서기관 오다 간지로小田幹治郎를 박물관 주임으로 명하고, 법학사 우마즈카 제이치로馬場是一郎를 박물관 촉탁으로 명했다.[92]

---

90 「朝鮮總督府博物館 設置의 件」, 總督府 告示 第296號(1915년 11월).
91 朝鮮總督府, 『最近 朝鮮事情要覽』, 1922, pp.510~512; 『官報』1915년 11월 19일자; 『每日申報』1915년 11월 21일자, 1915년 12월 5일자.
92 「조선에서의 박물관사업과 고적조사사업사(史)」, 『국립중앙박물관 소장 조선총독부박물관 공문서』, 목록 번호 : 96-284.

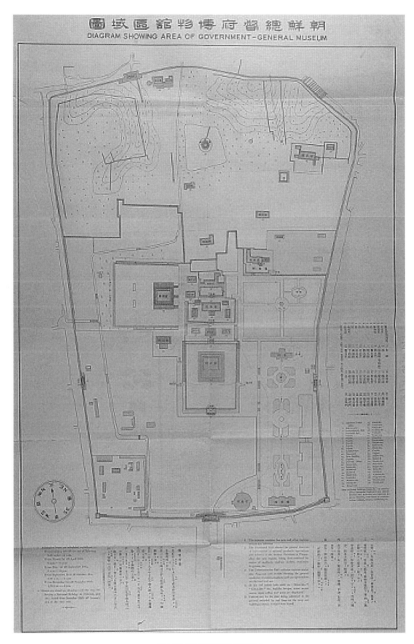

圖域區館物博府督總鮮朝
DIAGRAM SHOWING AREA OF GOVERNMENT-GENERAL MUSEUM

조선총독부박물관 구역도

드디어 1915년 12월 1일 개관을 하면서 조선총독부박물관이라 정식 명칭을 사용하였다.[93] 공진회 때 새로 건축한 미술관을 본관으로 하고 데라우치 총독이 기부한 한국의 서화, 불상, 불구, 식기, 도자기 등과 총독부에서 구입한 물품과 고적조사에 의한 수집품, 국가에 귀속시킨 매장물 등을 진열했다.

개관 당시의 진열은 미술관은 박물관본관이라 이름하고, 1층 동쪽의 1실에 역사참고품을 진열하였다. 발굴품은 작년 중 신라, 백제, 가야, 여진, 발해 등의 유적으로부터 발굴한 도신刀身, 금환, 관식冠飾, 옥류玉類, 창신, 금구 등이다. 그 외 고목판, 활판, 전화錢貨, 제악기祭樂器, 고와전 등을 진열했다.

1층 서의 1실에는 도자기를, 한 대부터 조선시대에 이르는 것을 진열했다.

2층의 서에는 불상, 금속제품, 목제품 등으로 삼국시대의 불상을 시작으로 한, 고려 등의 고경, 기타 각종의 금속품 및 칠기를 진열하고, 2층 랑하廊下의 전면에는 석기시대의 유적으로부터 발굴한 석기, 골각기 등을 진열했다.

2층 동의 1실에는 고려말 이후의 서축書軸, 한대부터 고려말에 이르기까지 금석문 탁본, 고구려 고분벽화 모사 및 고려판 대장경의 일부, 기타 고경권古經卷 등을 진열했다.

또 철도관과 교통관을 개조하여 철도국 출품과 토목국 및 체신국의 출품 관계의 각종 모형, 통계표 등을 진열하고, 그 외 교태전에는 대례 모양을 전시, 사정전에는 조선 재래의 무기 수백 점을 진열했다. 근정전회랑에는 금석불상, 비석, 대포류를 진열했다. 이로 본관 및 근정전 회랑은 개관 당일 관람을 허했다.[94] 정원에는 석탑, 석비 등을 진열하고 안내도를 발행하였다.

---

93 『官報』 1915년 11월 19일자.
94 「博物館 開館の 狀況」, 『朝鮮彙報』, 1916년 1월, pp.193-194.

『매일신보』1915년 12월 12일자에는 다음과 같은 기사가 있다.

박물관의 개관

총독부박물관은 이미 고시함과 같이 본월 1일부터 개관하고 일반의 관람을 허하는데 구 경복궁 광화, 영추, 신무, 건춘 4문 내를 그 구역으로 하고 공진회 미술관을 보존하여 역사, 미술, 공예 등의 참고품을 진열하고 또 심세관 및 철도관은 당분간 이를 존치하여 심세관은 각 도의 출품을 여전히 진열하고 철도관은 교통관이라 개칭하고 철도국 외에 토목국 및 체신국의 출품에 관계한 교통에 관한 기구, 모형, 도표, 회화, 사진 등을 진열하고 또 근정전, 사정전, 강녕전, 교태전, 경회루, 기타의 구 건물은 지장이 없는 범위 내에서 관람케 하며 관람권은 광화문 앞 매찰장에서 매일 개관 시각부터 폐관 시각 1시간 전까지 매하賣下하는데 일반 관람인의 주의 사항은 좌와 같다더라.

1. 관람인은 입관할 시에 관람권을 수위에게 보이고 출관할 때에는 이를 수위에게 교부함. 단 10세 미만의 동반자는 관람권을 불요不要함. 관람권은 금 5전으로 함.

2. 관람인은 축류를 데리고 오거나 하물을 휴대하지 못함.

3. 관내에서 허가를 받지 아니하고 촬영 또는 모사模寫를 못함.

4. 관내에서 지정한 장소 외에서 흡연하지 못함.

5. 관람인은 진열품에 손을 대지 못함.

6. 관람인은 수목, 화훼를 꺾거나 건물을 오손함이 불가함.

7. 관람인은 그 휴대품에 대하여 수위의 검사를 거절할 수 없음.

8. 관내의 질서를 문란히 하거나 또는 할 염려가 있는 자는 입관을 거절하

고 또는 퇴관케 할 수 있음.

1915년 이후 일인학자들은 이 박물관을 기반으로 우리나라 고적 및 유물에 대한 조사와 발굴사업을 추진하였으며 출토품과 수집품을 진열해 왔다.

후지다 료사쿠藤田亮策는 데라우치寺內총독의 문화정책과 관련하여 '박물관 창립'에 대해 조선 문화재는 조선 내에 보존하여 국외國外 산일散逸을 막고, 넓게는 학술과 병행하여 사회교육자료로 삼아 조선인의 문화적 자각을 일으키게 하고 박물관은 조사, 보존, 진열의 사무를 함께 한다고 선전하고 있다.[95]

그런데 총독부박물관의 진열 상태를 보면, "시대와 문화를 확실히 하고 역사적 자료로 삼는다"고 하면서 "대륙문화와 일본문화의 관계를 일목요연하게 알 수 있도록 진열"하였고, "특히 진열품의 대부분은 낙랑의 칠기, 동기, 신라의 금관 등이 주였으며," 또 "낙랑의 발굴품은 중국의 주, 진, 한, 6조문화의 연대를 정하여 기준으로 삼았다"[96]라고 하고 있다.

조선총독부박물관이 가지고 있는 기능은 식민지 통치와 깊은 관계를 가지고 있다.[97] 이는 바로 한국유물의 연구는 일본역사연구의 일환으로 행하여 졌으며 낙랑미술에 특별히 비중을 두는 것은 남의 나라의 통치가 순리인 양 우리 민족사를 비하시켜 일제의 침략을 정당화 선전자료화 하고 있음을 여실히 보여주고 있다.

95 藤田亮策, 「朝鮮 古文化財의 保存」, 『朝鮮學報 第1輯』, 1951, p.86.
96 藤田亮策, 「朝鮮 古文化財의 保存」, 『朝鮮學報 第1輯』, pp.259-260.
97 大出尚子, 「日本の舊植民地における歷史・考古學界博物館の持つ政治性」, 『東洋文化研究』 제14호, 學習院大學東洋文化研究所, 2012년 3월.

1915년 12월 4일

데라우치의 해인사팔만대장경 인출과 일본으로의 반출

1915년 데라우치 총독의 특별지시로 3부를 인출하였는데, 이는 데라우치寺內가 일본 천용사泉湧寺에 봉납하기 위한 목적에 있었다.

1914년 10월부터 1915년 3월까지 중앙시험소 기타 제지소에서 종이를 제작하고 1915년 3월 15일부터 8월까지 인부 50인으로 학무국 오다 간지로小田幹治郎 사무관의 감독 하에 인쇄하여 6월 2일에 인쇄를 마쳤다. 인쇄공 연인원수 1306인, 판목의 출입 및 인쇄지 정리 등에 요한 인부 총 966인이었다. 일본에 봉납奉納한 것 외의 2부 중 1부는 총독부 참사관실에 두고, 1부는 총독부박물관에 장藏하였다.[98] 인쇄한 3부部 중 2부部는 철본綴本으로 8만1천137매八萬一千百三十七枚 1천160책一千百六十冊이고, 다른 1부部는 특수제작한 절본折本 6천805첩六千八百五帖으로 표지는 청색으로 고려시대의 와문양瓦文樣을 넣어 고색창연하게 하였다.

『매일신보』 1915년 8월 14일자에 게재한 도쿠토미 이이치로德富猪一郎의 「경성한화」에는 다음과 같은 내용을 담고 있다.

조선인을 용用함
대저 데라우치 총독은 이 대장경을 인쇄할 때 재료를 일체 조선에서 취하

---

98 『每日申報』, 1915년 11월 30일자, 1917년 9월 20일자.

고 공수工手도 일체 조선인을 용用하며 용지는 전혀 공업전습소에서 제조한 것이오. 타의 일부분도 지방의 은사금으로써 건설한 수산장授産場에서 제조한 것이며, 인쇄하는 묵墨도 조선제이니 감독자를 제하면 인쇄하는자, 제본을 하는 자가 모두 조선인이도다.

『매일신보』 1917년 9월 20일자

철본綴本과 절본折本

나는 10일 오후 규장각에 나아가 오다小田 사무관의 안내로 그 완성한 것을 보고 겸하여 그 제본 중에 있는 것을 보았는데, 인쇄한 것은 3부인 중 2부는 철본이 되고 다른 1부는 특별제로 하여 절본을 작하였으니, 철본은 1부에 1천160책이오. 절본은 수는 6천805권이니 실로 호대浩大한 것이로다. 특별제의 분은 지紙를 제조할 시에 예선방충제豫先防蟲劑를 가하여 화색樺色을 노출한 것인데 즉 송원宋元의 일체경권—切經卷과 동일양식으로 금일에 인쇄한 것이라도 6, 7백 년 전의 고색을 대帶하였고 그 표지도 수색水色의 박견薄絹으로 고려시대의 와문瓦紋을 직출織出하였더라. 이는 천용사泉湧寺에 봉납한다 한즉 보통제의 표지는 소위 청표지인데 동양同樣의 와문을 노출하되 우는 예선문豫先紋을 판에 음각하여 이에 랍蠟을 도塗하고 또 표지에 랍蠟을 칠한 후

이를 판상板上에 치치置하여 완연히 석비 탁본을 작作함과 여함 <하략>[99]

특별 제작한 절본을 1915년 11월 29일에 조선에서 출발하여 일본 교토京都 천용사泉湧寺에 봉납奉納하였다.[100] 천용사장로泉涌寺長老의 수령증受領證[101]은 다음과 같다.

證

一 高麗再雕折本大藏經　　　　　　　　　壹部

一 六百六拾四帙

一 一千五百拾二種

一 六千八百拾九冊

一 明治天皇御冥福 勅裁 經 御寄納相成謹而受納候也

大正四年 十二月 四日

泉涌寺長老　　　　大僧正智等印

朝鮮總督 伯爵 寺內正毅 殿

99　德富猪一郎,「京城閑話」,『매일신보』 1915년 8월 14일자.

100　竹中要,『半島の山と風景』, 1938, pp.557-558.

101　「大藏經奉獻顚末」,『朝鮮彙報』, 朝鮮總督府, 1916년 4월.

1915년 12월 29일

석왕사 불상 도난

12월 29일 함경남도 안변군 석왕사釋王寺 극락전에 봉안하였던 불상 2체를 도난당했다.[102]

같은 해

요시다 에이사후로(吉田英三郎)가『조선서화가열전』을 펴내다.

요시다吉田는 1915년에 신라에서 조선시대에 이르는 500인의 서화인 약전을 기술한『조선서화가열전』(총 239쪽)을 저술하였다. 그는 "일본인에 대하여 조선미술을 소개"하기 위한 것이라고 자술하고 있다.

---

102 『每日申報』1916년 1월 5일자.

요시다吉田는 일찍부터 서화에 취미가 있어 1911년에 발간한 『조선지朝鮮誌』(町田文赫堂, 총 947쪽)를 저술하기 위한 참고로 열독閱讀하였던 책에서 조선의 서가 및 화가에 관한 기록을 바탕으로 썼다고 한다. 특별히 알려진 것은 없으나, 그가 일찍부터 한국서화에 취미가 있고 이 같은 저술을 남긴 점을 고려할 때 서화 수집도 병행하였을 것으로 추정된다.

요시다는 1906년 1월에 한국에 건너와 통감부 통계주임으로 근무하다가 취조국으로 옮겨 조선구관 및 제도조사에 종사하였다. 1928년부터는 동양척식주식회사 대구지점장을 역임하였다.

1915년에 도쿄국립박물관에서 구입한 유물에는 다음과 같은 것이 있다.

유물명	시대	출처	비고
長頸壺	신라	『東博圖版目錄』2004, 圖261	구입. 1915년
鉢形器台	경주	『東博圖版目錄』2004, 圖333	구입. 1915년

鉢形器台	가야	『東博圖版目錄』2004, 圖74	구입. 1915년
印花文骨壺 2개	경주	『東博圖版目錄』2004, 圖300, 301	 구입. 1915년
印花文碗 1合	경주 발굴	『東博圖版目錄』2004, 圖204	 구입. 1915년

유물 관리

1916년 이전에는 고적조사 및 발굴에서 출토한 유물들을 총독부에서 특별한 장소를 마련하여 보관해 두지 못했다. 1913년의 신문에는 다음과 같은 기사가 있다.

천년고분의 발견. 경남 진주 중안1동 원동사에 새로 저택을 매입하여 본사경남지국 기자가 7월 3일 우물을 파다가 석곽고분을 발견하여 경남도청에 신고하여 경찰의 입회하에 고분 발굴에 착수한즉 보검, 보도, 순금제이식, 토기 등 수십 점이 출토되어 발굴을 중지하고, 발견자, 입회자로 협의하여 관야 박사와 같은 저명한 고고학자의 출장을 요청한 후 발굴하기로 결정, 해 유물은 도청에 보관했다(『매일신보』 1913년 8월 9일자).

고고자료의 수집. 총독부 내무부에서는 고적을 조사한 결과 조선 고대의 유물 및 1912년 6월 중에 실시한 유실물법 제13조에 의하여 학술 기예 고고의 참고 자료가 되고 그 소유자가 불명한 물에 대하여 그 발견할 때마다 가 지에서 이를 수집하여 도지빙국에 관리 중인데 근일에 그 수가 많이 증대하여 각종 고고의 자료가 될 물건을 득하였음으로 일간 일정한 장소에 진열하고 이런 등의 연구에 종사하는 자 기타 특종의 사람에게 대하여 종람을 허락한다더라(『매일신보』 1913년 11월 6일자).

1911년부터 조선총독부 내무부 학무국에서 실시한 조선사 편찬을 위한 자료 수집을 도리이에게 맡겼는데, 이때 도리이 촉탁이 수집한 한반도의 전 지역과 간도, 집안 등의 수집품은 최초로 데라우치 총독의 집무실 가까이 한 실에 보관해 두었다.[103] 후에 1915년 물산공진회 때 미술관을 설립, 세키노 등이 수집한 일부와 도리이 류조의 사료조사사업의 자료는 1916년 4월 이래 총무국내로 이관하고 총독부박물관에서 통합하여 관장하였다.[104]

이런 등으로 보면 1916년 이전에는 특별히 보관할 곳이 없어 도청, 군청, 경찰서 등에 보관하는 정도였다.

---

103 藤田亮策, 「朝鮮古蹟調査」, 『考古學論考』, 藤田先生記念事業會刊, 1963, p.72.
　　『每日申報』 1912년 6월 8일자.
　　지난번 鳥居촉탁이 북선 방면에서 채취한 조선의 고대석기류는 금회 총독실에 진열하기로 하였는데 각 사진 및 조선인 고대의 체격표통계 등도 완성하여 차제로 진열한다더라.
104 藤田亮策, 「朝鮮古蹟調査」, 『考古學論考』, 藤田先生記念事業會刊, 1963, p.73.

한국에서의 고고유물 수집은 총독부박물관이 설립된 이후에 와서야 본격화되었기 때문에, 이전에 행해졌던 고적조사에 수반한 출토 유물은 조사자들의 취향에 따라 마음대로 일본으로 반출되었다고 볼 수 있다. 당시는 유물의 해외반출을 금지할 만한 법이 없었기 때문에 법으로 제지할 수 있는 형편이 아니었다.

우리 문화재 수난일지

1916년

1916년 1월 25일

일본으로 가져가 소개한 분황사탑 발견 유물

경주 분황사탑을 수선하면서 1915년 10월 17일 탑에서 발견한 유물 전부를 한국에서 학술적 발표가 있기도 전에 세키노關野貞가 일본으로 가져가 일본 학계에 소개를 했다.

세키노가 싸들고 간 분황사탑 출토 유물은 1916년 1월 25일에 일본고고학회 례회에서, 세키노는 「경주 분황사전탑 내 발견의 고기물古器物에 대하여」란 제목의 강연을 하면서 회장에 진열하고 관람을 하게 하였다.

당시 고고학회기사考古學會記事에는, "다음으로 세키노關野 박사는 작년 조선총독부가 경상북도 경주군 내동면에 현존하는 분황사전탑을 수선할 때 고기물에 대하여 유익한 강화를 했는데, 이 발견물은 금회 박사가 조사의 필요로 총독부로부터 넘겨받게 된 것이다. 이 기회에 박사는 유물 전부를 회장에 가지고

분황사탑에서 발견한 숭녕중보(崇寧重寶)와 수정류

와 모아놓고 자유롭게 관람할 수 있도록 허락했다"[105]라고 하고 있다.

분황사탑 출토 유물의 발견 당시 신문기사에는 "은제합銀製盒 1개, 금은침통金銀針筒 2개, 식옥飾玉 348개 외 117개의 가경可驚할 다수의 고기물"이 발견되었다고 하는데, 과연 모든 유물이 고스란히 총독부박물관에 돌아왔는지 의문이다.

1916년 1월

고서화전람회

일본인 가토加藤八重磨는 오랫동안 중국에서 수집한 고서화 수 십 점을 경성 본정 파성관에서 진열하고 일반인이 관람케 했다.[106]

문경 서중리 3층석탑 매각 사건

경북 문경군 산북면山北面 서중리書中里 북쪽 강변의 널찍한 대지에 신라 도천사지道泉寺址로 알려진 곳에 3기의 석탑이 유존하였다.[107]

---

105 「考古學會記事」, 『考古學雜誌』 제6권 제6호, 1916년 2월.
106 『每日申報』 1916년 1월 21일자.
107 道川寺 : 古址在慶尙北道聞慶郡山北面熊倉部落北方錦江邊田中 有塔三座 - 寺塔古蹟攷

『조선보물고적조사자료』에는 "응창부락 북방 금강변의 전중에 3기의 석탑이 있고, 모두 고 3칸의 좀 굉장하다. 신라 도친사 유물이라 부른다" 라고 기록하고 있다.

그런데 1916년에 문경군 창구리에 사는 채 모라는 자가 이곳 폐사지의 석탑을 자신의 소유라고 하고 1916년 1월에 서울에 거주하는 마츠모토 다미스케宋本民介한테 매각하였다. 마츠모토 다미스케宋本民介가 서울로 반출하려고 2기를 해체까지 한 상태에서 행정당국에서 이를 제지하고 2기의 탑재를 원상복구原狀復舊하라는 명령을 내렸다.

마츠모토 다미스케宋本民介의 부친은 1886년에 조선으로 건너와 경성에 정착하여 각종 실업 방면에 관계하여 경성거류민회 의원으로 활동하였으며, 1895년 10월에는 경성에 있는 여관의 원조인 파성관巴城館을 경영하였다.[108] 장남인 마츠모토 다미스케宋本民介는 나중에 파성관을 물려받아 경영에 참여하기도 했다. 마츠모토는 1915년에 강원도의 9만여 평의 임야를 임대받아 금광업을 하였다.[109] 뿐만 아니라 그는 경성미술구락부의 대주주로 활동하면서 골동수집에도 열을 올렸다. 이런 점으로 보아 서중리의 석탑을 매수하여 호텔 정원을 장식하려던 것이 아닌가 여겨진다.

1916년 8월 18일자 정무총감이 경무총장에게 통첩한 '고탑도매古塔盜賣의

---

108 朝鮮公論社 編, 『(在朝鮮內地人)紳士名鑑』, 1917.
109 『朝鮮總督府官報』1915년 4월 28일자.

건'[110]에 의하면, 경북 문경군 산북면 창구리 채 모란 자가 서중리 폐사지에 유
존하는 석탑 3기를 자기 소유라고 칭하고 1916년 1월경 경성 파성관巴城館호텔
마츠모토 다미스케松本民介에게 매각하고, 또 동월 19일 동 면장으로부터 매수
인에 대하여 매도인의 소유임을 증명하여 헌병파견소장으로부터 반출의 허가
를 주었다하므로 이를 속히 조사하여 보고하라고 통첩을 했다.

이에 따라 1916년 9월 20일자 경무총장이 정무총감에게 보낸 '고탑 도매의
건 보고'[111]는 다음과 같다.

객월 19일 총제242호 어통첩한 바 있는 경상북도 문경군 산북면 채국진이
란 자는 석탑 3기를 서울 파성관호텔 마츠모토 다미스케松本民介에 매각한 건
취조한 바 우(위)는 소할경찰관헌에서 채국진 소유 토지에 소속한 물건으로
믿고 폐사지임이 판명되지 않았기 때문에 운반허가를 주었던 것으로 그 후
조사해본 결과 해 석탑 3기는 역사상기록의 징懲할 것이 없으나 부락 부근
의 전설에 의하면 신라시대 영원사鴒原寺라고 칭하는 폐사지에 연월불상 부
근 양반 등이 집합소로 충당하기 위하여 도천사道川祠라고 칭하는 건물을 건
설하고 해 건물은 연계소蓮桂所로 개칭하였던 것이나 지금으로부터 30년 전
해該 건물정지 및 지상 존재의 석탑 및 부속물 일체를 채국진이 금 6십원으
로 매수한 것임이 판명하였으므로써 소할 경무관헌에 있어서 먼저 운반하
려고 그 상부를 내려놓은 해 석탑 3기 중 2기는 원상原狀으로 복復하게 함과

110 金禧庚, 「韓國塔婆研究資料」, 『考古美術資料』 第22輯, 考古美術同人會, 1969.
111 金禧庚, 「韓國塔婆研究資料」, 『考古美術資料』 第22輯, 考古美術同人會, 1969.

동시에 3기 함께 금회의 매매계약을 해약케 하고 이후 매매 또는 타에 이전 시키지 않게 이섯의 방시책을 조치措置하였기에 이에 보고히나이다.

그런데 당시에 2기만 해체를 하였고, 원상 복구하라는 명령을 이행하였는지는 알 길이 없으나 해방 전까지 3기가 모두 도괴된 상태로 남아 있었기 때문에 해방되기 전에 또 한 차례의 도굴꾼의 야만적인 행위가 있었을 것으로 추정된다. 도괴되어 있던 3기의 석탑은 1974년 직지사로 옮겼다. 3기 모두 기단부의 형태가 원형인지 분명치 않다. 상륜부는 3기 모두 1976년에 새로 복원한 것이다.

1924년 8월 21일부로 경상북도 문경경찰서장이 조선총독에게 보낸 '유실물 발견에 관한 건'[112]에 의하면 이곳 사지에서 1924년 8월에 철제금고鐵製金鼓가 발견되기도 했다.

직지사 대웅전 앞

직지사 비로전 앞

---

112 「대정13년도 경상북도 문경군 발견 鐵製金鼓」, 국립중앙박물관 소장 조선총독부박물관 공문서, 목록번호 : 97-발견07.

1916년 2월 12일

김천 갈항사지 석탑 피해

갈항사지는 경북 김천군 남면 오봉2리 갈항동 금오산 서록에 위치하는 것으로 옛 사역은 모두 밭으로 변해 있으며 현재는 석불좌상(보물 제245호)과 또 다른 석불좌상 1구가 있으며 주변에는 주춧돌과 기와편이 산재해 있다.

구로이타 가쓰미黑板勝美는 1915년 처음으로 한국에 건너와 6월 4일에 김천 금오산록의 갈항사지를 조사하고, 또한 사지에서 와편 및 전편을 채집했으며 석탑에 새겨진 각자를 조사하고 쌍탑의 모습이 담긴 사지의 모습을 사진으로 남겼다.[113] 구로이타가 남긴 사진을 보면 밭 가운데 두 탑이 서있고, 그 중 동탑

갈항사지 쌍탑(黑板勝美, 「조선사적유물조사복명서」)

---

113 黑板勝美, 「朝鮮史蹟遺物調査復命書」, 『黑板勝美先生遺文』, 吉川弘文館, 1974.

은 거의 온전한 상태이나, 서탑(앞쪽)은 기단부가 기울고 2층 이상은 바닥으로 떨어져 산란한 상태로 이미 인위적인 1차 피해를 입은 것이 아닌가 하는 의혹이 생긴다. 동탑 뒤편으로는 석불 1구가 밭 중에 있음이 나타나 있다.

이 사찰이 언제 폐사가 되었는지는 알려지지 않고 있다.『신증동국여지승람』 개령현조에는, "금오산 서쪽에 있다. 신라의 고승 승전이 돌해골로 이 절을 창건하고 관속을 위하여 화엄경을 강의하였는데 그 돌이 80개여 개나 되었다" 한다. 그 이후의 기록인『범우고梵宇攷』,『가람고伽藍考』,『교남지嶠南誌』 등에는 모두 "금폐今廢"로 기록하고 있어 조선 중기에 폐사가 된 것으로 추정되고 있다.

이곳 폐사지에 유존한 동서 양 탑은 통일신라기의 석탑양식을 잘 나타낸 3층 석탑으로 특히 동탑의 경우에는 탑신부에 소형 구멍이 남아 있어 주목되는데, 외부에 어떤 화려한 장엄을 하였음을 짐작케 하고 있다.

고유섭은「조선탑파의 양식변천」김천 폐 갈항사 조에서, "이 탑에서 또 주의할 것이 있는데, 그것은 각 탑신 및 옥개석의 곳곳에 남아 있는 정연한 정혈釘穴로서 이 같은 사실은 이 탑에 금속재의 표피가 덮여 있었음을 생각게 한다. 특히 초층 탑신의 축부에는 각 면에 천의를 휘날리는 사천왕 내지 사보살상의 추접제물상鎚鍱製物像이 달려 있던 흔적이 희미하게 보인다. <중략> 생각컨대 석탑재에 금속재의 표피를 입히고 또 추접제의 물상을 단 것과 같은 예는 다른 곳에서 들 수 없고" 라고 하고 있다.[114]

이 탑에 대한 명성은 1914년 금석문 수집의 일환으로 총독부참사관실에서 조사를 한 결과 탑의 기단에서 이두 혼용의 문을 각한 명기銘記를 발견되면서 알려지게 되었다.

---

114 高裕燮,「朝鮮塔婆의 樣式變遷」『東方學志』第2輯, 연희대동방연구소, 1955년 5월.

오다 간지로小田幹治郎의 기록을 보면,

이 두 탑은 재작년 금석문 수집의 명이 있어 참사관실에서 그의 조사를 함
에 있어서 원 개령군 금오산 하에서 발견된 것으로 이 탑의 기단에서 이두
혼용의 문으로서 기를 각하였다.
탑의 소재는 금 김천군에 속하지만 원래 개령군으로서 금오산의 서록이며
지금도 석불, 초석, 석담 등이 있어 일대의 지형이 폐사지임이 명료하다.
(동국여지승람, 범우고, 삼국유사)이들 기사에 의하면 금오산의 서의 원 개
령군경에 갈항사가 있었음을 명백한 것으로 탑의 소재는 대략 그 위치에
상당할 뿐 아니라 지명을 갈항동이라 칭하고 또 탑 부근에 갈항사의 문자
가 있는 와편이 산락散落함으로서 갈항사의 폐지임은 의심할 여지가 없다.
부기附記
탑 출토물에 근거하여 추측하건데 이 두 탑은 원성왕의 생모 박씨등 형자
매 3인의 생시生時에 조립造立하여 박씨 및 그의 매妹 모씨의 몰후歿後 유해
遺骸를 불식佛式에 의하여 다비茶毘하여 사리를 이에 납한 것으로 생각됨[115]

동탑 기단부에는 명기가 음각되어 있는데 탑 자체의 명기가 있는 유일한 예
이며 이 명기는 탑 조성의 유래를 전하고 있으며 이두문을 사용하여 더욱 귀중
한 것으로 평가되고 있다. 판독문은 다음과 같다.

---

115 小田幹治郎, 「葛項寺の塔」, 『朝鮮彙報』, 1916년 8월, pp.28~31.

二塔, 天寶十七年戊戌中立在之.

娚姉妹二人, 業以成在之.

娚者, 零妙寺言寂法師在旀,

姉者, 照文皇太后君妳在旀,

妹者, 敬信太王妳在也.

두 탑은 천보天寶 17년 무술에 세우시니라. 남
자형제와 두 여자형제 모두 셋이 업으로 이루
시니라. 남자형제는 영묘사零妙寺의 언적言寂법
사이며, 큰누이는 조문황태후照文皇太后님이시
며, 작은누이는 경신태왕敬信太王이시니라.

갈항사석탑기

　　이 명기銘記에 의하면 두 탑은 천보天寶16년
(경덕왕17년, 758)에 오라버니, 언니, 동생 세 사
람의 업業으로서 조성한 것으로 되어 있으며 오빠는 영묘사 언적법사이며, 언
니는 소문황태후(元聖王의 생모)이며 동생은 경신대왕元聖王의 이모임을 밝히
고 있다.[116] 이처럼 이 탑이 원성왕의 외척들의 발원에 의해 이룩된 점으로 보
아 탑내에 상당한 유물이 봉안되었으리라 추정할 수 있다.

　　이 탑기는 신라 경덕왕17년(당 천보17년, 서기 758년)에 원성왕가 중 수인의
원에 따라 김천 갈항사에 세운 석탑기로 석탑의 기단에 조탑의 연유緣由를 새
기고 있다. 서체는 행서로 기품있는 글씨가 당대의 석문으로는 희유의 것으로

116 點貝房之進,『雜攷』第6輯 上卷.

평가되는데 유감스럽게도 글쓴이는 분명치 않다.

우리나라에 현재까지 남아서 전해오는 이두吏讀의 연대로는 이 탑기가 가장 오래된 것으로 알려져 있으며, 이두연구에 귀한 자료이다. 그런데 이 탑기는 탑 조 당시가 아니고 그로부터 약 27년 후가 되는 원성왕元聖王의 재임 중(14년간)에 각자한 것으로 추정되고 있다.[117]

이나다 순스이稻田春水는 「조선석탑의 연구」의 '기록으로 가치를 유有한 자者'에서 금석문으로 역사에 보충될만한 것으로 첫 번째는 부여의 정림사지5층석탑의 명문을 들고, 두 번째의 것으로는 "제2는 경북 김천군 갈항사3층석탑이니 12척이오. 신라 원성왕 시대의 건립으로 기석에 일편의 이두와 함께 명문銘文이 새겨 있어 가히 진중한 가치가 있는 것이라" 하고 있다.[118]

이러한 사실이 세상에 알려진지 후 1916년에 불법자들이 야음을 틈타서 이 탑을 무너뜨리고 내부의 사리구를 훔쳐갔다. 『매일신보』 1916년 3월 29일자에는 다음과 같은 기사가 있다.

이천년 된 고탑을 악한이 파괴
탑 밑에 보배를 탐하야
경상북도 김천군 남면 오상동 금오산중 영묘사의 고적에 이름없는 고석탑이 있는데 그곳 노인들은 지금으로부터 일천구백년 전에 건설한 것이라고 전하는데 그곳 사람들은 약사탑이라 칭하고 신앙을 하기 때문에 동리사람이 돌

---

117 『국립중앙도서관 소장 금석문탁본 전시목록』, 국립중앙도서관, 1978.
118 稻田春水, 「朝鮮石塔의 硏究」, 『朝鮮佛敎界』 제2호, 1916년 4월.

「매일신보」 1916년 3월 29일자

려가며 그 탑을 지켜오던 바 지나간 17일 밤 어떤 자가 그 탑을 파괴하여 갔

다는 말을 듣고 김천헌병분대에서 헌병이 출장하여 조사한 결과 반드시 어

떤 자가 탑 밑에 무슨 물건이 파묻혀 있나하고 파괴한 자로 조사하였고 근처

사람에게도 취조함에 전일 칠팔명이나 되는 자들이 그 탑의 근처를 방황하

는 것을 보았는데 필시 그 자들의 소위는 아닌가하여 인속 조사 중이라더라.

탑이 도괴된 시기에 대해서 이 기사는 '지나간 17일' 이라고 하고 있다. 탑 도

괴 후 현지를 출장 조사한 오다 간지로小田幹治郎는 보고서의 '갈항사지 유존의

고석탑 및 탑출물 해설'[119]에서 '1916년 2월 12일 밤'에 불법자들이 탑을 무너뜨

렸다고 하고 있는데, 오다는 당시 경찰서와 현지 주민들과 면담에서 상세한 조

사를 했을 것으로 보인다.

119 「金泉郡 갈항사지탑출물」, 「대정5~8년도 고적조사관계철」, 국립중앙박물관 소장 조선
    총독부박물관 문서, 문서번호 : 96-108.

갈항사는 652년 당나라에서 귀국한 승전이 창건하였다고 전해진다. 『삼국유사』 제4권 '승전촉루勝詮觸髏' 조에,

중 승전勝詮의 내력은 자세히 알 수 없다. 일찍이 배를 타고 중국에 가서 현수국사賢首國師의 강석講席에 나아가 현언玄言을 받아 정미한 것을 연구하여 ..... 그는 인연이 곳으로 가고자 하여 고국으로 돌아올 생각을 하였다. 처음에 현수는 의상義相과 동문으로서 함께 지엄화상의 자훈慈訓을 받았다. 현수는 스승의 학설에 대한 글의 뜻과 규범을 연술演述한 바 있어 승전법사가 고향으로 돌아갈 때에 글을 보냈는데, 탐현기探玄記 20권 중에서 2권은 아직 미완성이고, 교분기敎分記 3권, 현의장등잡의玄義章等雜義 1권, 화엄범어華嚴梵語 1권, 기신소起信疏 2권, 십이문소十二門疏 1권, 법계무차별논소法界無差別論疏 1권을 모두 승전법사 편에 간추려 베껴서 고향으로 보냅니다.
기타의 사적事迹은 비문碑文에 갖추어져 실려 있는데 『대각국사실록大覺國師實錄』과 같다.

당나라에서 귀국한 고승 승전은 삼국유사에서 전하는 이러한 불서를 의상에게 전해 줌으로서 화엄의 학문이 이로부터 더욱 드러났다고 한다.

현수대사와 의상대사는 중국 화엄종의 제2조 지엄智儼의 문하에서 나온 걸승이다. 의상은 신라인으로 당에 유학하여(661) 지엄에게 10년 간 수업하고 귀국(671)하여 마침내 해동의 화엄종을 개창한 시조가 되었고, 이에 비해 현수(643~712)는 지엄을 사사하고 그의 뒤를 이어 화엄의 조직체계를 대성한 제3조가 되었다. 이렇게 의상과 현수는 이국혈통異國血統으로 동시동문同時同門이었

최근의 갈항사석탑 모습(국립중앙박물관)

지만 연령이나 조해에 있어서 의상이 선배격이었고 또 그때 현수는 아직 재속

在俗한 채로 학도이었다. 그가 비로소 출가하기는 지엄이 입적 후 2년(676)이었

다. 그 후 칙명에 의해 대원사大原寺에 주住하면서 화엄강석華嚴講席을 베풀었는

데 이때 현수의 강하講下에 신라에서 건너온 승전이 화엄학을 연구하고 있었다.

승전이 귀국할 때에 스승(현수)의 지금껏 저술을 모조리 등사謄寫하여 부본副本

을 만들어 가지고 돌아왔다. 이때 현수는 승전의 귀국 시 동문 선배인 의상대

사에게 그간 싸이고 싸인 회포와 자저自著에 대한 비판을 청하는 등 "당 서경西

京 숭복사崇福寺 승 법장法藏(현수)은 글월을 해동 신라 대화엄법사시자大華嚴法師

侍者에게 드립니다. 한 번 작별한 지 이십여 년에 경망하는 정성이 어찌 다 말하

리까…"로 시작되는 서간을 부쳐왔다. 승전법사가 돌아와 현수의 서한과 증물

贈物을 의상대사에게 전하니 의상은 이들을 감사하게 받고 특히 현수의 저술에

대해서는 마치 선사(지엄)의 훈교를 받는 것 같이 하였다한다. 이로부터 현수의

저술은 화엄대찰에 널리 전포되어 해동불교에 기여 공헌한바 많았다고 한다.[120]

삼국유사 말미末尾에 밝혀 놓은 바와 같이 승전의 사적을 기록한 비의 건립이 있었던 것으로 보이는네 삼국유사에는 그 내용을 대각국사문집에 실려 있음을 들어 생략하고 있다. 그러나 안타깝게도 승전의 사적이 실려 있다는 대각국사의 문집은 현재까지 발견된 것이 없다.

1916년 2월

정림사지석탑 개석 발견

이 달에 부여 소재 정림사지 5층석탑 유인원기적비劉仁願紀蹟碑 등을 수리 중 유실되었던 정림사지 5층석탑 4층 개석蓋石을 석탑 서방 약 42칸 지점인 답중畓中에서 발견하다.

『매일신보』 1916년 2월 6일자 기사

『고적급유물등록대장초록古蹟及遺物登錄臺帳抄錄』(1924)에 나타난 것을 보면, 등록번호 제43호로 기록하고, '비고備考'란에 "다이쇼大正5년 2월에 파손된破損 개소를箇所를 수리修理"[121]라고 기록한 점으로 보아 1916년 이전에 이미 석탑

---

120 李能和, 『朝鮮佛敎通史』 佛化時處 條; 李丙薰, 「唐法藏寄新羅義湘書에 대하여」, 『書誌』 第2號, 書誌學會, 1960년 8월.

121 『古蹟及遺物登錄臺帳抄錄』, 朝鮮總督府, 1924, p.36.
    1931년 조선총독부에서 발간한 『朝鮮』 15-12에 실린 「朝鮮古蹟調査及保存沿革」에도

에 대한 어떤 피해가 있었던 것으로 보인다.

1916년 3월 1일

경주 사천왕사지 녹유사천왕전 발견

녹유사천왕전

1916년 3월 13일부 경상북도 경무부장이 조선총독에게 보고한 '매장물 발견에 관한 건'[122]에 의하면, 경주군 부내면 동부리 92번지에서 대서업을 하는 모로가 히데오諸鹿央雄는 본년 3월 1일 경주군 내동면 배반리 사천왕사의 기지 부근에서 녹유사천왕전 1개를 발견했다.

모로가는 이것을 3월 5일에 경주경찰서에 신고를 하여 박물관으로 들어가게 되었다.

1916년에 정림사지5층탑을 修繕한 기록이 보이고 있다.
122 『국립중앙박물관 소장 조선총독부박물관 공문서』 목록번호 : 97-발견03.

1916년 3월 23일

백련암 전소

3월 23일 오전 11시경에 충남 공주군 사곡면 운암리 백련암白蓮庵에 불이 일어나서 한 채를 전소하고 그날 오후 6시경에 겨우 진화하였는데 원인은 전날 밤 온돌에 너무 과하게 불을 지펴 일어났다. 그 절 전래의 고불상, 건축물, 기타 1천2백 원의 피해를 입었다.[123]

1916년 3월

조선총독 데라우치寺內는 각도 영림창營林廠 임무주임林務主任에게 "국유림야 내에는 성지, 사지, 분묘 등 학술연구의 자료가 되는 사적史蹟이 많은 즉 임야의 조사 처분 등에 제하여는 사적관계의 유무에 관하여 치밀한 조사를 하라"는 훈시를 하다.[124]

조선총독부 기수 모리이 가즈미森井三省가 전남 영암군 군서면 남송정 수등燧

---

123 『每日申報』1916년 3월 31일자.
124 『朝鮮總督府官報』1916년 3월 6일자.

嶺에서 신라 요적窯跡을 발견하다.[125]

1916년 4월 7일

박물관협의원 설치

박물관 진열품의 고증, 감정, 평가 및 진열 방법에 관하여 이 방면의 지식있는 사람의 의견을 반영할 필요에 따라 협의원을 설치하게 된다.

1916년 4월 7일 결의를 거쳐 국장, 과장 이하 9명을 임명했다. 국장, 과장, 박물관주임 3인은 사무상 임명하고, 별도로 촉탁 공학사 세키노 타다시關野貞, 문학박사 구로이타 가쓰미黑板勝美, 문학사 이마니시류今西龍, 도리이 류조鳥居龍藏을 명하고, 이왕직사무관 스에마츠 구마히코末松熊彦, 아유카이 후사노신鮎貝房之進 등 사도의 경험 지식자를 협의원 촉탁으로 하여 주로 물품을 구입할 때 스에마츠, 아유카이에게 평가를 의뢰했다.[126]

박물관협의원 명단[127]

박물관협의원	조선총독부 총무국장	兒玉秀雄
박물관협의원	조선총독부 사무관	荻田悅造

125 『每日申報』 1916년 3월 15일자.
126 「조선에서의 박물관사업과 고적조사사업사(史)」, 『국립중앙박물관 소장 조선총독부박물관 공문서』, 목록번호 : 96-284.
127 『朝鮮總督府官報』 1916년 4월 28일.

박물관협의원	조선총독부 사무관	小田幹治郎
박물관협의원	고적조사사무촉탁	關野貞
박물관협의원	조선반도사편찬사무 촉탁	黑板勝美
박물관협의원	고적조사사무 촉탁	今西龍
박물관협의원	사료조사사무 촉탁	鳥居龍藏
박물관협의원	이왕직 사무관	末松熊彦
박물관협의원		鮎貝房之進

박물관협의회에서는 주로 매장물 등의 발견에 대해 학술적 참고자료가 될 수 있는 지를 심의했다.

유적유물의 발견 절차를 보면 대개 지방의 경찰서장이나 도지사가 유물을 발견한 '발견자나 발견지 소유자'의 매장품 신고를 받음으로서 시작된다. 신고를 받은 해당 경찰서장은 그 가운데 학술적 가치가 있다고 인정하는 유물에 한해서 출토 사항, 발견, 신고 연월일, 발견자 및 발견지주의 각 주소, 이름 등을 상세히 기재하여 '매장물 발견에 관한 건'이라는 제목으로 서식을 구비하여 도 경찰부장을 거쳐 각도 장관을 통해 조선총독부 학무국장에게 보고를 하거나 해당 결찰서장이 직접학무국장에게 보고하도록 했다.

보고를 받은 학무국에서는 이를 심사하고 '학술 기예 또는 고고의 자료'가 된다고 판단되면 해당 도지사에게 현품을 조선총독부에 보내도록 지시했다.

박물관에 현품이 도착하면 매장물 수령증을 발부하고, 박물관협의회에서는 이것을 학술적 참고자료가 될 수 있는 지를 심의했다. 박물관협의원으로 하여금 매장물을 평가하게 하고, 필요한 경우에는 적당한 평가액으로 평가하여 그 평가액에 기초하여 보상금액을 정하도록 했다. '발견자 및 발견지 소유자' 에게 지급되는 보상금은 평가액의 반액으로 해당 도지사에게 통지하며, 해당 도지사는 발견자 및 발견지 소유자가 발견 신고한 매장물에 대한 보상금 청구서를 첨부하여 학무국장에게 송부했다.

심사 후 평가서를 작성할 때에는 유물명, 가격, 발견 장소 및 발견자가 기재되고, 박물관협의원들의 도장을 받도록 하고 해당 경찰서에 이를 통지하며, 통지를 받은 경찰서에서는 매장물에 관한 공공기간이 만료된 날로부터 6개월 이내에 소유자를 알지 못할 때 이 매장물은 유실물법 제13조 2항의 규정에 의거하여 국고귀속품으로 처리하여 조선총독부박물관에 진열 보관하도록 하였다.

만약 매장물을 발견하고 이를 신고하지 않고 무단으로 은닉하거나 혹은 방매하려다가 경찰에 검거되었을 경우에도 발견문서를 작성하였는데, 이 경우에는 권리가 폐기되거나 보상금이 지급되지 않으며, 만약 학술적 가치는 있으나 이미 동 종류가 소장되어 있는 경우에는 적당히 처리하여 발견자에게 돌려주는 경우도 있었다.[128]

1916년 4월 8일

금강산 유점사 금불 도난

금강산 유점사 능인전에 보존된 불상 17구를 도난당했다.

『매일신보』 1916년 4월 13일자를 보면 다음과 같은 기사가 있다.

---

128 국립중앙박물관, 『한국박물관 100년사』, 2009.

유점사 금불 봉적逢賊

금강산 유점사에 지난 6일에 3명의 도적이 들어
와 그 절에 안치한 유명한 53불 중에서 16좌를 훔
쳐갔는데 이 일을 당하고 급히 상경한 그 절 중의
말을 들은 즉 6일 저녁에 3명의 행객이 들어왔음
으로 저녁을 대접하고 그 절에서 숙박하기를 허
락한바 그 절의 각처를 구경한 후 53불을 안치한
불당에 이르러 유심히 보더니 그날 밤에 행객 중
2명은 미리 그 불당 안에 숨었다가 중이 문을 잠
그고 간 뒤에 밤이 깊기를 기다려 안으로부터 옆
문을 열고 나머지 한명도 그 안에 들어가 금불 16

좌를 훔쳐 달아나 그 중의 모라는 한명은 방금 체포 취조 중이라는데, 재작년
에 총독부 촉탁 관야 박사가 조사 차 그 절에 갔을 때 그 금불을 보고 신라 때
의 제작으로 감정하였고 총독부에서도 조선 안에 유명한 국보로 인정하여 엄
중 수호할 방책을 마련 중에 이런 일이 있었다더라.

1912년 10월에 유점사를 답사한 야쓰이 세이이치谷井濟一의 기록을 보면,

금강산에서의 대 발견은 유점사 능인전 안치의 53불 중 44구가 신라시대
의 우물優物이었다는 것이다. <중략> 골동상인배의 수연垂涎하는 신라시대
의 이 같은 소동불의 산일을 면하고 능히 금일에 보존된 것은 전혀 지금으
로부터 15년 전에 새로 도금하였기 때문으로 시등是等 천년의 소동불을 근

대의 것처럼 가장시켜 그 찬연한 금박은 간상배奸商輩가 시등是等의 소불에
가하려는 맹렬한 간수단奸手段에 대한 완화제緩和劑이었다고 생각한다. 1개
소에 44체나 되는 신라시대의 소동불이 존存하고 있다는 사실은 희유稀有
의 일로 내지內地에는 법륭사의 어물御物48불 외에는 없다.[129]

라고 한다. 그동안 우리나라 유물 도취盜取에 혈안이 된 무뢰한들로부터 유점사
소불상이 도난을 면한 것은 15년 전에 도금을 하였기 때문에 근대의 것처럼 보
였기 때문임을 알 수 있다. 그러나 이후 세키노 일행의 조사가 오히려 화를 불
러오게 되었다. 당시『조선불교계』에 소개된「유점사불상견실榆岾寺佛像見失」이
란 제하의 글이 이를 말해주고 있다.

대본산 강원도 유점사의 53불은 기이하게 전래하는 역사가 있을 뿐 아니
라 연전年前에 세키노關野박사가 매구에 팔백 원의 가치를 부여 감정하야
국보에 편입한 바인데 4월 8일(음 3월 6일) 밤에 17구를 견실見失하얏슴으
로 즉시 당사 법려法侶는 사면으로 수색하기 대 활약 중이라더라.[130]

범인들은 세키노 등의 여러 보고 자료나 도판들을 통해 유점사 소동불이 엄
청난 가격을 호가하는 신라불이라는 정보를 입수하여 행동에 옮겼던 것으로
추정된다. 도난 이후 상당한 시간이 흐른 후에 도난당한 일부는 되찾게 된다.

---

129 谷井濟一,「朝鮮通信」,『考古學雜誌』3-5, 1913년 1월, p.55.
130 『朝鮮佛教界』, 佛教振興會, 1916년 5월, p,93.

1916년 4월 9일

치악산에서 동종(銅鐘)을 발견하다.

1916년 4월 24일부 경원도 경무부장이 경무총
장에게 보낸 '조종釣鐘 습득 굴출에 관한 건'에 의
하면, 원주군 본부면 하동리 원건식이 4월 9일 금
광을 찾기 위해 등산 중 본부면 황곡리 후방 산중
(치악산 지맥)에서 암석 사이에서 동종銅鐘을 발
견하여 유실물법에 의거하여 신고하여 박물관으
로 옮기게 되었다.[131]

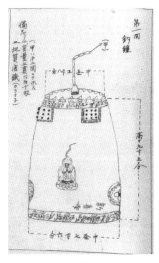

도면

1916년 4월 12일

순금제이식 발견

1916년 4월 경북 영주군 순흥면 석교리 김봉이 외 3명이 석교리 서방 관암산 중
복의 통칭 고려장이라는 고분에서 이식 등을 비롯한 부장품을 발견하여[132] 은닉

131 『국립중앙박물관 소장 조선총독부박물관 공문서』, 목록번호 : 97-발견07.
132 「彙報」, 『考古學雜誌』 제7권 5호, 1917년 1월

하다가 발각되었다.『매일신보』1916년 12월 7일자에는 다음과 같은 기사가 있다.

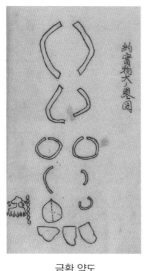
금환 약도

묘지에서 도굴된 순금제이식

경북 영주군 순흥면 석교리 김봉이 외 3명은 본
년 4월 19일경에 영주군 순흥면 석교리의 서방
관암산 중턱에서 묘지를 수선하던 중 순금제이식
환 기타 부속품 11냥중을 발견하고 경찰서에 신
고를 하지 않고 은닉하였다가 고물상에 팔려고
하는 것을 동지 헌병이 발견하고 압수하였는데,
지난 19일 고적조사를 하기 위해 동지를 출장한
관야 박사도 조사를 하였는데 동네 노인의 말에
의하면 발견 장소는 고려 때의 장지라고 한다.

1916년 11월 29일 영주헌병분견소장이 조선총독에게 보낸 '유실물법 제13조
2항에 해당하는 매장물 발견의 부付 처치방處置方의 건 신청'[133]에 의하면, 발굴
장소는 영주군 순흥면 석교리 서방 관암산이라 부르는 독산의 중복에서 1916
년 4월 12일 부근 동민 공동묘지 수선을 하다가 발견했다. 발견자는 영주군 순
흥면 석교리 김모 외 3명으로 발견 후 관에 신고를 하지 않고 매각하려다 순흥
헌병파견소에 발각되었다.

---

133 『국립중앙박물관 소장 조선총독부박물관 공문서』, 목록번호 : 97-발견02.

1916년 4월 26일

고적조사위원(古蹟調査委員) 임명

고적조사위원古蹟調査委員 고적급유물보존규칙에 발표되는 훨씬 전인 1916년 4월 26일에 있었으며, 그 명단은 다음과 같다.

고적조사원 임명[134]

고적조사위원장	고적조사위원장, 조선총독부 정무총감	山縣伊三郎
고적조사위원	조선총독부 토목국장	持地六三郎
고적조사위원	조선총독부 학무국장	關屋貞三郎
고적조사위원	조선총독부 총무국장	兒玉秀雄
고적조사위원	조선총독부 판사	淺見倫太郎
고적조사위원	조선총독부 사무관	上林敬次郎
고적조사위원	조선총독부 사무관	荻田悅造
고적조사위원	조선총독부 사무관	澤田豊丈
고적조사위원	조선총독부 사무관	郡山智
고적조사위원	고적조사사무 촉탁	關野貞
고적조사위원	조선반도사편찬사무 촉탁	黑板勝美
고적조사위원	고적조사사무 촉탁	今西龍
고적조사위원	조선사정조사사무 촉탁	黑田甲子郎

---

134 『朝鮮總督府官報』 1916년 4월 28일.

고적조사위원	사료조사사무 촉탁	鳥居龍藏
고적조사위원회 간사	조선총독부 사무관	小田幹治郎

고적조사원에 대하여 야마가타山縣 정무총감 이하 14명에 대하여 사령辭令을 발표하였는데, 고적조사는 처음 1개년을 계획했으나 다시 수정하여 3개년간의 연속사업으로 조사를 속행하기로 결정하였다.[135] 1916년 4월 26일에 임명된 고적조사위원 15명중에는 실제 고적조사에 참여한 자는 5~6명에 불과하였으며 1917년 8월 25일까지 인원을 더 충원하여 총 27명이었으나 실제 고적조사에 참여한 자는 불과 3분의 1에 불과하여 일제가 고적조사의 방향을 행정 중심으로 설정하고 있음을 알 수 있다.

1916년 4월 27일

제1회 고적조사위원회

1916년 4월 27일에 제1회 고적조사위원회가 개최되었다. 『국립중앙박물관 소장 조선총독부박물관 공문서』의 「제1회 고적조사위원회」 문서 목차에 의하면, 의안 3건은 개성 만월대滿月臺, 해주 진철대사비각眞澈大師碑閣, 김천 갈항사탑葛項寺塔의 보존과 관련된 내용인데 구체적 내용이 누락되었다.[136]

---

135 『每日申報』 1916년 5월 2일자.
136 『국립중앙박물관 소장 조선총독부박물관 공문서』, 목록번호 : 96-107.

1916년 4월

각지에서 고고자료가 될 만한 매장물을 발견한 자에 대하여는 유실물법 제 13조에 의하여 발견자와 토지소유자에 대하여 규정한 보상금을 지급하였는데, 1914년 이래 보상금(50전 내지 435원)을 받을 대상자수는 충청남도, 경상남북도, 전라남북도, 강원도에 걸쳐 약 11명이며 그 금액은 모두 585원 71전이다.[137]

데라우치의 박물관 진열품 기부

데라우치는 그의 통치기간 동안 막강한 권력을 이용하여 방대한 한국미술품을 수집하였다. 1910년 8월 22일 강제 한일병탄 조약이 있고 경술국치 직전에도 그가 시간을 쪼개어 경성의 골동품상들을 소집했다.[138] 그 내용이 구체적으로 밝혀지지 않았지만 그가 얼마나 한국 미술품에 욕심이 많았는지를 짐작케 한다. 조선총독으로 취임 이후에는 미술품 수집에 더욱 열을 올렸다.

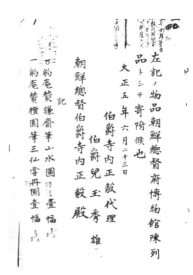

진열품 기부 문서(1916년 6월 23일)

---

137 『每日申報』1916년 4월 3일자.
138 『皇城新聞』1910년 8월 26일자.

『조선고적도보』에 그의 소장품으로 게재되어 있는 숱한 고고유물, 도자기, 불상 등이 이를 대변하고 있다. 이 중에는 우수한 고려자기도 상당수가 포함되어 있다.

그의 수집품 중 일부는 총독부박물관 설립을 그의 한 공적으로 남기고자 박물관에 기증하였다. 여기에는 '금동미륵반가사유상'을 포함한 고려청자 중 일급품에 속하는 '청자상감음각모란문매병'과 '청자상감국화연당초문합'이 들어 있다. 또한 고려분묘에서 도굴품으로 나온 '청동은입사포류수금문정병' 등 고려 최고의 금속공예품이 속해 있다. 그 외에도 강희안 필 '고사관수도', 김명국 필 '산수인물도' 등이 있으며 서화 탁본도 151점이 포함되어 있다. 그가 기증한 것은 서예, 금석, 회화 등 총 800여 점이나 된다.[139]

'금동미륵보살반가사유상'
국보 제78호
1918년에 조선총독부에서 발행한
『박물관진열품도감』제1집에 실려 있다.

데라우치가 기증한 가장 중요한 것은 오늘날 국립중앙박물관 소장의 국보 제78호로 지정되어 있는 '금동미륵보살반가사유상' 이다. 이 불상은 국보 제83호 '금동미륵반가사유상'과 쌍벽을 이루는 것으로, 국보 제83호에 비해 조금 작고 후광이 떨어져 나갔지만 조금도 손색이 없는 국보 중의 국보이다.

국보 제78호는 후치가미淵上가 소장하고 있다가 1912년에 데라우치 총독에게 넘어간 것인데, 『조선고적조사 약보고』(1914)에 실린 '대정원년 촬영 조선유적 사진목록'에는 "삼국

139 박계리, 「조선총독부박물관 서화컬렉션과 수집가들」, 『근대미술 연구』, 국립현대미술관, 2006.

시대동조미륵상-淵上貞助"로 기록하고 있다. 형식상으로는 몇 천원에 판 것으로 하고 있지만, 총독 데라우치가 이 불상의 존재를 안 이상 내놓지 않을 수 없었을 것이다.[140] 데라우치는 총독부박물관이 창설되면서 박물관에 기증 전시하였다.

박물관에 남아 있게 된 것은 다행스러우나 참으로 아쉬운 것은 이 중대한 유물이 그 자체가 가지고 있는 학적인 가치를 상실하고 있다는 것이다. 세키노는 이 불상에 대해, "대정원년 경성 후치가미 테이스케淵上貞助 씨로부터 총독부에 기증된 것인데 애석하게도 출처가 명백하지 못하다. 그러나 경상도에서 발견된 것인 듯하다"[141]라 기술하고 있다. 물론 이는 구체적이지 못하고 그저 풍설에 의한 것이다. 불법자들이 산간벽지의 사찰이나 암자들을 수색하여 암암리에 빼내어 온 것이기 때문에 그 출처를 은폐하였던 것이다. 불법적으로 원지를 떠난 유물의 경우는 이 같이 돌고 돌아 나중에

데라우치 총독이 경천사탑을 반환
받는데 절대적 역할을 했다는 것과
미륵반가상을 총독부박물관에 기증했다는
오사카마이니치신문 1940년 10월 2일자 기사

---

140 황수영 박사는 淵上이 寺内에게 기증한 건에 대해, 당시 淵上貞助가 당국의 뜻을 따르지 않았을 경우 '조사'라는 명목의 추구를 감당하기 어려웠을 것이라고 한다(황수영,『한국의 불상』, 문예출판사, 1989).

141 關野貞,『朝鮮の建築と藝術』, 岩波書店, 1941.

는 완전히 학적인 증징사료가 사멸되어 버린 경우가 비일비재 하였다.

후지타 료사쿠藤田亮策는 데라우치 총독의 박물관 사업과 관련하여 "데라우치 총독은 스스로 일본인 수집가의 서화골동을 고가로 매입하여 박물관에 기증하고, 오사카 후지타 남작가 묘지의 고려탑과 다나카 백작이 가져간 제실박물관의 경천사탑을 조선에 돌려받아 영구히 조선에 보존, 총독부박물관 개설 당시 진열품내의 우수한 것은 대반 총독 자신이 구입 기증한 것이다"[142]라고 하면서, 그의 공적을 포장하고 있다. 일본으로 반출되었던 지광국사현묘탑과 경천사지탑을 돌려받는 데에는 그의 힘이 작용했음을 부인하지 않는다. 하지만 그의 미술품 수집에 있어서는 그가 고미술품을 좋아한다고는 하지만 그 스

데라우치가 기부한 '청동은입사포류수금문정병'과 '고사관수도'

---

142 藤田亮策,「朝鮮古蹟調査」,『考古學論考』, 藤田先生記念事業會刊, 1963, p.74.

스로 직접 발 벗고 나서서 방대한 양을 수집하지는 않았을 것이다. 이 속의 대부분은 청탁성 뇌물 및 특혜사례의 상납이 상당했을 것으로 보인다.[143]

또 문화재 보존과 관련하여 후지타는 "조선 고문화재는 어디까지나 조선 안에 보존하면서 조선의 진실을 알리기 위한 자료가 되게 하라는 데라우치 총독의 방침은 완고하리만치 엄격히 준수되어… 운운"[144]하고 있다. 하지만 데라우치는 일본의 각 대학이나 연구기관에서 한국 유물의 반출을 요구하면 수차 허용하였다. 일본 왕실에 각종 유물을 헌상한 것은 물론이거니와, 도쿄대학으로 오대산사고본을 기증을 수락한 사실, 그의 재임기간 동안 세키노 일행이 발굴한 대부분의 출토 유물이 일본으로 반출되었다는 사실이 이를 증명하고 있다.

그가 박물관에 진열품으로 기증한 유물에는 우리 문화재 중에서도 아주 높게 평가하는

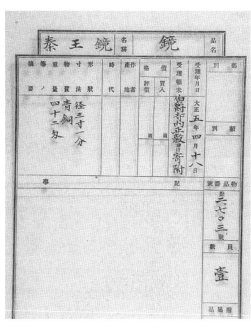

기부 대장(1916년 4월 18일)

---

143 박계리는 「조선총독부박물관 서화컬렉션과 수집가들」에서, "조선에 와서 6년이라는 짧은 기간 동안 그렇게 안목 높은 컬렉션을 구축할 수 있었던 데에는 이완용, 이윤용 등과 같이 고미술에 조예가 있었던 한국 귀족의 청탁성 뇌물 및 특례사례의 '상납'에 의지한 바도 적지 않을 것으로 추측"하고 있다(박계리, 「조선총독부박물관 서화컬렉션과 수집가들」, 『근대미술 연구』, 국립현대미술관, 2006).
144 藤田亮策, 「朝鮮古文化財の保存」, 『朝鮮學報』 第1輯, 1951

것이 상당수가 있다. 그러나 그가 반출한 우리 문화재는 질적으로도 우수할뿐
더러 양적으로도 막대하다할 수 있다.

그가 비록 박물관에 일부의 유물을 기부함으로써 그의 공적을 기리려 했는
지는 모르지만, 한국 민족의 자존을 완전 소멸하고 한국 문화재를 농단한 그의
처사는 결코 한국인을 위한 것이 아님은 틀림없다.

1916년 5월 5일

서역 유물 도착

오사카의 부호 구하라 후사노스케久原房之助로부터 총독부박물관에 기부한
오타니 고즈이大谷光瑞(1876~1948) 탐험대가 가지고온 서역유물 373점이 4월
22일에 총독부 촉탁 우마주카 제이치로馬場是一郎와 구하라久原가의 수속을 완
료하고 수송하였는데, 5월 5일에 무사히 총독부박물관에 도착하여 경복궁 사
정전에 격납하였다.[145]

오타니 탐험대는 교토 서본원사西本願寺의 문주門主 오타니 고즈이大谷光瑞가
1902~1914년 동안 3차례에 걸쳐 중앙아시아 일대에 파견한 탐험대로서 당시 영
국 독일 프랑스, 러시아 스웨덴 등의 탐사 대열에 끼어 많은 유물을 수집하였다.

탐험이 끝난 후 재정적인 문제로 수집품들이 사방으로 흩어지는 운명을 맞

---

145 『每日申報』 1916년 5월 6일자, 5월 12일자.

게 되었다. 그 중의 일부는 일본의 구하라 후사노스케久原房之助가 인수하여 조선총독부 데라우치에게 기증을 하였다. 오타니 수집품을 분산 소장하고 있는 일본 도쿄국립박물관, 교토의 류코쿠龍谷대학, 그리고 중국의 국립여대國立旅大박물관 것에 비해 양과 질이 뛰어나다.

한국에 인도된 유물은 고베新戶의 오타니 별장에 수장되었던 유물로 당시 오타니의 별장을 인수한 구하라久原房之助(후에 상공대신)이 1916년 5월 동향인 조선총독 데라우치에게 기증한 것으로 기증품은 모두 366건 1459점에 달했다.[146]

서역 유물은 후에 수정전에 진열했다.

1916년 5월 20일

황해도 안악군 은홍면 온정리에 사는 정만보는 5월 20일 황금불상을 가지고 남포에 가서 돌아다니며 팔고자 하는 것을 남포경찰서에서 탐지하고 취조를 한 결과 이 자는 어떤 자 2명과 공모하고 안악군 대왕면 송림사松林寺에서 절취하였다고 자백했다.[147]

---

146 朝鮮總督府 編纂, 『最近朝鮮事情要覽』, 1922, pp.510~512.
147 『每日申報』 1916년 6월 1일자.

1916년 5월 21일

석불을 팔려다 잡혀

황해도 안악군 읍내면 판교리에 사는 홍기룡은 5월 21일 1자가 넘는 석불상 4개를 진남포에 가서 팔려다가 경찰에 검거되었다. 조사한 결과 홍은 안악군 은적사銀積寺에서 절취한 것으로 판명되었다.[148]

1916년 6월 1일

개성군 청교면 수락암동고분 조사

개성군 청교면 양릉리 수락암동에 있는 제1호고분은 일찍 도굴을 당했는데, 1916년 6월 1일부터 개시한 야쓰이 세이이치谷井濟一와 우마즈카 제이치로馬場是一郎의 고분 조사에서 12지상을 그린 의관衣冠한 문관 12인의 벽화 등이 발견되었다. 무덤의 4벽은 길이 3.4척尺, 두께 1척尺의 화강암의 절석切石으로 이루어졌으며, 안쪽 4벽은 벽화가 장식되었는데 북에는 3인, 동에는 5인, 서에는 4인의 문관장속文官裝束의 12지十二支의 상상像이 묘사되어 있었다.[149] 고려 벽화무덤의 발굴로는 이것이 최초라고

---

148 『每日申報』 1916년 6월 8일자.
149 『釜山日報』 1916년 6월 18일자.

수락동 제1분 벽화

할 수 있다. 그러나 이에 대한 상세한 기록은 남기지 않고 다만『매일신보』기사와

1916년 야쓰이 세이이치谷井濟一가 일본고고학회의 월례회月例會 강연에서 약간의 기

록을 남기고 있으며,『조선고적도보 제6책』에 그 모사도模寫圖[150]가 실려 있다.

『매일신보』1916년 6월 20일자에는 다음과 같은 기사가 있다.

희유의 벽화. 총독부 촉탁 곡정 문학사 담

곡정제일은 지난 6월 1일부터 3일까지 3일간 개성부근의 고분을 조사하

던 중 제 2일 오후 개성군 청교면 양릉리 수락암동에 있는 고분을 조사하

『每日申報』1916년 6월 16일자, 6월 20일자.

谷井濟一,「高麗時代の古墳(考古學會記事)」,『考古學雜誌』第6卷 11號, 1916년 7월.

谷井濟一은 이 고분은 袁世凱及內地人(일본인)이 도굴한 것으로 보고 있다.

150 이 模寫圖는 후에 개성박물관에 진열하였다.

다가 고려시대의 진귀한 벽화를 발견했는데 이에 대해 곡정은 기자들에게 밀하여 고분소사의 전말을 다음과 같이 기술했다.

나는 금회 총독부의 명으로 지난 6월 1일부터 박물관 마장 촉탁으로부터 <중략> 6월 2일에는 고남리 비전동의 고분 3좌를 조사하였는데 그 규모는 사직동 소재 고분과 동일하더라.

그날 오후에는 서방으로 이동하여 개성 청교면 양릉리 수락암동에 있는 고분을 조사하였는데 이 고분은 이미 왕년에 수차 발굴한 흔적이 있어 대단히 황폐하였더라. 그러나 이 고분은 능묘로 인정할 것이 유하여 사벽을 화강석으로 둘리고 천정은 두께 3척 8촌 5분의 화강석으로 덮고, <중략> 현실 중앙에는 폭 4척4촌, 길이 8척7촌5분, 고 6촌의 관좌冠座가 있으니, 이는 필시 목관을 안치할 때 함께 한 것이며, 그리고 내부 4벽의 화강석 상에는 회로 칠하고 그 위에 12지의 상을 그린 의관을 한 문관을 그렸는데 안쪽 벽에는 3인, 서벽에 4인 동벽에 5인 합 12인이 상부만 남아 있더라. <중략> 금회 발견한 벽화는 금년 9월경까지 준비하여 관람하도록 입구를 만들 계획인데 이 고분은 충분히 연구한 후가 아니면 확실하게 말할 수 없으나 양릉이 아닌지, 곽내를 조사할 때에 호의 파편, 석인 및 금도금의 목관금구木棺金具를 발견하였는데 도금의 금구는 총독부박물관에 진열케 되었더라. <중략> 금회에는 고려소의 모양과 매장하는 모양을 조사하려다가 우연히 귀중한 벽화를 발견함은 신고학新古學을 위하여 무상한 사물賜物이라.

당시 조사를 마치고 1917년 10월에 수리를 하고 철조망을 주위에 둘렀는데, 그 후 어느 때 또 도굴을 당하였는지 1925년 9월경에 일인 야마사기 준지山崎駿

二가 시찰을 할 때는 정면 중복中腹에 도굴구로 보이는 구멍이 있었으며 벽화가 알아보지 못하게 되었다고 한다.[151] 그리고 1947년에 이곳을 탑방한 이홍직李弘稙 박사의 기록에는 주위에 둘렀던 철망도 다 없어지고 전혀 황폐한 고분으로 되어

수락동 제1호분(조선고적도보)

있으며 다만 그 옆에는 "다이쇼大正5년(1916) 6월 조사를 수행 6년 10월 수리를 완료하여 7년12월 벽화를 모사模寫하였다"고 하는 조선총독부 명의名義의 비만 남아 있었다고 한다. 당시 이홍직, 김원룡, 최희순 등은 장단군 진서면 법당방의 벽화고분을 발굴조사 하였는데 이는 도굴분으로서 동리 노인의 말에 의하면, 수십 년 전(한일합방 직후)에 왜인 도굴자 수명이 총을 가지고 동민을 위협하여 가까이 오지 못하게 하고 밤을 이용하여 고기古器를 꺼내 갔다고 한다.[152]

151 川口卯橋 編,『開城郡 高麗王陵誌』, 開城圖書館, 1927, p.51.
152 李弘稙,『朝鮮古文化論攷』, 乙酉文化事刊, 1954.

1916년 6월 3일

개성군 영북면 궁녀동 고분

1916년 6월 3일 야쓰이 세이이치谷井濟一와 우마즈카 제이치로馬場是一郎에 의해 개성군 영북면 월고리 궁녀동에 있는 고분 2기가 조사되었다. 2기 중 하나는 석곽이 없고 폭 2척 3촌, 길이 8척, 깊이 4척의 광인데 그 중앙에 깊이 5촌 가량이 파여져 목관을 안치한 하부에 호壺를 도치倒置하였으며, 두부에서 소사 발과 족부에서 병자甁子와 송전宋錢 24문을 발견하였다.

또 다른 1기에서는 폭 1척9촌, 길이 3척2촌, 깊이 1척3촌6분을 반석盤石으로 조성한 석곽이 있어 그 속에 목관을 치한 것인데 개석상에 전錢을 두었고 묘지墓誌도 역시 나왔는데 '承安三年十二月十一日'이라 하였다.[153]

인천 고노 다케노스케(河野竹之助)의 정원으로 반출된 석조물 조사

인천에 거주하던 고노 다케노스케河野竹之助의 정원에는 외지로부터 밀반입한 석조물이 많이 있었다. 특히 그의 정원에 반입한 충청남도 보령군 대천면大川面 남곡리藍谷里의 석탑은 김모라는 자가 강모에게 매도하여 이것이 고노河野에게 넘어갔는데 고노河野는 자기가 직접 매수하지 않고 표면에는 한국인에게

---

153 『每日申報』 1916년 6월 20일자.

일단 매각시키고 다시 자기의 소유로 한 것이다.

이것이 문제가 되어 충청남도에서 부당함을 내무부장관에게 호소하자 내무부장은 1916년 5월 3일자로 총무국장에게 조사를 의뢰하게 된다. 1916년 5월 3일자로 내무부장관이 총무국장에게 보낸 '석탑매각에 관한 건'(내1515호)은 다음과 같다.

'우석탑매각에 관한 건'[154]

수제의 건에 관하여 충청남도에 회답 전 일단 현품의 조사를 해야 될 뜻을 총독 각하로부터 어하명이 있었사옵기 현품 감사하고 역사의 증징 또는 미술의 모범될 가치의 유무를 어 회답하여 주시기를 관계서류를 첨부하여 조회하나이다.

(대정5년) 조사서

박물관계 　　오다小田

본건의 석탑은 보령군수의 보고에 의하면 5층탑으로서 대석의 중앙에 혈을 파고 부패한 지편같은 것을 삽입하고 철개鐵蓋로 덮고 있었다고 함으로서 경문과 함께 사리를 납한 것으로 간주하여 틀림이 없을 것이다. 차종此種의 탑은 조선에서는 사찰의 경내에 한하여 건설한 것으로서 각지의 폐사지에 서있는 석탑은 대개 이것이다. 남곡리장의 신립申立에 매각인의 10대조가 건설한 것이라고 하고 있으나 아마도 고려 이전 것일 것으로 실물을 일견한다면 3백년 전후의

---

154 金禧庚 編 「韓國塔婆硏究資料」(『考古美術資料』第20輯, 考古美術同人會, 1969)에서 옮김.

것인가 멀리 그 이전의 것인가가 판명될 것이다. 그리하여 이 지방은 삼국시대부터 고려말에 이르기까지 사찰이 많았던 땅으로서 현재 그 부근에 고사의 폐지가 많고 또 당우의 현존하는 것도 적지 않다. 특히 탑 소재의 부락을 당동堂洞이라고 부를 뿐 아니라 그 인가隣家에 사는 자의 신립申立에는 자기의 가옥이 사원의 구지였었다는 풍평風評을 들었다는 것을 보아도 그 근처 일대가 폐사의 유지임을 추측함이 어렵지 않다. 또 조선의 풍습으로 개인의 주거에 탑을 세우는 것 같은 것은 일찍이 듣지 못한 일로서 조선인은 아무리 그의 주거 내에 석탑 석불류가 있더라도 이를 자기의 소유라고 사유思惟하는 자 없는 바로 이를 매각함과 같음은 전연 근래의 폐풍으로서 모두 도매盜賣임을 알고서 이를 감히 하는 것이다. 지금 본 건의 매각에 대하여서도 고노河野 모가 직접 이를 매수하지 않고 표면 타 조선인에 대하여 일단 매각시키고 다시 자기의 소유에 옮기려고 한 것으로 매각인이 자기의 소유라고 주장하는 근거도 그의 조상의 건설한 바임을 이장으로부터 듣고 처음으로 알았다고 함이 있음으로서 그 간의 소식을 짐작하고도 남음이 있다. 특히 10대조라고 하고 5백 년 전이라고 함과 같음은 건설의 시기에 대하여 적어도 2백년 전후의 차이가 있는 신립을 함은 허위의 신립보다는 자연히 생긴 일일 것이다. 만약 본 건 석탑과 같이 개인의 소유지 내에 있는 것으로서 그의 연혁이 불명한 금석물을 개인의 사유라고 인정할 수밖에 없다고 할진데 조선에 있는 금석물의 거의 전부는 사유로 돌아가고 또 국유로서 이를 보존하는 길이 없기에 이를 것이며 이러한 등은 오히려 국유지를 함부로 점유한 것으로서 그 토지만은 연소年所를 거침을 이유로 삼아 사유를 허하는 일이 있다고 하드라도 고래의 유물에 대하여서는 토지소유권의 여하를 가지고 곧 사유로 돌림은 가장 삼가야할 바라고 사고思考한다.

본 건에는 따로 성주리의 탑에 대하여서도 매매를 종용한 형적이 있다. 성주사의 탑은 유명한 낭혜화상백월보광탑비의 옆에 세웠던 것으로서 그 비문은 선년 참사관실에서 수집하였고 조선 금석문 중 유수의 것이다. 그리하여 타는 지금 2기 있어 함께 약 천년을 지난 것이다.

이상과 같은 바임으로 본 건의 석탑은 그의 매매를 취소시켜 실물은 인천 고노河野 모방에 보존되었다 함으로 직원을 파견하여 조사시킨 뒤 필요 있으면 박물관에 가져와도 좋으리라 사고思考함.

총무국장은 1916년 5월 6일자로 인천부윤에게 "장래 본부에서 직원을 파하여 조사시킬 것이나 미리 이 탑이 조선금석문상 미술상 가치가 있는 것인지 아닌지를 조사한 후에 회답"을 요청했다.

인천부윤이 1916년 5월 11일자로 총무국장에게 보낸 '석탑 조사의 건 회보'에 의하면, 충청남도 보령군 대천면면 소재하였던 5층탑은 인천의 고노 다케노스케河野竹之助가 충청남도 홍성군 광천면 오노小野란 자로부터 매수하였다고 한다. 그리고 "현재 고노河野는 여행 부재중으로 상세한 상황은 알 수 없으며, 석탑은 인천 산우정 공원 아래(동인 별장 신축 예정지 정원 내에 세워져 있음)에 보관하고 있으나 석탑에는 문자 기타의 조각이 없으며 또 다소 결괴缺壞 개처箇處도 있어 문외한의 눈으로서는 미술상 가치 있는지 없는지 모르겠습니다" 라고 보고를 하고 있다.[155]

조선총독부에서는 오다 간지로小田幹治郎를 인천에 파견하여 조사케 하였는

---

155 인천부윤이 1916년 5월 11일자로 총무국장에게 보낸 '석탑 조사의 건 회보.'(『국립중앙박물관 소장 조선총독부박물관 공문서』, 목록번호 : 96-137)

데 오다는 1916년 6월 3일에 현지를 조사하고 6월 5일자로 총무국에 제출한 '인천 고탑古塔 조사 복명서(국립중앙박물관 소장 조선총독부박물관 공문서, 목록번호 : 96-137)'에는 해당 석탑의 도면과 고노 다케노스케河野竹之助 가옥 내 정원에 수집되어 있는 기타 석조물의 현황이 기재된 내신서內申書가 첨부되어 있다. 그 내용은 다음과 같다.

인천 고탑古塔 조사 복명서(내신서 첨부)

인천출장복명서

명을 받아 본월 3일 인천에 출장하여 부서기府書記 호리우치 소세이堀内宗生의 안내를 받아 산수정 소재 고노 다케노스케河野竹之助 소유지 내의 석탑을 검檢하였던 바 그 장소는 목하 정원 건조 중 수집한 다수의 석물이 있고 탑은 이미 건립한 1기(사진 제1호) 및 다만 탑형으로 쌓은 것 1기로서 외 탑석재 5개로(사진 제2호 쌓아올린 것 외 및 제3호)가 있다. 이전한 탑은 수 일전 호리우치堀内 부서기의 취조하였을 시는 쌓아올렸다고 하나 지금은 이를 헤쳐 그 석재의 4개는 견립堅立한 탑의 일부에 사용하고(사진 제1호 중 적색부분) 2개는 탑형으로 쌓아올린 석재 중에 혼입하여 3개는 타 장소(부서기의 취조시에 쌓아올렸던 장소라고 함)에 방치하였다. 석재에 거據하여 탑형을 상상하면은 2층기단을 가진 3층탑(보령군수의 보고에는 5층탑이라고 하고 있으나 기단을 합하여 층수를 계산한 것일 것임)으로서 고가 9척이상이였던 것 같고 석재 부족함으로 현재 것일 뿐으로는 원형에 복復할 수 없다고 하지만 대강 별지 부도 제1호와 같이 조합하는 것일 것임, 탑의 옥개 및 탑신은 그 양식 고려중기 이전에 속하고 또 기단에 있는 조각은 신라 말로부터 고려 초기의 탑에 보이는 연화문양으로서 기단하부에 사용하였다고 생각되는 석재의 4우에 각한 연엽蓮葉은 신라기에 제작된 불상의 대좌 및 고려초기의 탑에 보이는 것과 양식이 일치함으로써 이의 조립은 거금 약 8백년을 내려오지 않을 것으로 추정함. 그리하여 탑의 종류는 보통으로 사리탑 또는 승탑으로 칭하는 것으로서 명승名僧의 몰 후 이를 건립하여 사리를 장한 것일 것임 이 탑석 외 견립한 탑의 하부 및 중부에 사용한 석재(사진 제1호 중 적색 부분)도 또한 동일의 장소에서 이전한 것이라고 하는데 원형은 방단方壇을 가진 3층탑인 것 같음 그리하여 그 양식이 상기의 탑과 대강 연대를 같이함.

복명하나이다.

대정5년 6월 5일

사무관 오다 간지로小田幹治郎

오다의 복명서에 첨부된 도면

오다 간지로의 위 보고서에 따르면 보령군 대천면에서 가져온 석탑은 이미 해체하여, 여러 기의 석탑을 조립하는데 그 일부로 사용한 것으로 나타나 있다. 이에 대해 오다는 조사복명서에 첨부한 '내신서內申書'에서 "현품은 이미 석재 부족하여 원형에 복復하기가 곤란하므로 이를 박물관에 옮길 필요가 없다고 하지만 타방청他方廳 및 경찰관서에서 취조를 하여 공지公知의 사건이 되었으므로 그의 처치 여하는 장래에 있어서의 고적유물 등의 보존상 영향影響하는바 불소不少함 따라서 그의 도매盜賣임을 명백히 하여 장래의 폐弊를 방지하심이 가장 필요할 것임" 이라고 하고 있다. 즉 현재로서는 석재가 부족하여 다시 복원할 수 없어 박물관으로 옮길 필요까지는 없으나, 이 사건은 널리 알려져 있기 때문에 주의를 촉구하라는 것이다. 이것으로 보령에서 반출해 온 석탑은 결국 흐지부지 고노의 정원에 그대로 남겨지게 되었다.

오다의 복명서(내신서)에는 수기의 석조물에 관한 그 출처를 다음과 같이 기술하고 있다.

고노 정원 내에는 사진 제2호의 석탑, 제4호의 석탑, 제5호의 석수, 석인, 망주, 장명등의 외 상석, 관석 등 다수의 석물을 집열集列하였다. 배신분背身分 있는 자者의 분묘에 있었던 것으로서 석수와 같음은 그 양식으로 보아서 상당한 연대를 가지고 있고 사진 제4호의 석등은 신라기에 속함 들은 바에 의하면 제2호의 탑석은 충청남도 지방에서, 석수, 상석은 수원 방면에서, 제4호의 석등은 금산 방면에서 옮긴 것이라고 함.

내신서의 내용과 같이 오다의 복명서에는 사진이 첨부되어 사진을 근거로 설명을 하고 있으나, 애석하게도 사진자료가 복명서에는 보이지 않고 도면 일부가 나타나 있긴 하지만 이것으로는 명확히 구분을 할 수 없다.

고노 다케노스케河野竹之助는 1894년에 적수로 한국에 건너와 무역상을 한 인물로 경기도 평의원, 인천상공회의소 평의원, 월미도유원회사 사장 등을 역임하다가 1931년 한국 땅에서 죽었다.

고노가 죽고 난 이후 그의 정원을 장식하고 있던 석조물의 행로에 대해서는 거의 밝혀지지 않고 있다.

현재 인천 시립박물관 정문 쪽 한 편에 초라하게 있는 '3층석탑' 1기가 있다. 안내판 설명에 의하면 "원래 송학장(중구 송학동 구 시정관사)에 흩어져 있던 것을 1966년 인천공보관으로 옮겼다가, 다시 1990년 박물관 이전과 함께 현재의 위치로 이관한 것이다" 라고 그 경로를 밝히고, "일본인 고노河野가 충남 보령으로부터 반입하여 정원석으로 사용하였다는 설도 있다" 라고 설명을 하고 있다.

이 같은 이유로 인해 인천시립박물관에 있는 3층 석탑을 놓고 충남 보령시와 인천시가 갈등을 빚고 있다. 보령시는 인천시립박물관 야외전시장에 전시돼 있는 3층 석탑이 본래 보령시 남곡동 탑동마을 절터에 있던 것이라며 반환할 것을 인천시에 요구하고 있다. 보령시민회는 청원서에서 "인천시립박물관 옥

『매일신부』 1931년 4월 25일자 기사

외전시장에 보관중인 탑동 3층석탑은 보령시 남곡동 마을에 있었다"며 "모든 문화재는 원래 위치에 보존 보관되고 계승될 때 역사적 생명력을 부여받게 되는 것이므로 당연히 석탑을 반환해야 한다"고 밝혔다.[156] 이에 대해 인천시는 3층 석탑이 보령시에서 반출됐다고 확신할만한 고증자료가 없다며 반환거부 입장을 분명하게 밝히고 있다. 박물관 관계자는 "3층 석탑이 고노의 별장에서 발견된 것은 사실이지만 각 문헌마다 연원에 대해 차이를 보이고 있다"면서 "보령시 주장과는 달리 석탑의 본 형태가 3층으로 판단되는 점 등으로 미뤄 석탑이 보령시에서 반출된 게 아닌, 다른 석탑일 개연성이 높다"고 말했다.[157]

인천시립박물관 소재의 3층석탑

이 문제는 아직도 해결되지 않고 있는 상태이며, 앞으로의 어떻게 나아갈지는 미정이다.

이는 오다 간지로의 복명서에도 나타난 것과 같이 1916년 고노의 정원에 옮겨져 있을 때에도 복구할 수 없을 정도로 완전치 않았던 것과 같이, 현재 인천시립박물관에 소재한 것도 "여러 석탑의 부재를 모아서 복원 한 것"으로 보이고 있다. 또한 1916년도의 오다 간지로의 조사 시에도 고노의 정원에 옮

156 『한겨레신문』 2001년 2월 24일자.
157 『서울신문』 2001년 3월 27일자.

겨진 보령의 석탑은 이미 여러 부재로 나누어져 다른 석탑을 조립하는데 사용되었다. 따라서 인천시립박물관에 있는 현재의 3층석탑이 보령에서 무단 반입한 것이라고 단정하기 어렵기 때문이다.

1916년 6월 14일

불상 도난

철원군 보개산 심원사深源寺 대웅전에 안치한 비로자나불 4좌를 6월 14일 주지가 비운 사이에 도난을 당했다.[158]

1916년 6월 25일

조선총독부청사는 1916년 6월 25일 경복궁내에서 지진제地鎭祭를 시작으로 9년 5개월의 공기工期와 7백만원을 들여 1925년 12월에 준공을 마쳤다.

---

158 『每日申報』1916년 6월 20일자.

1916년 6월

『조선고적도보』 배포

총독부에서 편찬한『조선고적도보朝鮮古蹟圖譜』제1집(2책)을 영, 미, 불, 러의 각 황제, 대통령, 황실박물관, 명사, 재외대사, 공사 등에게 기증했다.[159]

후지타 료사쿠藤田亮策는『조선고적도보』간행에 대해 "일찍이 조선 고적조사 사업은 일본학자에 의한 보고서는 선망적 화려한 대 인쇄물로 이런 종의 보고서의 선구로 구미에 비추어 손색이 없다"고 선전하고 있지만 이는 어디까지나 그들의 통치 상 유리한 부분을 주로 선정적으로 뽑았을 뿐 아니라 "다이쇼5년

조선고적도보

大正5年 3월『조선고적도보』제1책, 제2책 출판 발행을 시작으로 순차적順次的으로 동同도보와 함께 고적조사보고서를 발행하여 내외 중요 개소箇所에 송부하여 조선통치의 문화적 방면을 여실히 세계에 광시廣示하여 이로써 총독정치의 하나의 자랑이라 할 수 있다"[160]라고 하는 것처럼 이러한 자료를 활용하여 외국에 그들의 학구적인 면面과 힘을 과시誇示하려는 의도意圖가 숨어 있다고 보여진다.

159『每日申報』1916년 6월 22일자.
160 今井田淸德,『朝鮮總督府 政治 30年史』제1권, 朝鮮總督府, 1940, p.227.

그래서 데라우치寺内는 『조선고적도보』의 제1권에서 5권[161]은 영문해설까지 첨添하여 비서관실에 비치備置하고 있다가 서구 래방객來訪客들에게 자신이 서명署名하여 기증하면서 그들의 통치상統治狀을 자랑하였던 것이다.[162]

또한 "구미 각국의 유명대학과 박물관, 연구소 등에 기증하여 조선문화와 예술을 구미에 새롭게 인식認識시켰다"[163]고 하면서 선전을 하였다.

이와 같은 학문외적學問外的인 요소를 간파한 단재丹齋 신채호申采浩 선생은 조선고적도보를 평하여 "어떤 말은 학자의 견지에서 나왔다느니 보다는 정치상 타종他種의 작용이 적지 않은 듯하다"[164]고 하며 일제가 조선고적도보를 정치적으로 활용하고 있음을 지적하고 있다. 우메하라 스에지梅原末治도 그의 저서 『조선고대의 문화』에서 조선고적조사사업과 고적도보 발간, 연도보고, 특별보고

---

161 朝鮮古蹟圖譜
　　第1 樂浪帶方 高句麗　　大正5년 3월 31일 靑雲堂刊
　　第2 高句麗　　　　　　　〃
　　第3 百濟任那 古新羅　　大正5년 3월 31일 總督府 印刷所刊
　　第4 新羅統一時代　　　大正5년 3월 31일 靑雲堂刊
　　第5 新羅統一時代　　　大正6년 3월 31일 靑雲堂刊
　　　　　　　　　　　　　　以下 昭和10년(1935)까지 第15卷까지 發刊
　　＊ 16冊까지 계획이 되어 있었으나 編纂의 최초 主唱者인 關野貞이 제16책의 자료수집을 반
　　　정도 하고 1935년 8월에 병으로 죽게 되어 중단되었다(今井田淸德 『朝鮮總督府 30年史』).
　　　藤田亮策의 『朝鮮學論考』(1963, 藤田先生記念事業會刊, p.72)에 의하면, 『朝鮮古蹟圖譜』의
　　　간행은 寺內 總督이 계획하고 關野貞의 방침으로 谷井濟一, 栗山俊一의 편찬으로 이루어
　　　완성하였으며, 이로 인하여 編者 關野貞은 佛蘭西學士院으로부터 표창을 받았다한다.
162 藤田亮策, 「朝鮮 古文化의 保存」, 『朝鮮學報』第1輯, 昭和26년 5월.
　　藤田은 이 책 때문에 외국 여행 중에 많은 편의를 얻을 수 있었으며 조선의 문화사업이
　　외국에 알려진 것을 보고 놀랐다고 한다.
163 中吉功, 『朝鮮回顧錄』, 1985, 國書刊行會, p.28.
164 『丹齋 申采浩先生 全集』中卷(改訂版), 1977, p. 66.

등이 일본의 학도에 의한 문화사업으로 넓게는 동아고대문화 연구에 기여했다고 하면서 "이상과 같은 빛나는 면을 지닌 본 조사사업에 있어서도 또 다른 면에서는 반성할 점이 있는 바"라고 하며 과오의 일부를 인정하고 있다.[165]

일제가 조선의 어려운 경제사정에도 불구하고 시정기념 공진회를 개최하고 도보 내지는 연구서를 발간하여 내외에 자랑하므로 마치 일본이 엄청난 물자를 한국에 투자하여 경제적 발전을 가져오게 하고 어둠에서 깨어나듯 문화를 자각케 하는 등 엄청난 혜택을 주고 있다고 선전하고 있는 것은 식민지 지배를 미화 합리화함과 아울러 당시 민족자결 거부의 모략과 무관하지 않다고 보여진다.

갈항사탑 박물관으로 이건

갈항사탑이 도굴을 당하고 난 다음, 1916년 4월 27일에 개최된 제1회 고적조사위원회에서 김천 갈항사탑의 보존과 관련한 내용이 의안으로 다루어졌다.[166] 이후 갈항사탑을 옮기기 위한 해체조사가 1916년 6월에 실시되었는데 출토된 유물에 대해『매일신보』1916년 6월 22일자에도 일부 게재되어 있다.

---

165 梅原末治,『朝鮮古代の文化』'序說', 1972.
166『국립중앙박물관 소장 조선총독부박물관 공문서』, 목록 번호 : 96-107.

탑기단부와 사리장치(대구박물관)

희대고탑稀代古塔 발견

대구의 북방 약 백리 허되는 경부선 금오산역에서 십리의 무명구안부無名丘
鞍部에서 희대의 고탑이 발견되어 총독부에서 관리가 출장하여 지난 13일
에 종료하였는데 기탑이라 하는 것은 오즉 이대二臺의 초석을 잔존할 뿐이
요 그 측면에는 '二塔天寶十七年戊戌中立在之' 云云의 문자를 조각하였고
천 이백년 전의 것으로 감정하였는데 기석基石은 방7척의 화강석이요 기하
其下에서 방3척의 석관이 현출하였는데 4개의 판석을 조합하여 그 조합처
에는 철제송을 타입打入하고 금속을 용해하여 평면에 유입한 형적이 유有하
고 갱更히 기석하基石下에서 약 5척 사방, 산형傘形에 삼중가람을 작作하고 정
교한 조각 있는 탑의 개석을 발견하였고, 그 기석에서 약 5척의 심深에 석
관이 유有하니 상부는 흙으로 덮고 중간에는 다수 소석을 입入하고 저부에
는 일매석一枚石을 치置하고 그 위에서 2개의 토기와 고병古瓶이 현출하였는
데 일방一方 고병에는 고 3촌 직경 2촌5분의 당철제개부고호唐鐵製蓋附古壺 1
개가 현출하였는데 그 개蓋는 철세鐵鎖도 견고히 일문자一文字로 폐폐閉하였더
리. 그 초중草中에 차물何物이 유有하였는지 불명하나 1천2백년을 지난 금일

에 사소些少한 손상도 보이지 아니함은 그 매몰의 방법이 교묘함을 가지可知요 총독부에서는 이 고탑 전부의 석재를 휴귀携歸하여 연구한다더라.

이 같이 탑을 조사할 때 기단 아래 부분에서 청동기 및 도기의 파편이 발견된 것으로 기록하고 있다.[167] 즉 동탑에서는 도자기 파편과 함께 부패된 종이 등이 발견되었는데, 아마도 이 종이는 다라니경으로서 탑 속에 안치되었던 경문으로 추측된다. 또 서탑에서는 파손된 도금청동병과 지편紙片으로 보이는 유물들이 발견되었다. 이들 가운데 금동병은 사리병으로 추측되며 그 외 지물은 역시 일종의 다라니경으로 짐작할 수 있다.[168]

갈항사지의 두 탑은 1916년 6월에 조선총독부박물관으로 옮기게 되는데,[169] 『고적보존철(대정5년~대정10년)』에는 '탑을 가져온 동기'[170]를 다음과 같이 기록하고 있다.

쌍탑이 있었던 자리

금반 명에 의하여 회계과에서 본부에 가져와 있는 경상북도 김천군 오남리 갈항동 소재의 고탑 2기는 문예사상 극히 중요한 자료로써 보존의 필요가

---

167 葛城末治, 『朝鮮金石攷』, 1935, p.222.
168 張忠植, 『韓國의 塔』, 一志社, 1989.
169 『朝鮮金石總覽』上(朝鮮總督府, 1919)과 白松溪 編, 『金泉郡誌』(金泉郡鄕校明倫堂, 1929)에는 1915년 7월에 옮긴 것으로 나타나 있다.
170 金禧庚, 『韓國塔婆硏究資料』 考古美術資料 第20輯, 考古美術同人會刊, 1969.

있는 것인바 본년 2월 야음을 틈타 이것을 顚倒한 자가 있었다. 현지에 보존함이 안전하지 못하다고 인정됨으로 내무부 제1과에서 가져올 안을 구하여 결재를 얻은 것입니다.

총독부박물관 후정에 옮겼다 세웠는데 동탑은 상륜부가 전실全失되었고, 서탑은 3층 옥개석 이상을 잃어서 불완전하다. 현재 두 탑은 현재 용산국립박물관으로 옮겨져 있다. 현지에는 1916년 6월에 박물관으로 옮겼다는 표지석이 있는데, 두 표지석 모두 "탑은 대정5년 6월에 박물관에 옮겼음. 대정10년 3월 조선총독부" 라고 기록하고 있다.

과수원으로 변한 갈항사지에는 양쪽으로 작은 석조물은 탑이 있었던 표지석이 남아 있다. 중앙 상단에 보이는 건물이 보물 제245호 불상을 봉안하고 있는

갈항사지에 남아 있는 두 석불상

보호각이며 옛 금당지로 추정되고 있다. 오른편으로 30m 떨어진 곳에 철책을
마련하고 그 안에 다른 석불 1구를 봉안하고 있다.

『매일신보』 1916년 6월 23일자

3월 10일부터 5월 25일까지 도쿄 우에
노공원에서 개최하는 해사수산박물회에
대한 총독부의 출품물 중 조선형어선모
형 외 19점은 도쿄수산강습소에 기증을
하고, 기타는 도쿄제국대학과 도쿄출장
소에 기증하였다.[171]

부석사 수선 결정

부석사 보수에 대하여 이와이岩井 총독부 기사, 요시다吉田 경북 사무관, 기무
라木村 경북도서기 등이 출장 조사한 결과, 대웅전 및 조사당은 근본적으로 수
선修繕을 가하기로 결정하고 공사 착수는 8월 중순경부터 시작하기로 했다.[172]

1916년 6월의 부석사 상황에 대해 『매일신보』 1916년 6월 25일자에는 다음
과 같은 기사를 싣고 있다.

---

171 『每日申報』 1916년 6월 23일자.
172 『每日申報』 1916년 6월 17일자.

부석사와 소수서원

고건축 보존의 취지에서 목하 총독부에서 기사, 기수를 파견하여 수일 전에
조사를 마친 영주군 부석면에 있는 부석사는 수리비 약 1만원으로 금년 및
대정6년의 2년도에 걸쳐 수리에 착수할 터인데 이 부석사는 소수서원과 함
께 호고가好古家 및 건축에 추미가 있는 인사들에게 좋은 참고가 되겠도다.

부석사에 가려면 대구에서 영주군 읍내를 거쳐 북방 30리 거리의 순흥읍
(원 순흥군청 소재지인데 우편소 및 헌병출장소가 있음)을 지나 또 30리를
나아가면 소천리(헌병출장소가 있고 내지인 3호, 조선인 51호)를 지나 동리
에서 강원도 황지리 및 삼랑리에 이르는 도로로 20여 리를 나아가다가 좌측
으로 꺾어 약 10리를 가는데 도로는 대개 평탄하여 자동차로 통할 수 있다.

부석사는 의성군 고운사의 말사로 주지 외에 아승兒僧 1명이 거주할 뿐이오,
주지는 경내 밭을 경작하여 근근이 생계를 유지한다 하며, 건물의 현존한

부석사

것은 무량수전, 조사당, 응향각, 안양각, 범종각이니 무량수전 및 조사당은 고려시대의 건축이오. 응향각은 조선초기에 속하고 범종각은 중기의 건물인데, 무량수전은 전면 10칸, 횡면 7칸, 고 6칸이니, 주위의 벽화 등 고아고 상한 것이 있으며, 조사당은 무량수전에서 급경사의 판로 약 2정을 올라간 수목이 울창한 지점에 있으니 전면 5칸 횡면 3칸으로 무량수전과 양식이 동일하여 고려조의 건물인줄 알겠고, 조사당의 입구 우측 처마 밑에 빛이 직사하지 않는 곳에 의상대사가 심었다고 하는 선비화仙飛花가 있다.

안양각 및 범종각은 함께 무량수전의 문이라 하는 것 보담 규묘가 조금 웅대함과 같으며 무량수전 우편 조사당으로 오르는 곳에 3층석탑이 있으니 이는 소위 원융국사의 탑비라 칭하는 것이오 신라시대의 건축물이라. 기타 무량수전 내에 안치한 아미타불의 좌상은 고 8척의 소조도금으로 고려시대 제작이며 기타 부석사의 기적奇蹟 등 볼만한 것이 적지 않더라.

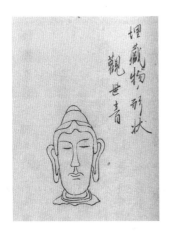

1916년 7월 1일

1916년 7월 11일부 강원도경찰부장이 경무총장에게 보낸 '매장물 발견에 관한 건 보고'에 의하면, 7월 1일 양양군 서면 공수전리 박승엽이 공수전리 이왕곡 전중에서 청동불두青銅佛頭를 발견했다.[173]

---

173 「大正1~8년도 매장물 관계」, 『국립중앙박물관 소장 조선총독부박물관 공문서』 목록번

1916년 7월 4일

고적급유물보존규칙 및 고적조사위원회규정

　조선 총독부에 의한 고적조사사업이 진행되고 있는 동안인 1915년 9월에 경복궁내에서 시정5주년기념 물산공진회가 개최되고 이어 1915년 12월에 조선총독부 박물관을 설립하게 되자[174] 종래 내무부 제1과의 고적조사와 편집과의 사료조사는 박물관의 유물 진열에 집중하여 수집에 더욱 박차를 가했다.[175] 이처럼 문화재 수집에 힘을 쏟자 일본인 약탈자들에 의한 고분의 도굴과 위법매매가 성행하여 일반 민중들의 반발反撥과 항의가 고조되어 이 고적조사 사업을 뒷받침할 법제도法制度의 필요성을 느껴[176] 이른바 고적급유물보존규칙古蹟及遺物保存規則을 제정하게 된다.

　「고적급유물보존규칙」은 1916년 7월 4일에 조선총독부령朝鮮總督府令 제 52호로 제정制定 공포公布하였으며, 「고적조사위원회규정」은 1916년 7월 4일 조선총독부 훈령 제29호로 발포하였다.

　1916년 7월 4일에 조선총독부령 제 52호로 제정制定한 「고적급유물보존규칙古蹟及遺物保存規則」은 다음과 같다.

　호 : 97-발견04.

174 「朝鮮總督府博物館 設置의 件」, 總督府 告示 第296號(1915년 11월).

175 藤田亮策, 「朝鮮의 古蹟調査와 保存의 沿革」, 『朝鮮總攬』, 朝鮮總督府, 1933.

176 京城府, 『京城府史』 第3卷, 1934, p.347.

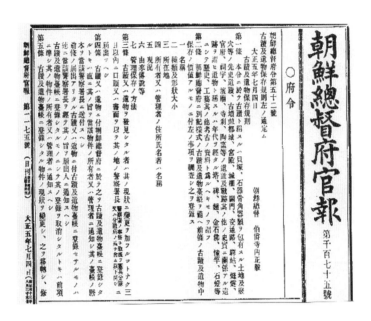

「고적급유물보존규칙」[177]

제1조 고적이라 일컫는 것은 패총, 석기, 골각기류를 포함하고있는 토지와 수혈竪穴 등의 선사유적, 고분 그리고 도성, 궁전, 성책, 관문, 교통로, 역참, 봉수, 관부, 사우, 단묘, 사찰, 도요 등의 유지遺址와 전적 기타의 사실史實에 관계있는 유적을 말한다.

유물은 연대를 경과한 탑, 비, 종, 금석불, 당간, 석등 등으로 역사, 공예 그 밖에 고고자료가 되는 것을 지칭한다.

제2조 조선총독부는 별기別記 양식에 따른 고적 및 유물대장을 비치하고 전조前條에 정한 고적 및 유물 중에서 보존의 가치가 있다는 것을 사항에 따라 조사하고 이를 등록한다.

---

177 『朝鮮總督府官報』1916년 7월 4일.

1. 명칭

2. 종류와 형상대소

3. 소재지

4. 소유자, 관리자, 주소, 성명 또는 명칭

5. 현황

6. 유래와 전설

7. 관리보존의 방법

제3조 고적 또는 유물을 발견한 사람은 그 현상을 변경하지 말고 3일 이내에 구두 또는 서면으로 해당지역의 경찰서장(경찰서의 사무를 취급하는 헌병분대 또는 분견소의 책임자를 포함)에게 제출하여야 한다.

제4조 고적 또는 유물로 조선총독부에 의하여 고적 및 유물대장에 등록되면 그 사실을 해당물건의 소유자 또는 관리자에게 통지하고 대장의 등본을 해당 경찰서에 송부한다.

전조에 따라 계출屆出한 바 있는 고적 및 유물이 고적 및 유물대장에 등록되면 속히 해당 경찰서장을 경유하여 계출인에게 결과를 통보한다.

고적 및 유물대장에 등록되었던 것이 취소되면 전항에 준하여 그 물건의 소유자 또는 관리자에게 통지한다.

제5조 고적 및 유물대장에 등록된 물건의 현상을 변경, 그것의 이전, 수선 또는 처분하여야 할 경우 또는 보존에 영향을 미칠 시설을 해야 할 때에는 당해 물건의 소유자 또는 관리자는 다음과 같은 사항을 갖추어 경찰서장을 거쳐 조선총독의 허가를 받아야 한다.

1. 등록번호와 명칭

2. 변경, 이전, 수선, 처분 또는 시설의 목적

3. 변경, 이전, 수선 또는 시설을 해야 할 것은 그 방법과 설계도 아울러 비용의 견적액

4. 변경, 이전, 수선 또는 시설의 시기

제6조 고적 및 유물대장의 등록사항이 변경되면 경찰서장은 속히 조선총독에게 보고한다.

제7조 경찰서장이 유실물법 제13조 제2항에 해당하는 매장물 발견의 계출을 받으면 이 법에 의거하여 동법 제13조 제2항에 해당한다고 인정되는 사항을 구비하여 경무총장을 경유하여 조선총독에게 보고한다.

제8조 제3조 또는 제5조의 규정에 위반되는 자는 200원 이하의 벌금 또는 과료에 처한다.

부칙

본령은 대정5년 7월 10일부터 시행한다.

「고적급유물보존규칙」은 전 8조와 부칙으로 구성되었다. 제1조에는 고적과 유물의 종류를 정하고 있으며, 제2조는 별기別記 양식에 따른 고적 및 유물대장을 비치하여 제1조에 정한 고적 및 유물 중에서 보존의 가치가 있는 것을 조사하고 이를 등록하도록 하였다.

제3조에서는 "고적 또는 유물을 발견한 사람은 그 현상을 변경하지 말고 3일 이내에 구두 또는 서면으로 해당지역의 경찰서장(경찰서의 사무를 취급하는 헌병분

대 또는 분견소의 책임자를 포함, 이하 같음)에게 제출하여야 한다" 하고 규정하고 이를 위반 시에는 제 8조에 "200원 이하의 벌금 또는 과료에 처한다"고 되어있어 고적, 또는 유물 발견 시에는 금일 이내에 이에 대한 제출의무를 두었다.[178]

1916년 7월 4일 조선총독부 훈령 제29호로 발포한 「고적조사위원회규정」은 다음과 같다.

「고적조사위원회규정古蹟調査委員會規程」[179]

제1조 조선에 있는 고적, 금석물, 기타 유물 및 명승지 등의 조사와 보존에 관한 사항을 심사하기 위해 조선총독부에 고적조사위원회를 둔다.

제2조 고적조사위원회는 위원장 1인, 위원 약간 명으로 조직한다.

제3조 위원장은 정무총감으로 충당한다.

위원은 조선총독부 고등관 중에서 명하거나 학식 경험이 있는 자 가운데 촉탁한다.

제4조 위원장은 회무會務를 총리한다.

위원장이 사고가 있을 경우는 위원장이 지정한 위원이 그 사무를 대리한다.

제5조 위원회에서는 다음 사항을 심사한다.

　① 고적 및 유물의 조사에 관한 사항

---

178 「古蹟及遺物保存規則」, 『大正5年度 古蹟調査報告』, 朝鮮總督府, 1917, pp.4-5.
　　朝鮮總督府令 第52號, 官報 第1175號(1916년 7월 4일).
179 『朝鮮總督府官報』 1916년 7월 4일.

② 고적의 보존 및 유물의 수집에 관한 사항

③ 고적 · 유물 · 명승지 등에 영향을 미칠만한 시설에 관한 사항

④ 고문서의 조사 및 수집에 관한 사항

제6조 위원회는 고적 · 유물 · 고문서의 조사 및 수집, 보존에 관한 일반 계획과 연도별 실지조사 계획을 작성하고, 위원장은 이를 전년 말일까지 조선총독에게 제출해야 한다.

전항前項 외에 위원회에서 필요하다고 인정되는 사항 또는 조선총독의 자문에 관련된 사항은 그 심사 결과에 대해 위원장이 의견서 또는 보고서를 조선총독에게 제출해야 한다.

제7조 위원회에서 위원에게 실지 조사를 하게 하는 경우는 조사 계획, 조사할 물건의 종목, 소재지, 조사 방법 및 시일時日을 갖추어 조선총독에게 신청해야 한다.

제8조 위원에게 실지 조사를 명하는 경우 위원장은 그 위원의 성명, 조사할 물건의 종목, 소재지, 조사 방법 및 시일을 미리 그 지역을 관할하는 도장관 및 경무부장에게 통지해야 한다.

제9조 실지 조사에 종사할 위원은 고적 소재지의 지방청 및 경찰관서와 협의하여 그 조사가 이루어질 경우 헌병 또는 경찰관의 입회를 요구해야 한다.

제10조 실지 조사를 명받은 위원은 조사에 관한 상세한 보고서를 작성하여 위원장에게 제출하고, 위원장은 이를 조선총독에 보고해야 한다.

실지 조사에서 위원이 수집한 물품은 목록을 첨부하여 지역의 경찰관서를 거쳐 조선총독부에 송치送致해야 한다. 단 파손의 우려가 있는 것은 직접 휴대해야 한다.

제11조 위원회에 간사를 둔다.

간사는 조선총독부 고등관 중에서 명한다.

간사는 위원장의 지휘를 받아 서무를 장리掌理한다.

「고적조사위원회규정古蹟調査委員會規程」은 총 11조로 이루어졌는데 제3조와 제11조에 의하면 위원장은 정무총감이 맡고 위원은 총독부관계부국의 고등관으로 이를 명했다.[180] 그 외 수명의 촉탁嘱託을 두고, 또 총독부고등관 중에서 간사幹事를 임명하여 서무庶務를 장리掌理케 했다. 고적조사위원회는 조선총독의 고적보존과 조사에 관한 자문기관으로 위원회는 고적 유물의 조사, 보존, 공사, 등록에 관한 건을 협의 의결하게 했다. 박물관 주임은 고적조사위원회간사로 위원회의 결의를 바탕으로 고적조사, 보존 및 등록의 사무를 관장했다.[181]

또 제9조에는 실지조사에 종사하는 위원은 고적소재지의 지방청 및 경찰서에 협의하여 현장에 헌병 또는 경찰관의 입회를 요청하도록 정하고 있어 현지 주민의 반발이 있을 시에는 총칼의 위협으로 강행하겠다는 강압적 조사의 모습을 볼 수 있으며 결국 한국인의 접근을 막음으로서 마음대로 은폐, 조작을 하겠다는 의도로 보여 진다.

당시 신문에는 다음과 같은 기사를 싣고 있다.

---

180 또 학식 경험이 있는 자를 촉탁하고, 간사를 두어 서무를 맡게 했다. 박물관 및 고적조사의 사무는 처음 총독부 서무국 총무과에, 후에 총독부 서무부 문서과에 속하게 하였으며, 중추원 서기관으로 겸임의 박물관 주임을 주반으로 통일하고, 박물관촉탁 이하 박물관원이 일체의 사무를 집행했다.

181 藤田亮策, 「朝鮮に於ける古蹟の調査及び保存の沿革」, 『朝鮮』, 1931년 12월, p.91.

고적 및 유물보존규칙 및 고적조사위원회규정을 공포하여 7월 10일부터 실시케 하고 훈령으로써 고적 유물 또는 고문서를 발견하였을 때에는 조선총독에 보고하고 고적 역사 공예에 관계있는 유물 기타 공작물의 현상을 변경하거나 금석물 기타 유물을 이전 수선 또는 처분할 때에는 미리 조선총독의 인가를 받게 하다(『매일신보』 1916년 7월 5일자).

「고적급유물보존규칙에 대하여」, 고다마兒玉 총무국장 담

조선총독부에서는 1910년 이래 관야 기타 제씨에게 의촉하여 고적의 조사를 행하였는데 그 사업은 이미 일달락을 고하여 '조선예술의 연구'라 제한 보고서 2편 ,및 고적조사 약보고서를 공표하여 그 결과를 세상에 소개하고 또 작년래 고적도보를 속간하여 이에 의하여 종래 다수 세인의 주의에 상上치 못하던 반도고래의 유적 및 유물에 대하여 그 연대 및 역사, 미술, 고예 등의 방면에 대한 가치를 판명하여 불소不少히 취미와 광채를 더한 사事는 금에 다시 말할 필요가 없다 할 지라.

원래 고적급유물은 그 국토병인민國土並人民의 역사를 말하는 것이오. 또 실로 인문발달의 적跡을 보여주는 것인 고로 이의 보존을 위함은 또 국가로 그 필요가 있을 뿐 아니라 또 넓게 세계인류를 위하여 그 필요가 있다 할지라. 그리고 이러한 등의 귀중한 유적급 유물은 세월과 함께 점차 인멸되어 근년에 이르러는 특히 저대한 것이 있으니 차제에 속히 조사를 추진하여 보존의 방법을 확립할 필요가 유有함을 인認하고 새로이 근본적 계획을 세워 조선 전토에 걸쳐 주밀한 조사를 추진하여 일면으로는 그 학술적 가치를 명백히 하는 동시에 일면에는 이의 보존의 도途를 강講하기로 하였음이라.

종래 고적급유물의 취체에 관하여는 상당히 취체를 엄히 하나 실제에 대하여는 관헌의 눈을 피해 고분을 도굴하며 또 귀중한 고적을 파괴하고 금석물을 도매盜賣하는 등 이러한 상태로는 보존의 도를 강한다 할지라도 도저히 그 목적을 달하기 불능하겠슴으로 금회 고적조사위원회규정을 제정하여 고적급유물의 조사보존수집 및 고문서의 조사수집에 관한 사항을 심사하여 이의 조사와 보존의 통일을 保하여 완전을 기하고 또 이와 동시에 고적급 유물의 보존에 관한 훈령과 고적급유물보존규칙을 발포하여 국가가 보존을 할 고적급유물은 이를 대장에 등록하여 보존의 필요가 있고 없는 것의 구별을 명백히 하여 1에 보존의 기초를 확립하고자 함이라.

고로 대장에 등록한 고적급유물은 국가가 특히 보존할 필요가 있다고 인정한 것으로 그 토지 또는 물건의 국유됨과 사유됨은 물론하고 변경, 이전, 수선, 파괴, 매각 등의 처분을 위爲케 하며 또 그 보존에 영향을 미치게 할만한 시설을 위하게 할 시는 관서 인가를 받아 인민은 허가를 받게 하기로 하였더라. 이러한 고적급유물은 국가에서 보존을 할 책임이 있는 고로 관민이 국가의 지보를 보존코자 함에 불외不外한 지라. 고적급유물의 범위에 대하여는 일정한 표준이 있음이 아닌 고로 특히 이를 예시하여 그 한계를 명백히 하였으니 즉 고적은 이를 대별하면 제1은 선주민先住民의 유적이니 즉 선주민이 식용에 공供한 패류貝類의 장소라고 인정하는 패총, 선주민이 사용한 석기, 골기, 각기 류를 포함한 토지 및 선주민의 주거의 적跡이며, 제2는 고분, 제3은 도성, 궁전, 성, 궐문, 교통의 적跡, 관부, 사우, 단묘, 사찰, 도요지, 제4는 그 역사상 사실에 관계가 있는 유적 등이라. 또 유물이라 함은 탑, 비, 종, 금석불, 당간, 석등 등의 금석물인데 역사 공예 기타 고고의 자료가 될 만한 것이라. 여하이 조선에 있는 고적급유물의 보호를 도모하고 고분의 도굴, 국유 금석물의 취체를 엄히 하는 소이所以는 반도에 재한 고대의 예술급문화의 근원을 영원히 보존하여 식자의 연구 자료에 제공코자 함에 불외不外하다 하노라(『매일신보』 1916년 7월 9일자).

고적급유물조사사무심득

위원회의 규정이 제정되자 이에 따른 사무조령을 만들어 조선총독부 내훈 제13호로 「고적급유물조사사무심득古蹟及遺物調査事務心得」 이란 지침을 7월 4일 자로 발표하게 된다.

고적급유물조사사무심득[182]
제1조 고적 및 유물의 조사는 고적조사위원회의 일반계획 및 매년 집행하는 계획에 따라 결재된 것을 바탕으로 실시한다.
제2조 실지조사를 명령받은 고적조사위원은 소재지의 부, 군, 도청과 경찰서와 조사에 관하여 협의하여 고적 또는 유물의 소재지가 국유지면 관리자에게 통고하고, 사유지이면 미리 소유자의 승낙을 얻도록 한다.
제3조 고적 또는 유물 발굴 시는 발굴 전 또는 발굴 중에 필요하다고 인정되는 부분을 촬영하고 그 구조와 매장품의 배치는 정밀한 실측도를 조제

---

182 「古蹟及遺物調査 事務心得」, 『大正五年度 古蹟調査報告』, 朝鮮總督府, 1917.

調製하여야 한다.

제4조 고적 또는 유물조사를 위하여 현상변경하였을 때는 조사완료 후에 봉토 기타를 원상으로 복구한다. 단 원상회복이 어려운 사유가 있으면 수리, 표지판 설치, 위장圍障을 하고 필요하면 총무국장에게 보고하고 지휘를 받는다.

제5조 고적, 유물의 실지조사가 끝나면 귀임 후 속히 조사보고서를 작성하여 도면 사진 등을 첨부하여 고적조사위원장에게 제출한다.

제6조 실지조사를 명령받은 고적조사위원은 총무국장의 허가 없이는 조사결과를 공표하지 못한다.

제7조 총무국장은 각 연도에 실시한 고적 및 유물조사의 결과를 바탕으로 그 해 연도 내에 고적조사보고를 작성하여 조선총독에게 제출한다.

이상의 지침을 살펴보면, 제5조와 제7조에는 보고서 제출에 대한 내용을 싣고 있는데, 이에 대한 실행은 사실 무리가 있어 후반기로 가면서 보고서 작성의 지연은 물론이고 구체적인 보고서를 만들지 않는 것이 대부분이다.

제 6조에, "실지조사實地調査를 명령받은 고적조사위원은 총무국장總務局長의 허가許可 없이는 조사결과를 공표公表하지 못한다" 라고 규정하고 있어 저들이 우리의 역사적 실증 자료를 얼마든지 은폐하거나 발굴한 역사유물을 멋대로 해석·이용할 수 있는 수탈위주의 문화재 정책을 펴고 있음을 알 수 있다.

1916년 7월 13일

고적 보존 취체 통첩

고적급유물보조규칙이 조선총독부에서 발표하자 이에 대하여 정무총감부에서는 7월 13일부로 각도 경무부장에게 고분유적유물 등의 발굴 장익藏匿 이전을 금한다는 통첩을 발하였다.[183]

1916년 8월 1일

취서암석탑 내 유물 발견

1916년 8월 11일부 경상북도 경찰부장이 조선총독에게 보낸 '매장물 발견에 관한 건'[184]에 의하면, 1916년 8월 1일 경상북도 봉화군 물야면 취서암鷲棲庵(현 취서사)의 석탑이 도괴되어 석탑 내에서 석옹石瓮 1개, 토기 1개, 소형토탑 4개가 발견되어 취서암 주지는 유실물법에 제13조 제2항에 의거하여 소할 헌병분대에 신고하였다.

---

183 『每日申報』 1916년 7월 18일자.
184 「大正5年度 埋藏物 關係」, 『국립중앙박물관 소장 조선총독부박물관 공문서』 목록번호 : 97-발견03.

석옹石瓮에는 "대당함통팔년건大唐咸通八年建"이란 각자가 있어 867년에 이 석탑이 건립되었음을 알려주고 있다.

1916년 8월 12일

제2회 고적조사위원회

1916년 8월 12일에 개최된 제2회 고적조사위원회에서는, '고적조사 5개년 계획', '대정5년도 고적조사계획 및 설명', '유적 및 유물등록', '고적 및 유물보존' 등이 안건으로 되어 있다. '고적조사 5개년 계획'에는 1916년부터 1920년까지의 고적조사 범위와 연도별 조사지역을 구분하고 있다. '대정5년도 고적조사계획 및 설명'은 한사군 · 고구려 유적 조사를 중심으로 하고 있다. 고적조사위원회 회의안에서 중요한 몇 가지를 보면 다음과 같다.

고적조사 5개년 계획
1. 조사의 범위
1) 선사유적의 조사
패총, 유물 포함층, 유물 산포지, 수혈, 기하의 선사시대
유적조사와 함께 유물 수집
2) 고분의 조사
고려 시대 이전에 속하는 분묘는 조사와 함께 유물 수집

3) 사적의 조사

도성, 궁전, 성책城柵, 궐문關門교통로, 역침驛站, 봉수封守, 괸부官府, 시우祠宇, 단묘壇墓, 사찰寺刹, 도요陶窯의 유지, 전적 기타의 주요사실과 관계있는 유적조사와 더불어 유물의 수집

4) 고 건축의 조사

역사 또는 공예발달에 참고가 되는 궁전, 성문, 누대, 사우, 단묘, 개관, 교사, 사찰, 교량 등의 조사

5) 금석 기타의 고고물 조사

불상, 탑, 등, 비, 석각, 당간 석주, 석인, 석조, 종, 향로, 거울, 재기, 악기, 회화, 책판, 현액, 도자기, 칠기, 기타의 역사상, 공예상 참고가 되는 금석 제작물, 목제품 등 조사와 함께 수집

6) 고문서의 조사

역사와 여타 고증자료가 될 고문서를 조사하고 수집

2. 5개년 계획의 연도별 조사지역

연별	조사 범위	조사 지역
제1년(1916년도)	한치군 및 고구려, 유사전	황해도, 평안남도, 경기도, 충청북도
제2년(1917년도)	전년도의 잔여, 삼한, 가야, 백제, 유사전	경기도, 충청북도, 경상남도, 전라남북도
제3년(1918년도)	전년도의 잔여, 신라, 유사전	경상남북도, 전라남북도
제4년(1919년도)	전년도의 잔여, 예맥, 옥저, 발해, 여진, 유사전	강원도, 함경남북도, 평안남북도
제5년(1920년도)	전년도의 잔여, 고려, 유사전	경기도

조선기에 속하는 조사는 각 년도 별 지역의 구분에 의해 편하게 이를 행한다.

대정5년도 고적조사 시행안

1. 일반 조사

1) 조사사항

한치군, 고구려시대, 조선기 및 유사이전의 유적 및 유물

2) 조사지역

황해도 17군, 평안남도 1부 14군, 경기도 1부 15군, 충청북도 4군, 평안북도 4군

3) 조사 기간

1916년 8월부터 1917년 3월까지

2. 특별 조사

개성 양릉리고분 1기, 강화도 내가리고분 1기

나주 반남면고분 약 10기, 금산군 내 고분 약 5기

경주 사천왕사지 일원

이상은 급속을 요하는 사정으로 본년도내 발굴조사를 하여 관곽棺槨 및 부장품을 수집함

개성 및 강화도고분 약 200기

이상은 박물관 진열품 수집을 위해 본년도 내 발굴조사를 하고 석곽, 부장품 기타 유물을 수집함

고적급유물 보존의 건

"금석불은 역사, 문예 및 공예상 참고자료로 대난히 중요한 것으로 근시에 그 가치가 세인들에게 알려지면서 이를 탁본하는 가가 많아 점차 마멸 파손되는 지경에 이르러 탁본을 금지할 필요"가 있는 금석물을 열거하고 있는데 다음과 같다.

1. 북한산 신라 진흥왕순수비

2. 중초사지 당간지주

3. 영통사지 대각국사비大覺國師碑

4. 고달사지 원종대사혜진탑비元宗大師慧眞塔碑

5. 현화사비玄化寺碑

6. 정토사지 법경대사자등탑비法鏡大師慈燈塔碑

7. 월광사지 원랑선사대보선광탑비圓朗禪師大寶禪光塔碑

8. 용두사지 당간幢竿

9. 당평백제탑唐平百濟塔

10. 유인원기공비劉仁願紀功碑

11. 보원사지 법인국사보승탑비法印國師寶乘塔碑

12. 성주사지 낭혜화상백월보광탑비朗慧和尙白月葆光塔碑

13. 봉선홍경사갈奉先弘慶寺碣

14. 봉림사지 진경대사보월능공탑비眞鏡大師寶月凌空塔碑

15. 거돈사지 원공국사승묘탑비

16. 법천사지 지광국사현묘탑비智光國師玄妙塔碑

17. 광조사지 진철대사보월승공탑비眞澈大師寶月乘空塔碑

18. 인각사 보각국사탑비普覺國師塔碑

19. 통도사 장생석표長生石標

20. 신라 무열왕릉비武烈王陵碑

21. 무장사지 미타전비彌陀殿碑 이수 및 귀부

22. 신라 진흥왕척경비眞興王拓境碑

23. 사자빈신사탑獅子頻迅寺塔

24. 낭공대사백월서운탑비郞空大師白月棲雲塔碑

25. 개심사지 오층석탑

26. 경원여진자비慶源女眞字碑

27. 옥룡사 동진대사보운탑비洞鎭大師寶雲塔碑

28. 청태종공덕비淸太宗功德碑

29. 황초령 신라 진흥왕순수비

위 29개소의 금석물은 유물의 상태에 따라 목책이나 잠금장치를 설치하여
탁본을 금지해야 한다.

이상은『국립중앙박물관 소장 조선총독부박물관 공문서』(목록번호: 96-107)
에 들어 있는「제2회 고적조사위원회」문서의 내용이다.

『대정5년도 고적조사 보고』에 들어 있는「대정5년도 고적조사 개요」[185]를 보면,
대정5년도에는 한치군과 고구려 때의 유적과 유물 조사를 주로 하는 것으로 하고

185「大正5年度 古蹟調査 槪要」,『大正5年度 古蹟調査報告』, 朝鮮總督府, 1917, pp.3~5.

동시에 유사이전의 유적과 유물 그리고 조선기에 속하는 유석과 유물을 조사한다. 조사기간은 8월 하순에 시작하여 12월 말에 종료하는 것으로 하고 조사에 종사하는 자는 세키노關野, 구로이타黑板, 이마니시今西, 도리이鳥居 등 4명과 보조로 야쓰이谷井, 구리야마栗山와 제도 촬영을 위해 박물관 지원 4명을 각기 분속하여 동행하게 하고 또 토목국 기수 1명, 평안남도청 기수 1명을 보조원으로 활용했다.

각 조사위원의 주요한 역할은 다음과 같다.

이마니시今西 위원

한강 유역에 있는 한 대유적을 탐구하는 일을 주목적으로 하고 8월 21일에 먼저 경기도 고양군에 출장하여 우이동과 창동 사이에 있는 고총묘古塚墓 및 학도사지, 중계리의 석주 등을 조사하고, 이어서 양주군 불암산성지, 불암사, 북한산 고성, 북한산성, 장의사, 삼문사지, 태고사, 승가사, 문수사, 진관사, 용암사, 부왕사, 금홍사지, 신혈사지, 보국사, 보광사, 국령사, 진서사, 향림사, 적석사, 청량사, 도성사, 문각사, 서암사 등의 사지 등과 옛 행궁 진흥왕순수비 등을 조사한다.

다음으로 광주군으로 가서 배제도성지, 이성산성, 평고성, 남한산성 부근의 고분, 중대면의 석촌고분, 청태종공덕비, 남한산성 내의 여러 사찰, 사리현의 석불, 동부면 춘궁리석탑, 하사창사지 등을 조사하고, 이천에 이르러 설봉산성, 영월암 석불과 석조 및 석탑, 안홍사지 부근의 석탑, 우천리의 유적 등을 조사한다.

다음으로 여주군으로 가서 상리고분, 북성산성, 신륵사 부근의 석탑 및 불상을 조사하고, 가평군에서는 장석우長石隅의 고분, 초연대성지, 석사촌산성, 조정암, 양평군에서는 고분, 함공성, 사라사철불, 원종국사석종과 비와 석탑, 부양비, 보리사지, 대경대사탑, 상원사 석불, 용문사 정지국사비, 고달원지, 원종대사탑비 및 탑, 불좌, 사파산성 등을 조사

또 특별조사로서 도굴의 보고가 있는 개성과 강화의 고분을 조사하고 동시에 고려릉묘의 소재지를 조사할 것, 이 기회에 개성군에 있는 석기시대의 유적, 토성리 토성, 영안성지, 귀법사지, 강감찬 건립의 석탑, 오룡사지, 법경대사비를 조사하고, 장단군으로 가서 화장사, 고려루지, 강화군에서는 지석묘, 고려도성지, 삼랑성지, 마니산 참성단, 여러 사찰과 사고 등을 조사한다.

황해도에 가서는 평산군에서 화천동 서낭산성, 칙사강왕양공거사비 등을 조사하고 그 보고와 수집품 31점, 사진 162매를 도면 42매와 함께 제출한다.

구로이타黑板 위원

8월 23일에 경성을 출발하여 황해도 은율, 봉산과 평안남도 용강, 안주의 각군과 평안북도 의주, 용천, 정주의 각군을 조사하고 9월 11일 귀임한다. 이번 조사는 대동강을 중심으로 漢民族 분포의 상태를 살피는 일에 주목적을 둔다. 먼저 평안남도 용강군 지운면 성우동에 있는 통칭 왜성지의 조사에 착수하여 양원리의 미륵원지의 석불, 그리고 부근에 산재한 고구려고분을 조사하고 이어 황룡산성지, 봉산면 의산리의 사지와 석탑, 옥도리의 고분, 해운면 성현리 점선현지, 노성과 비, 용정리의 고분군, 신령면 유복리 석교산 아래와 대대면 해산리의 고분군을 조사한다. 다음으로 대동강을 거슬러 올라가서 용강군 디미면의 동진성지를 조사한다.

길을 바꾸어 은율군으로 가서 북부면 운산리와 일도면 지경동, 현내면 선

암동 제당촌 좌장곡, 난문동 등의 통칭 탱석, 현내면 하동의 석탑과 서부면 부정동의 고분군 등을 조사한다.

다시 평안북도로 들어가 용천군 양광면 망양동의 고분, 구읍의 성지, 석불, 다라니당, 정주군 곽산면 남단동의 고분군과 관주면 초점동의 고분, 단학 통경산 중턱의 석굴암 마애불, 옥천면 산단동의 장경사지 및 석탑, 아이포면의 옛 장성, 그리고 안주군에서는 대니면 봉명리 광명산의 고분 등을 조사한다.

귀로에 평양으로 가서 임원면 인흥리의 금홍사지, 당간지주, 척산면 남궁리의 남궁지, 대동강변의 고부군 등을 조사하고 그 결과의 개요를 수집품 120개, 사진 91매, 도면집 1권을 첨부하여 보고한다.

세키노關野 위원

촉탁 야쓰이, 구리야마, 오바 쓰네키치小場恒吉, 노모리 겐野守健, 오가와 게이키치小川敬吉 등과 함께 9월 21일에 경성을 출발하여 평안남도로 가서 대동, 용강, 순천 각 군을 조사하고 11월 28일에 귀임한다.

이번 조사는 평양 부근에 있는 한나라 낙랑군과 고구려의 유적과 유물을 조사하는 일에 주목적을 둔다.

먼저 대동강변의 고분 발굴에 착수하고 이어 정백리에 있는 6기, 석암리의 4기, 계속해서 자족면 노산리 내리 등의 고분 각 1기, 토포리의 4기, 호남리의 2기, 용월면 갈현리의 전묘지塼墓址 2개소를 조사한다.

다시 대동군 척산면 남궁리의 대화궁지, 대동강 기슭 보산진산성, 순천군 선소면 검산동과 북창면 송계동의 고분 조사, 평양 서얼리 주궁의 유지 등을 조사하고 그 결과의 개요와 수집품 543점, 사진 248매를 첨부하여 보고한다.

도리이鳥居 위원

유사이전의 유적과 유물의 조사를 담당한다. 9월 28일에 경성을 출발하여 평안남도 안주군에 도착하여 개천, 덕천, 영원, 맹산, 양덕, 성천, 강동, 대동, 강서, 용강, 평원, 순천, 중화의 각 군을 조사한다.

이어 황해도로 가서 황주, 해주, 옹진, 장연, 송화, 은율, 안악, 신천, 재령, 봉산, 연백, 금천, 신계, 곡산, 주안, 서홍의 각 군을 조사하고 계속해서 경기도로 가서 개성, 광주, 양평, 가평의 각 처를 조사한다. 그 결과의 개요는 수집품 589개, 사진 367매를 첨부하여 보고한다.

특별 조사를 담당하는 촉탁 우마즈카 제이치로馬場是一郎와 야쓰이谷井는 1916년 6월에 개성 장단군에 출장하고 그 결과를 수집품 33점과 사진 21매를 첨부하여 보고한다.

11월에 구리야마栗山는 전라남도 순천군, 경상남도 김해군에 출장하여 송광사 국사전과 수로왕전 제실 등의 건축물을 조사하고 그 결과를 사진 8매를 첨부하여 보고한다.

또 1917년 3월에 야쓰이와 오바 쓰네키치小場恒吉 두 사람은 평안남도 강동군 만달면에 출장하여 고구려시대 고분을 조사하고 그 결과를 수집품 2개, 실측도면 5매와 사진 14매를 첨부하여 보고한다.

고분 및 유물의 등록은 조사 완료분은 등록하고 금석문을 옮겨온 것, 경북 김천 갈항사지석탑과 함북 경원의 여진자비는 등록한 즉시 박물관에 진열한다. 여타의 것은 경비 등으로 아직 다루기 어려우니 대정6년도에 순차적으로 처리하도록 한다.

이미 정해진 계획에 따라 조선고적도보는 대정5년도에 신라기 제3책을 인행한다.

1916년도의 조사는 주로 고적조사위원 세키노, 구로이타, 이마니시, 도리이 류조, 촉탁의 야쓰이와 구리야마 그리고 총독부에서 파견한 오바 쓰네키치小場恒吉, 노모리 겐野守健, 사와 슌이치澤俊一가 보좌했다. 조사 대상은 한대, 고구려시대, 고려시대, 유사이전, 조선시대 등 광범위하게 이루어졌다. 조사 지역은 황해도, 평안남북도, 경기도 충청북도를 주로 했다.

새로운 규칙 하에서 고적조사의 제 1차년도인 1916년도의 조사를 보면 주로 한치군漢治郡을 중심으로 조사가 이루어 졌다. 「1916년도 고적조사 개요」에, "다이쇼大正5년도에는 한치군과 고구려 때의 유적과 유물조사를 주로 한다" 하고, 「1916년도 고적조사 시행안」을 보면, 황해도 고분 64기, 평안남도 고분 186기, 평안북도 고분 50기의 한치군 및 고구려시대의 고분을 조사하고 조사 진행에서 새로이 조사가 필요한 것이 생기면 추가하여 조사하는 것으로 되어 있어, 집중적으로 이 지역의 조사에 역점을 두고 있음을 알 수 있다.

이는 "조선의 미술은 낙랑군시대에 한민족의 양식을 수입하여 삼국시대, 통일신라시대에 들어와 발발의 정점에 달했으나 고려시대에는 다소 쇠하였다가 조선시대는 일층—層 쇠퇴衰頹 추락隆落했다"[186]하면서 우리나라 미술의 발생을 낙랑에서 구함으로써 중국 문화의 영향을 강조하고 이후 점차 쇠퇴해 가는 부

---

186 關野貞, 「朝鮮美術史」 總論, 『朝鮮史講座』, 朝鮮史學會同人, 1923.

정적인 측면을 의도적으로 부각시켜 그들의 식민지 정책상 한국 문화의 타율성을 강조하기 위한 자료수집이 시급했던 것으로 생각된다.

초기 우리나라 고적조사를 주도했던 세키노 타다시關野貞의 한국에 대한 미술사관美術史觀을 보면,

조선은 북에 압록강을 격隔하여 만주와 접하고 서로 황해와 격隔하여 산동山東 소절蘇浙지방에 상대하여 중국과 왕래가 쉬워서 일찍부터 그들의 문화를 수입하여 미술, 공예와 같은 것은 항상 그 영향을 받아 발전하였다. 또 남에는 대마對馬, 대기臺岐를 통하여 구주九州와의 교통이 일찍부터 열리어 ······· 일면一面으로는 중국으로부터 받은 문화를 일본에 수출하였고, 또한 다소 일본의 감화感化도 입었다. 이와 같이 조선은 예부터 중국문화의 은혜를 입었고 역대로 그 침략을 받아서 항상 그에 복속服屬하기에 이르렀던 것이다. 또한 일본으로부터도 때때로 공격을 받기도 했다. 어떻든 국가로서는 영토가 협소하고 인민人民이 적어 중국이나 일본에 대항하여 완전히 독립국을 형성할 실력이 없으므로 자연 사대주의事大主義 퇴영退嬰 고식주의姑息主義에 떨어져 국민의 원기도 차츰 닳아 없어지기에 이르렀다.[187]

세키노는 또 한국예술의 변천變遷을 5기期로 구분하고 있는데, 즉 제1기 삼한시대, 제2기 삼국시대, 제3기 신라시대, 제4기 고려시대, 제5기 조선시대로 구분하고 제2기 삼국시대부터의 설명을 보면, "제2기 삼국시대의 전기는 한 위

---

187 關野貞,『朝鮮の建築と藝術』, 岩波書店, 1941, pp.4-5.

진의 영향을 받은 시기이고 후기는 남북조南北朝의 영향을 받았으며, 제3기 신라통일시대는 당唐의 감화感化를 받았으며 제4기 고려시대는 주로 송宋, 원元의 영향을 받았으며 제5기 조선시대에는 명明, 청淸의 감화感化를 받아 그 예술의 발전을 보기에 이르렀다"[188]라고 하며 전혀 독자적 예술을 인정하지 않고 있다.

이처럼 우리나라 미술을 사대주의 미술로 격하시키고 이를 식민주의 논리에 끼워 맞추고 있음을 알 수 있다. 즉 우리 영토가 협소하고 인민이 적어 일본 중국에 대하여 완전한 독립을 형성할 실력이 없다고 전제하고 사대주의에 빠지게 될 수밖에 없는 운명론을 주장하고 있다. 유물, 유적을 통하여 한민족의 독자성을 부정하고 한국침략과 지배를 역사적으로 억지 정당화하여 식민 지배를 미화, 합리화하려는 의도가 숨어 있었던 것이다.

세키노뿐만 아니라 한일합방을 전후하여 일본학자들은 각 방면으로 조선을 연구 조사하여 저들의 합병을 미화왜곡하기 위해 여념이 없었던 바, 한국재무관 및 궁내부서기관이었던 이노우에 마사지井上雅二란 자는 "아방我邦(일본)이 조선을 병합倂合한 것은 신공이래神功以來 2천년의 현안懸案을 해결한 것으로 대제국건설大帝國建設의 제1보步"라고 하면서, "대제국건설의 이상理想을 실현하는 것은 우리(일본) 야마토민족大和民族의 사명이다"라고[189] 한일합병을 복고復古라고까지 억지 주장하여 조선통치의 합리화에 이용하려 했다. 이는 1911년 3월 25일 시라토리 구라키치白鳥庫吉가 강연한 「임나任那의 흥망興亡」이란 제하의 글에 나타난 다음과 같은 사실이 이를 입증하고 있다.

---

188 關野貞,「朝鮮藝術の變遷に就て」『朝鮮及滿洲之研究』第1輯, 朝鮮雜誌社, 1914, p.331.
189 井上雅二,「朝鮮統治の根本方針」『新朝鮮』, 朝鮮研究會, 1916, pp.100~102.

오늘 내가 역사가歷史家의 견지見地에서 일찍이 우리 영토였던 임나任那의 흥망興亡을 논하는 것은 헛된 일은 아닐 것으로 믿는다.

작년 한일합방 때에 이와 관련한 기다幾多의 한일관계韓日關係를 언급한 것이 나왔는데 그 중에는 한일합방은 '복고復古'라고 말한 것도 있었다. 이는 역사가가 국사를 미화하여 우리 국민의 자각심을 높이고 또 한편으로 피합방 된 조선인으로 하여금 안심하게 하여 우리 동포로 본다고 하는 점에서 복고론復古論은 역사가에 의해 칭도稱道(주장)되는 것이라고 생각한다. 나는 국사國史를 미화하는 것에 반대하고, 조선인에게 의구심을 갖게 하는 것을 좋아하지 않는다. 그리고 사실을 왜곡해서까지 이와 같은 설을 퍼트리는 것은 폐해弊害가 있다고 생각하는 사람이다. 국사교육은 국민의 도의심을 높이고 자각력을 강하게 하는 것에 필요한 것이다.[190]

1916년 세키노를 주반으로 조사대를 만들어 낙랑고분의 대발굴을 행하고, 세키노, 도리이, 이마니시, 구로이타, 야쓰이 위원의 일반적 조사 연구가 대규모로 행해졌다. 다음으로 이마니시의 고려릉묘 조사, 야쓰이의 반남면 옹관묘 조사, 하마다 고우사쿠濱田耕作와 우메하라 스에지梅原末治의 가야고분과 김해패총 발굴, 구로이타, 하라다 요시토原田淑人의 경주 보문리고분 발굴 등 고고학적 발굴조사가 대대적으로 개시되었다. 이 같은 대규묘의 학술적 조사는 일본에서는 유례를 볼 수 없는 것이었다.[191]

---

190 白鳥庫吉, 「任那の興亡」, 『考古學雜誌』 第1卷 8號, 1911년 4월, p.59.
191 藤田亮策, 「朝鮮古蹟調査」, 『考古學論考』, 藤田先生記念事業會刊, 1963, p.78.

1916년 8월 18일

제3회 고적조사위원회

1916년 8월 18일에 개최된 제3회 고적조사위원회에서는 다음과 같이 세 가지의 안건이 상정되었다.[192]

의안1은 '석비 반입取寄'으로 "학술상 이를 박물관에 진열 보존할 필요가 있는 동시에 본년도내에 본부에 반입하는 것이 적당할 것으로 인정"되는 유물을 본년도(1915) 혹은 1916년도에 조선총독부로 반입하는 것으로 다음 5개소의 유물을 제시하고 있다.

1. 경원 여진자비
2. 창원 봉림사지 진경대사보월능공탑비
3. 영천 태자사지 낭공대사백월서운탑비
4. 충주 월광사지 원랑선사대보선광탑비
5. 경주 무장사지 미타전비 이수 및 귀부

의안2는 '고적 및 유물 보존 수정안'으로 '본년도내 수선이 필요' 한 것은 갑, '본년도부터 내년도까지 수리 필요' 한 것은 을, '본년도부터 순차적으로 경비가 허락하는 범위 안에서 보존설비 필요' 한 것은 병으로 구분하고 있는데 다음과 같다.

---

192 『국립중앙박물관 소장 조선총독부박물관 공문서』, 목록번호 : 96-107.

구분	유물 명	소재지	수선 방법
갑	용두사지 당간(幢竿)	충북 청주군 남주내면	바로 세움
	신라 진흥왕척경비(眞興王拓境碑)	경남 창녕군 읍네면	철조망을 수리
	북한산 신라 진흥왕순수비 (眞興王巡狩碑)	경기도 고양군 은평면	절단 개소를 수리하고 목책을 설치
	황초령 신라 진흥왕순수비	함남 성흥군 하기천면	현재의 비각을 수리
	송파 삼전도(三田渡) 청태종공덕비(淸太宗功德碑)	경기도 광주군 중대면	현재의 위치에 세우고 목책을 설치
	여주 고달사지 원종대사혜진탑비(元宗大師慧眞塔碑)	경기도 여주군 북내면	현재의 철조망을 수리
	개성 양릉리 고분	경기도 개성군 청교면	광벽의 파손된 부분을 수리하고 침수의 개소를 막고 입구를 설치하고 그 앞에 목책을 둘림
	개성 만월대(滿月臺) 고려왕궁지	개성군 송도면	조사를 하여 초석, 석단 등이 있는 개소의 흙을 제거하고 궁전의 위치로 밝혀진 부분에 대해 적당히 정리
을	북청읍성 남문	함남 북청군 읍내	본년도부터 내년도까지 전부 조립
	안주 백상루(百祥樓)	평남 안주군 읍내	본년도에 파손의 개소를 응급수리 함
	밀양 영남루(嶺南樓)	경남 밀양군 읍내	본년도에 파손의 개소를 응급수리 함
	성천 동명관(東明館) 및 강선루(降仙樓)	평남 성천군 읍내	본년도에 파손의 개소를 응급수리 함

구분	유물 명	소재지	수선 방법
병	신라 무열왕릉비(武烈王陵碑)	경주군 부내면	목책을 설치
	중초사지 당간지주(幢竿支柱)	경기도 시흥군 동면	목책을 설치
	성주사지 낭혜화상백월보광탑비 (朗慧和尙白月葆光塔碑)	충남 보령군 미산면	비각을 설치
	통도사 장생석표(長生石標)	경남 양산군 하북면	목책을 설치
	광조사지 진철대사보월승공탑비 (眞澈大師寶月乘空塔碑)	황해도 해주군 금산면	목책을 설치
	정토사지 법경대사자등탑비 (法鏡大師慈燈塔碑)	충북 충주군 동량면	목책을 설치
	보원사지 법인국사보승탑비 (法印國師寶乘塔碑)	충남 서산군 운산면	목책을 설치
	현화사비(玄化寺碑)	경기도 개성군 청교면	목책을 설치
	영통사지 대각국사비(大覺國師碑)	경기도 개성군 청교면	목책을 설치
	거돈사지 원공국사승묘탑비 (圓空國師勝妙塔碑)	강원도 원주군 부론면	목책을 설치
	법천사지 지광국지광국사현묘탑비 (智光國師玄妙塔碑)	강원도 원주군 부론면	목책을 설치
	봉선홍경사갈(奉先弘慶寺碣)	충남 천안군 이죽면	목책을 설치
	개심사지 5층석탑	경북 예천군 읍내	목책을 설치
	사자빈신사탑(獅子頻迅寺塔)	충북 제천군 한수면	목책을 설치
	오룡사지 법경대사보조혜광탑비 (法鏡大師普照慧光塔碑)	경기도 장단군	목책을 설치

의안3은 '고적보존비 보조'로, 1. 금강산 유점사楡岾寺 능인전能仁殿내 불상에 철

망金網 설치, 2. 부석사浮石寺 무량수전無量壽殿 및 조사당祖師堂 개축하는 내용이다.

이상이 제3회 고적조사위원회 의안 결의와 관련된 내용으로 총무국에서 회

부된 '석비 반입取寄', '고적 및 유물 보존 (갑, 을, 병)'과 내무부에서 회부된 '고적보존비 보조'는 원안原案과 동일한 내용으로 결정되었다.

1916년 8월 23일

구로이타 가쓰미(黑板勝美)의 평안남북도 및 황해도 고적조사

조선총독부 고적조사위원 구로이타 가쓰미黑板勝美는 1916년 8월 23일부터 9월 11일까지 황해도 은율군, 봉산군, 평안남도 대동군, 용강군, 안주군, 평안북도 의주군, 용천군, 정주군의 고적을 조사하고 조사일정, 고적의 특징 및 설명 등을 기재하여 고적조사위원장에게 조사보고서를 제출했다.

그 주 내용은 평남 용강군 지운면 양원리 고분군, 평남 용강군 의산리석탑, 평남 용강군 용정리 고분군, 평남 용강군 해운면 석현리토성, 용정리토성, 평남 용강군 신령면 유교리 및 대대면 매산리 고분군, 평남 안주군 대니면 봉면리 고분, 평남 대동군 대동강면 정백리 고분, 평북 용천군 양광면 망양동 고분, 평북 정주군 곽산면 남단동고분군, 평북 정주군 관단면 고분군, 황해도 은율군 서부면 곡리 고분군, 황해도 은율군 북부면 운산리 지석, 황해도 봉산군 문정면 구황리 고분, 황해도 봉산군 문정면 석성리 토성 등에 대한 조사보고이다.

구로이타의 보고서에 나타난 일정과 조사내용은 대략 다음과 같다.[193]

8월 24일 평양에 도착하여 평남도청에 이르러 여행을 타합함.

8월 25일 평양을 출발하여 용강군 지운면 성우동에 이르러 읍지에 나타난 소위 왜성倭城을 조사하고, 폐미륵원지를 방문하여 유물을 조사하고, 사지에서 2, 3정 떨어진 곳에서 고분군을 발견하고 그 중 2, 3을 발굴 조사했다. 오후 5시에 용강군 읍내에 도착하여 황룡산성 동문 밖 호암당비虎岩堂碑를 답사했다.

8월 26일 아침에 용강읍외로 나와 봉산면 의산리(구 의방동)의 5층탑을 조사했다.

다음으로 봉산면 옥도리의 고구려식의 1고분을 보았는데 현실의 천정을 파괴하여 발굴한 것으로 연도羨道우방으로부터 남면에 칠식의 흔적이 있었다.

해운면 성현리의 점선비를 답사하고 용정리 고분군을 조사했는데 대부분 발

성우동 고분

---

193 黑板勝美,「黃海道, 平安南道 平安北道 史蹟調査報告書」,『大正5年度 古蹟調査報告書』. 朝鮮總督府, 1917;「大正5年度 古蹟調査 報告書 - 평안남북도 및 황해도」,『국립중앙박물관 소장 조선총독부박물관 공문서』목록번호 : 96-332.

굴되어 석곽이 노출되었다.

8월 27일 신녕면 유정리 석교산 아래 및 대대면 해산리의 고분군을 답사했다.

8월 28일 아침에 진남포세관장의 호의로 소증기선으로 대동강을 거슬러 용강군 다미면 동진성지東津城址를 조사, 정오에 조사를 마치고 진남포로 돌아와 잠시 휴식을 하고 황해도 은률군에 이르러 금산포에서 숙박했다.

8월 29일 아침에 북부면 운산리로 가 소위 탱석撐石을 답사하고 은률읍내에서 1박했다.

8월 30일 은률읍내(현내면) 노하동 이동근의 후정에 있는 5층석탑을 조사하고, 서부면 부정동의 고분을 조사했다.

8월 31일 서부면 부정동 고분을 조사, 그 중 제1호고분은 일찍이 도굴되어 있었으며, 일대에서 한와파편을 수집했다. 제2호분은 일대 고분군 중 최대의 것으로 발굴 중에 물이 湧出하여 전실 일부만 조사를 하고 작업을 중지했다.

9월 1일 은률을 출발하여 진남포에 도착했다.

9월 2일 평양에서 1박함

9월 3일 평북 의주에 도착했다.

9월 4일 의주를 출발하여 신의주에 이르러 용천군 양선면 망양동의 고분을 답사했다.

9월 5일 정주군 곽산에 이르러 곽산면 남단동의 고분군을 조사하고, 다음으로 관주면에서 2기의 고분을 조사하고, 옥천면 상단동 구 장경사長庚寺 폐사지를 조사했다.

9월 6일 정주군 하이포면 고장성, 익주성을 조사하고 신안주에서 1박했다.

9월 7일. 안주군 대니면 봉명리 광명산 위의 고분을 답사하고 입석면 내동리의 토성을 조사했다.

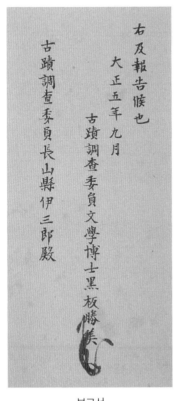

古蹟調査委員長山縣伊三郎殿　古蹟調査委員文學博士黒板勝美　大正五年九月　右及報告候也

보고서

9월 8일 대동군 임원면 인흥리의 중흥사지 당간지주를 조사, 대동군 부산면 남궁리 능지를 조사하고 수 개의 전塼을 채집하고, 신화공립보통학교 전방의 대고분 중 1기를 발굴하여 현실 내에서 칠식 등이 산재한 것을 발견했다.

9월 9일 대동강면 고분군 오야리로부터 정백리, 석암리, 토성리를 경유하여 평양에 돌아왔다. 석암리에서는 '玉平' 및 '五玉'의 명문이 있는 전을 채집하고, 토성리에서는 한 동족銅鏃 2개를 채집했다.

9월 10일 평양복심원 검사 무가이向井巖의 소장품을 열람했는데 그 중 삼국시대 금동불광배의 파편, 높이 2촌5분, 넓이 1촌6분의 협시보살상, 또 영변 부근에서 출토된 한동인漢銅印 등 진귀한 것들을 보았다. 오후에는 평안남도 교육회도서관실에 진열한 역사적 참고품을 보았는데 그 중에는 용강군 지운면 진지동, 용월면 해현동 및 평원군 청산면에서 출토한 낙랑시대 전 등이 있었다.

9월 11일 평양을 출발하여 황해도 봉산군 사리원역 부근 문정면 하고동의 고분을 보고, 전에 발굴 조사한 대방태수장무이묘, 문정면 성내동에 이르러 토성을 일견하고 사리원역을 나와 경성으로 돌아왔다.

구로이타는 20일간 황해도 은률군 봉산군, 평안도 대동군 용강궁 안주군 및 평안북도 의주군, 용천군, 정주군 등을 조사한 개요를 기하여 보고하고, 이번

출장에서 "평안남북도에서의 사적에 관한 대체적 개념을 얻었다"고 한다.

구로이타의 조사와 관련하여 다음과 같은 기사가 있다.

흑판 문학박사(총독부촉탁)는 8월 23일 밤에 고적조사를 하기 위해 평양 및 진남포로 떠났(『매일신보』 1916년 8월 24일자).

고적급성지를 조사하기 위하여 용강군으로 향하였던 흑판 박사는 강서군의 고적, 용강군 다미면의 고성지를 조사한 후 배편으로 청양도를 향하여 금산포, 은율 기타 부근을 조사하고 금산포 부전광업사무소에서 1박 후 장연을 경유하여 다시 용강으로 와서 동궁 해안지방을 조사할 터이라 한다(『매일신보』 1916년 8월 31일자).

평안북도를 시찰 중이던 흑판박사는 평양으로 와 기자릉 부근 및 토성을 조사하고, 평양을 중심으로 하여 대동강연안의 사적을 조사한다더라(『매일신보』 1916년 9월 14일자).

1916년 8월 27일

경기도 양주군 불암산성(佛巖山城) 및 불암사(佛巖寺) 조사

이마니시 류今西龍는 1916년 8월 27일 중추원 속관 가츠라기 스에지葛城末治와 동행하여 경기도 양주군 별내면 불암산 산성지 및 불암사 소장 유물을 조사했다.

불암사는 이미니시 일행이 조사할 시에 12명의 승이 재주하고 있었다. '천보산불암사사적비'를 조사하고, 이 사찰에 소장하고 있는 많은 책판을 조사하였는데 불암사의 승이 작성한 목록과 책판의 장수까지 표기하여 보고서에 실고 있다. 이들 책판은 대웅전寶光明殿의 불단의 뒤에 쌓아두었다고 하고 있다. 기타 이 사찰에 소장한 경책 불상 등을 조사했다.[194]

1916년 8월 29일

이마니시 류(今西龍)의 경기도 고양군 북한산 유적조사

1916년 8월 29일 이마니시 류今西龍는 중추원 와타나베渡邊業志와 동행하여 경기도 고양군 북한산의 유적 유물을 조사하고 30일에 돌아와 보고서를 제출했다.

북한산성의 내력을 고기록과 대조하여 현황을 조사했다.

고양군 은평면 신학리의 장의사지莊義寺址를 조사하고, 사지에 남아 있는 당간지주를 조사했다.

장의사에 창건 유래에 대해서 『삼국사기』와 『삼국유사』에 나타난 기록을 대조하여, 장의사는 하나인데 『삼국사기』 태종 무열왕기 6년 조에 기록한 창건 설

---

194 今西龍, 「京畿道 楊州郡 佛巖山山城址及佛巖寺調査報告書」, 『大正5年度 古蹟調査報告』, 朝鮮總督府.

화와 『삼국유사』 권1 장춘랑長春郎 파랑罷郎
의 조에 기록한 장의사의 창립 설화가 서
로 다르지만 태종무열왕이 장춘랑長春郎과
파랑罷郎을 위해 한산주에 건립했다는 것
은 동일하다는 것을 지적하고 있다.

장의사 당간지주

『삼국사기』 태종 무열왕기 6년 조

겨울 10월에 왕이 조회청에 나앉았는데
당 나라에 청병淸兵갔던 회보回報가 없다하
여 얼굴에 걱정하는 기색이 있더니 갑자

기 웬 사람이 왕의 앞에 나타났는데 그는 죽은 신하 장춘長春과 파랑罷郎 같아
보였다. 그는 말하기를 "제가 비록 몸은 백골이지마는 그래도 나라의 은혜를
보답할 마음은 있습니다. 어제 날 당 나라에 가서 황제가 대장군 소정방을 시
켜 내년 5월에는 군사를 거느리고 와서 백제를 치게 한 것을 알았습니다. 대
왕께서 이토록 애를 태워 기다리시므로 이에 일러 드립니다"하고는 말을 마
치자 사라졌다. 왕이 매우 놀랍고 이상히 여겨 두 집 자손들에게 상을 후하게
주고 곧 해당 관청을 시켜 한산주漢山州에다 장의사莊義寺 절을 세워 그들의 명
복을 빌게 하였다(역 :『삼국사기』, 조선민주주의 인민공화국 과학원, 1959).

『삼국사기』 권1 장춘랑長春郎 파랑罷郎의 조

처음에 백제 군사와 황산에서 싸울 때 장춘랑과 파랑이 진陣 중에서 죽었
다. 그 뒤 백제를 칠 때 그들이 태종의 꿈에 나타나서 말하기를 "신 등이

옛날 나라를 위해서 몸을 바쳤고 이제 백골이 되어서도 나라를 온전히 지키려고 싸움터에 나아가 게을리 하지 않았습니다. 그러나 당나라 장수 소정방의 위엄에 눌려 남의 뒤로만 쫓겨 다니고 있습니다.

원컨대 왕께서는 우리에게 적은 병사를 주십시오" 했다. 대왕이 놀라서 괴이하게 여겨 두 혼을 위하여 하루 동안 모산정牟山亭에서 불경을

삼천사 대지국사비 탁본

외고 또 한산주에 장의사莊義寺를 세워서 명복을 빌게 하였다(역 :『삼국사기』, 조선민주주의 인민공화국 과학원, 1959).

삼천사지三川寺址를 조사하고 여지승람 편찬 당시에 이미 폐사로 남았다는 것을 지적하고 근년에 이르러 그 유지의 소재지를 알지 못하다가『북한지北漢誌』에 나타난 "삼천천三千川 소남문 밖에 있다"는 기사를 단서로 탐색에 나섰던 것이다. 유지遺址는 산복에 수개의 단으로 형성되어 담장 일부가 유존하고 고와파편이 있었으며,『북한지北漢誌』에 기록한 석조 및 대지국사비大智國師碑와 관계한 유물은 우천으로 인해 날이 빨리 저물어 찾지 못했다고 한다. 그리고 이 사지를 조사하기 위해 통과한 진관외리부락부터 삼천사지에 이르는 계곡변의 북방 암석에 양각한 1장여의 입불상은 신라말기에서 고려초에 제작된 우수한 조각이라고 하고 있다.

북한산의 사원, 사지 등을 조사했다. 태고사에는 서산대사의 시와 현액, 영조

대왕 필 현액을 소장하고 있었는데, 감무승 이자훈에 의하면, 총독부 내무부 출장원이 이를 다른 곳으로 이장移藏했다 한다. 그 외 이색 찬문의 보우의 탑비 및 석종, 석탑 등을 조사, 이 사에 있던 5층석탑은 지금은 옮겨져 경성헌병대의 전정前庭에 있으나 아직 미조사라고 하고 있다.

승가사는 북한산의 사원 중에서 비교적 완전한 사찰의 하나라고 하며, 이 사찰에서 가치 있는 유물로 고비귀부, 마애불상, 석굴 내에 안치한 석불을 들고 이들을 조사했다.

문수사는 북한산 대동문 밖에 있는데 이마니시가 조사할 당시만 해도 유람객들이 숙박하는 것으로 생계를 유지하고 있는 작은 절이라고 한다. 사의 뒤에 석굴이 있고 석굴에 문수석상을 안치했는데 이마니시가 문수사에 갔을 때 이미 날이 저물었으며 일정이 급하여 조사를 할 수 없었다고 한다.

진관사는 고양군 신도면에 속하며, 『동국여지승람』에 "삼각산에 있다"고 기

북한산 진흥왕순수비

록하고 있으나 『북한지北漢誌』에는 "금폐今廢"로 기록하고 있어, 현재의 사찰은 그 후에 재건한 것임을 시적하고 있다.

중흥사는 북한산에서 가장 큰 사지로 석담 등이 유존하고 있으나 사지는 1915년 대홍수로 그 반이 유실되었다.

구행궁 및 기타 건축물을 조사했다. 구행궁은 성내 동남부에 있는데 1915년 여름에 산이 붕괴되어 구이궁舊離宮이 반이나 유실되어 황폐가 심하였다.

그 외 북한산진흥왕순수비를 조사했다. 비의 상태에 대해서, "비신은 부상趺上에 고가 5척1촌2분, 폭이 2척3촌6분으로 우방(좌향) 상단의 아래 8촌3분의 지점으로부터 좌방(우향) 상단의 아래 1척6촌의 지점에 걸쳐 절단된 것을 현재 접합하여 원형을 유지하고 있다. 우방左方向의 아래가 결손됨, 본원이 대정2년 9월 16일 총독부 촉탁 야쓰이谷井문학사와 함께 조사할 때는 잔석이 비신에 접속되었었는데 그 후 어떤 자가 이를 투기投棄하여 지금은 그 잔석을 발견하지 못했다"고 한다.[195]

* 북한산 진흥왕순수비

이마니시의 조사이후 곧바로 총독부 기수 이지마 모도노스케飯島源之助의 조사가 뒤따른다. 대정5년 12월 1일 복명한 것이 보인다.[196]

---

195 今西龍,「京畿道高陽郡北漢山遺蹟調査報告書」,『大正5年度 古蹟調査報告書』, 1917.
196 飯島源之助,「북한산 신라 진흥왕순수비(眞興王巡狩碑) 조사서」.

* 북한산 태고사5층석탑

태고사는 옛 중흥사의 동남쪽 태고대 위에 있는데 구 중흥사[197]의 부속 소암에 속했다. 이 사찰의 사명寺名은 처음 보우普愚가 1341년 삼각산 중흥사의 주지로 부임하면서 삼각산 동봉東峯에 암자를 짓고 자신의 소도처로서 동암이라 했다. 선사의 본래 이름은 보허普虛, 자는 보우, 법호는 태고이고 그가 우왕 8년(1382)에 소설암小雪菴에서 입적入寂하니 왕은 유사有司에게 명하여 원증圓證이란 시호諡號를 내리는 동시에 그 탑은 보월승공寶月昇空이라 하여 중흥사重興寺 동쪽 봉우리에 세우게 하였는데 목은牧隱 이색李穡이 왕명王命을 받들어 비명碑銘을 썼다. 이 외에도 양산에 있는 사라암舍那菴과 청송에 있는 태고암太古菴, 미원현의 소설암에도 탑을 세워 사리를 간직케 하였다.[198] 그 후 동암은 태고암이라 이름이 바꿨다. 그 뒤 조선 초기에 거의 폐허화한 것을 1713년 북한산성을 축성한 뒤 북한산성의 수비를 위해 큰 규모의 절을 짓고 태고사라 했다.[199] 당시 서울 근교에서는 가장 규묘가 큰절로서 『동국여지비고東國輿地備考』에 "재태고대하장경서통사고문당시판,일백삼십육간在太古臺下藏經書通史古文唐詩板.一百三十六間" 이라고 하고 있으나 1904년 8월에 완전히 소실되었다. 태고사 들머리의 계곡에는 '중흥동문中興洞門' 넉자가 새겨진 석비가 있었고 동쪽 기슭에는 석탑 1기가 있었다고 하나 지금은 그 소재를 잃어버렸다.

---

197 중흥사는 옛날 성내의 최대의 사우로 왕궁용 야재를 조제하던 寺로 寺格이 매우 높아 학식이 높은 僧을 두고 八道都總攝(총사령관)으로 승군을 지휘하는 권능을 지니게 했었다. 그러나 이 사찰은 1915년 홍수로 인해 폐허가 되었다(『경기도 명승고적천연기념물』, 조선지방행정학회, 1937. p.184).

198 權近,「迷源縣 小雪菴 圓證國師舍利塔銘」,『陽村集』.

199 退耕相老,『朝鮮佛敎略史』, 1917, pp.116-117;『韓國佛敎寺利辭典』, 佛敎時代社, 1996.

이마니시 류今西龍의『대정5년도 고적조사보고』에,

태고사는 성내城內 중앙이라 칭하는 중흥동에 재在하는데, 감무승監務僧 이
자훈 1인이 있는 작은 절이나 아직 대웅전 기타 한 두 채의 건축물이 있고
현존하는 성내 여러 절 중에서 재일이다. <중략> 이 사에는 서산대사西山
大師 휴정休靜이 지은 시의 편액과 영조왕필英祖王筆의 현액懸額이 보관되어
있었는데, 감무승 이자훈의 말에 의하면 총독부 내무부 출장원이 그것을
다른 곳으로 이장移藏하였다고 한다. 서산대사 편액은 나는 미리 그 탁본
을 본 적이 있다. <중략> 이 사寺에 있었던 5층석탑은 금 옮겨져 경성헌병
대京城憲兵隊 전정前庭에 있어 조사를 하지 못했다.[200]

원증국사부도

하는데, 이처럼 사찰에 승이 있음에도 불구
하고 서산대사의 편액과 영조36(1760) 왕
이 친히 비각의 현판 글을 지어 비각 안에
봉안하였던 현액[201]을 감언이설과 협박으로
탈취해 갔으며 5층석탑 역시 무법 반출하였
음을 알 수 있다.

현재는 6·25 때 완전히 파괴되어 사지에
는 이색의 비명을 새기고 1385년에 세운 원

---

200 『大正5年度 朝鮮古蹟調査報告』, p.42.
201 李能和,『朝鮮佛敎通史』.

증국사비(보물 제611호)와 부도(보물 제749호)가 있고 1964년에 신축한 대웅
전 우측언덕에는 조선 말기의 것으로 추정되는 부도 3기가 남아 있다.

1916년 8월

되찾은 화장사 공민왕 초상

장단군 진서면 화장사華藏寺에 소장한 공민왕 초상을 1915년 7월 30일에 도
난을 당했는데, 1년 만에 범인들을 체포하게 되었다.

범인들은 경기도 연천군 왕증면 근동에 사는 홍동근, 박학면 통일리 류대영,
장단군 장도면 고읍리 김영실 등 3명으로 이들은 화장사에서 훔친 공민왕의 초
상을 팔지도 못하고 은닉하고 있던 중 적발되어 모두 체포되었다.[202]

1916년 9월 2일

이마니시 류(今西龍)의 경기도 광주군, 이천군, 여주군의 고적조사

이마니시 류今西龍는 1916년 9월 2일부터 9월 13일까지 경기도 광주군, 이천

202　李能和,『朝鮮佛敎通史』.

군, 여주군의 고적을 조사했다. 그 일정과 조사내용은 다음과 같다.

9월 2일 경기도 광주군 중대면 송파동 민옥 사이에 있는 청태종공덕비를 조사했다.

9월 3일 광주에 체재하면서 광주군 구천면 풍납리토성을 조사하고, 남한산성을 조사했다. 중대면 석촌 부락에 산재한 마분, 적석총 등을 조사했다.

9월 4일 오후에 중부면 방면의 고분을 수색하고, 광주군 법륜사, 봉국사, 사리현석불을 조사했다.

9월 5일 동부면 고읍지古邑址, 이성산성을 조사했다. 이성산성 내에서 고와, 고토기편 등을 발견하고 성내의 가장 높은 지대에서 조금 남방에서 수개의 초석 등을 발견하고 그곳이 건물지로 추정하게 되었다.

춘궁리석탑은 이성산성을 조사하면서 날이 어두워져 직접조사는 하지 못하고 멀리서 보기만 하고 군청의 조사서를 참고했다.

9월 6일 광주 체재

9월 7일 광주군 동부면 덕풍리에 경성 이천간 도로의 남방 구릉 중복에 있는 고총을 조사하고, 광주를 출발하여 이천에 도착했다.

9월 8일 이천의 무학산성과 영월암지를 조사했다. 영월암은 읍내면 관고리 설봉산성에 있는 소사찰로 근년 폭도봉기 때 화재를 입어 모두 소실되어 사전寺傳은 불명이고, 석재 유물로 사내 우물 쪽에 넘어져 있는 석불후배, 석조가 남아 있었으며, 석탑 잔석으로는 대석臺石 1, 주석柱石 1, 옥부屋部 2, 오륜부잔편五輪部殘片 1이 유존했다. 그 외 석등의 일부로 추정되는 3개의 석물이 있다고 한다.

안흥사지 및 유물을 조사했다. 안흥사의 당간지주의 지주 하나는 상부가 결손되었으며, 석탑지에 있던 탑은 총독부박물관으로 옮기고 지금은 터만 남아 있어 이곳을 발굴하여 2, 3의 와편을 발견했다.

이마니시의 조사에서 나타난 안흥사당간지주는 현재 행방을 알 수 없다.

9월 9일 이천 부근 탑지 조사했다. 당시 이마니시 류今西龍 일행이 이천읍 부근 석탑을 조사한 기록을 보면, 이천읍 부근 석탑 소재지를 다음과 같이 기록하고 있다.

(1) 읍내 향교방 2기(내 1기는 총독부박물관으로 옮김)

(2) 읍내면 안흥리 안흥리사지 1기(총독부박물관으로 옮김)

(3) 읍내면 진리 1기

(4) 읍내면 관고리 1기

(5) 읍내면 송정리 1기

이 중에서 총독부박물관으로 옮긴 것은 읍내 향교 가까이에 있던 5층탑 1기와 안흥사지석탑 1기를 기록하고 있는데 이는 시정5주년기념공진회에 전시하기 위해 옮겼던 것이다. 당시 향교 근처에서 와편 등이 출토된 것을 보면 이 일대가 사지임에 틀림없다. 이곳에서 박물관으로 이건하였던 이천향교 근처의 5층석탑은 조선총독부에서 1918년에 오쿠라슈코칸으로 반출 허가하였다.

진리의 석탑은 안흥사지의 남 충주가도 남방에 있는데 3층까지 남아 있었다.

송정리석탑은 5층석답으로 아래로부터 1층의 격석隔石 및 최상부의 옥개부는 잃어버렸다.

관고리석탑은 읍의 서서남 10정되는 설봉산의 지맥을 싸고 있는 밭에 있었는데 아래로부터 4층까지 유존했다.

이마니시의 조사에서 촬영한 여주 창리
3층석탑(국립중앙박물관 소장 유리건판)

9월 10일 이천 발 여주 도착했다.

9월 11일 여주 일대의 유직 유물을 조사했다.

9월 12일 고달사지 유물을 조사하기 위해 여주를 출발하여 도중에 신륵사를 조사 중 본부에서 회의가 있다는 전보를 접하고, 여주로 돌아오면서 여주군 상리고분을 조사했다. 여주군 주내면州內面 상리上里에 있는 신라시대의 무덤으로 추측되는 한 고분군은 봉토의 높이가 큰 것은 10척 적은 것은 4~5척으로 이미 도굴의 흔적이 있는데, 그 중 1호분은 도굴꾼이 상부에 해당되는 벽을 파괴하고 침입한 흔적이 있어 그 도굴구를 이용하여 광내를 조사한 결과 유물은 몽땅 도굴해 가버리고 하나도 남아 있지 않았다. 2호분은 도굴꾼이 전면을 파괴하여 광壙 전벽前壁 일부가 노출되었고 도굴 후 연월이 경과하여 석실내石室內 토양이 낙하 유입하여 천장면에서 약 5척 이하가 매몰되었다.

9월 13일 한강으로 내려와 경성에 도착했다.[203]

---

203 今西龍, 「京畿道 廣州郡, 利川郡, 驪州郡, 楊州郡, 高陽郡, 加平郡, 楊平郡, 長湍郡, 開城郡, 江華郡, 黃海道 平山郡 遺蹟遺物調査報告書」, 『大正5年度 古蹟調査報告』, 朝鮮總督府, 1917; 今西龍, 「大正5年調査旅行日程」, 『국립중앙박물관 소장 조선총독부박물관 공문서』.

※ 이천향교방의 또 다른 석탑

이마니시의 기록에서 이천향교방에는 2기의 석탑이 있었던바 "탑은 향교의 서
남에 인접한 조금 높은 평지모양의 터 그 동쪽에 두 기가 서로 나란히 서 있었다"
라고 하는데 앞에서 말한 바와 같이 한 기는 총독부박물관으로 옮기고, 남아 있던
3층석탑은 현재 이천향교의 옆에 있는 양정여자고등학교 내 정원에 오래 동안 서
있었다. 그러다가 2013년 4월에 이천시립박물관 부지로 이전했다. 이 석탑은 원래
는 5층탑이었을 것으로 추정하고 있다.

안내문의 마지막 부분은 다음과 같다.

> 2008년 범시민운동으로 이천오층탑
> 환수위원회를 결성 다양한 환수운동
> 과 협상을 하며 3층석탑의 이전 필
> 요성이 제기되어 오던 중 학교법인
> 양정학원(이천양정여자중·고등학교)이 해외반출 문화재의 환수를 위한 중대
> 한 결정을 내려 2013년 4월 13일 이천시립박물관으로 이전 설치하게 되었다.
>
> 　　　　　　　　　　　　　　　　　　　　　　　　　2013년 4월
> 　　　　　　　　　　　　　　　　　　　　　이천오층석탑 환수위원회

오쿠라슈코칸에 반출된 5층석탑을 반환 받아 이 자리에 옮기고자하는 이천
시민의 간질한 요망을 담은 글이다.

* 안흥사5층석탑

『매일신보』 1915년 4월 9일자와 국립중앙박물관에 있는 현재의 모습

『매일신보』 1915년 4월 9일자에는 "공진회의 음악당……가운데 보이는 집은 공진회의 음악당과 뒤는 진열관의 건축 중"이라는 설명이 붙은 사진이 실려 있는데, 그 앞쪽으로 보이는 것이 바로 안흥사5층석탑으로 1915년 4월 9일 이전에 공진회의 전시물로 경복궁으로 옮겨졌음을 확인할 수 있다. 아마 이천향교방 5층석탑과 같은 시기에 경복궁으로 옮겨졌을 것으로 짐작된다.

* 관고리5층석탑

이 석탑은 현재 이천시 관고동 설봉공원 내 이천시립박물관 입구 쪽에 잘 꾸며진 공간에 복원해 놓았다. 탑의 안내판에는 "관고리官庫里 저수지 위쪽 밭에 도괴되어 각 부재가 흩어져 있던 것을 1978년에 수습, 옛 절터 앞에 복원한 것인데 현재의 위치가 원 위치인지는 알 수 없다" 라고 설명을 하고 있다. 그러나 이마니시의 조사에는 아래로부터 4층까지 남아 있었으며 도괴 되었다는 기록은 보이지 않는다. 따라서 이마니시의 조사 이후 언젠가 도굴꾼의 화를 입어 탑재들이 흩어진 채 오래 동안 버려져 있다가 복원된 것이기 때문에, 원 위치에 대한 혼란까지 초래하고 있다.

현재의 상태는 탑두부와 4개의 옥신이 모두 모두 없어진 채 단층

관고리5층석탑

기단 위에 1층 옥신이 놓여 있고, 그 위에 5개의 옥개석을 쌓아 올렸다.

그런데 한 가지 놀라운 것은 이마니시의 보고서에는 나타나 있지 않지만, 1916년 2월 이후 1919년 이전에 조사한 「유적 및 유물 소재 보고1」에 의하면, 관고리에는 석탑이 두 기로 나타나 있다. 하나는 높이 12척이나 되는 5층탑이고, 다른 하나는 높이 9척5촌의 4층탑이다.[204] 또 『조선보물고적조사자료』에는 읍내면 관고리사지官庫里寺址는 두 구역으로 표시하여 하나는 사지의 소유를 '설봉산 국유림'으로 "사지 내에 붕괴된 석원石垣 주초석이 현존하고 와편이 산재함"이라 하고, 또 하나는 '사유지'로 표시하여 "부근에 와편이 점재點在"라고 기록하고 있다. 읍내면 관고리 석탑은 1기로 나타나 있는데 '사유전私有田'에 "전고 11척의 3층석탑으로 조금 완전"한 것으로 기록하고 있다.

---

204 「유적 및 유물 소재 보고1」, 『국립중앙박물관 소장 조선총독부박물관 공문서』 목록번호
: 96-145.

비슷한 시기에 조사한 기록이지만 다르게 나타나 있다. 이 같은 두 기록은 당시 사정으로 보아 탑의 높이 능은 대략 목측目測으로 하는 경우가 있어 차이가 있을 수 있다고 본다. 그러나 층수에 있어서는 쉽게 착오가 생기지 않는 법인데 차이를 보이고 있다. 더군다나 「유적 및 유물 소재 보고1」에는 석탑이 두 기로 기록되어 있는 점은 앞으로 숙제일 수밖에 없다.

현재 석탑의 옥개석은 5개로 올려놓고 있는데 "이것이 모두 동일의 것인지는 확인할 수 없다"는 것도 위의 서로 다른 기록과 연관이 있을 수 있다.

* 진리석탑(이천중리3층석탑)

중리석탑

이마니시의 보고서에는 안흥사지의 남 충주가도 남방에 3층까지 남아 있었다고 하는데, 1916년 2월 이후 1919년 이전에 조사한 「유적 및 유물 소재 보고1」에 의하면 이 탑이 있었던 자리는 "이천 읍내면 진리陳里(공동묘지)"로 나타나 있으며,[205] 『조선보물고적조사자료』에는 사유전私有田에 "전고 13척의 3층석탑으로 조금 완전"한 것으로 기록하고 있다.

이마니시의 조사와 「유적 및 유물 소재 보고1」 그리고 『조선보물고적조사자료』에는 붕

205 「유적 및 유물 소재 보고1」 『국립중앙박물관 소장 조선총독부박물관 공문서』 목록번호 : 96-145.

괴된 사실이 나타나 있지 않다. 그런데 그 이후 불법자의 악행이 있었는지, 해방 이후에도 오래 동안 무너진 채 방치된 것을 1972년에 현재의 자리(이천 중리동 187번지, 이천종합복지회관 앞)로 옮겨 복원해 놓았다.

* 송정리 5층석탑

송정리석탑은 이마니시의 보고서에는 1915년에 안흥사 못가에서 옮겨온 것으로, 아래로부터 1층의 격석隔石 및 최상부의 옥개부는 잃어버렸다고 하면서 그 사진을 남기고 있다.

「유적 및 유물 소재 보고1」에는 "6층탑으로 높이 5척5촌"으로 기록하고 있다. 이 석탑은 언제인지 모르게 사라져 그 행방을 알 수 없다.

이마니시의 조사 시 촬영한 이천 송정리 석탑(국립중앙박물관 소장 유리건판)

1916년 9월 2일

삼전도비(三田渡碑)의 조사와 보존

이 비는 1639년(인조17년) 병자호란 때 승리한 청나라의 강요에 따라 건립한 것으로 원명은 '삼전도청태종공덕비三田渡淸太宗功德碑'라 하고 보통 삼전도비라 부르고 있다. 현재의 소재지는 서울 송파구 잠실동 47번지로 사적 제101호로 지정되어 있다.

이 비는 조선이 청에 대해 항복하게 된 경위와 더불어 청태종의 침략을 '공덕'이라고 예찬한 굴욕적인 내용으로 되어 있어 치욕의 비라 하여 수차 파훼의 과정이 있었다. 삼전도비 입간판 내용의 일부는 다음과 같다.

내용은 청나라에 항복하게 된 경위와 청 태종의 침략행위를 공덕으로 찬미한 것이다. 청일전쟁 이후 청의 세력이 약해지자 1895년(고종32)에 강물 속으로 쓰러뜨렸다. 하지만 일제강점기인 1913년에 다시 세웠다가 1956년에 묻어 버렸다, 1963년 홍수로 모습이 드러나면서 다시 세웠다.

이 비의 파훼에 대해 『매천야록』 1895년 '영은문과 삼전도비의 철거' 조에는 다음과 같이 기록하고 있다.

영은문과 삼전도의 비석을 철거하였다. 영은문은 경성의 서문 밖 수리의 거리에 있었는데, 명나라 때는 연조문이라고 하였으나 순치(청국 세조의 연호, 편자주) 이후에는 영은문이라고 하였다. 그것은 중국의 조사를 맞이하는 곳이기 때문이다.

그리고 그 비석은 한강 삼전도에 있는데, 인조 정축년(1637) 남한산성에서 치욕적인 굴욕을 당한 후 청나라 사람들이 우리나라를 견제하기 위해 그 전공을 기록한 것이다. 고상故相 이경석이 그 비문을 찬하였다. 이 비석에는 천자가 동정할 때 그 병사가 10만 명이나 되었다고 하였다. 그 글자는 몽고 글자로 썼기 때문에 우리나라 사람들은 그 글자를 알아보는 사람이 없었다. 이때 우리나라는 청나라와의 국교가 이미 단절되어 사대의절을 모두 삭제하였기 때문에 이 두 개의 유적도 철거한 것이다.

김가진은 금상용의 후예이다. 그는 이때 어깨를 으쓱이면서 "이제 누조累朝 동안 피폐했던 치욕을 씻고 신자臣子의 사수私讐를 갚았으니 개화가 얼마나 좋습니까?"라고 하였다.

이 같이 청나라와 국교가 단절되고 대한제국이 탄생하자 청국에 대한 치욕을 씻기 위해 1895년 5월에 삼전도 비를 넘어뜨리고 묻어버린 것이다. 그 후 18년이 지나 총독부 토목국에서 조사하여 "제11호, 비신, 귀부 전도"로 기록하여 1913년 3월 15일자로 등록하였는데,[206] 이로부터 3년이 지나 이마니시 류今西龍의 현지 조사와 함께 보존의 건의가 있었다.

이마니시 류今西龍는 9월 2일에 경기도 광주군 중대면 송파동 민옥 사이에 있는 삼전도비를 조사했다. "이 비는 삼전도비라고도 부르는 것으로 청일전쟁 후

---

206 「고적유물 등록원고 1」, 『국립중앙박물관 소장 조선총독부박물관 공문서』, 목록번호 : 96-167.

한국 정부가 이를 파훼하여 지금은 약간의 초석이 남아 있다"고 하며, 비는 그 역시 "도괴되어 귀부 상으로부터 경사진 지상에 넘어져 있으며 파손의 우려가 있음"을 지적하고 있다.[207]

1916년의 모습(이이지마 복명서)

207 今西龍,「京畿道 廣州郡, 利川郡, 驪州郡, 楊州郡, 高陽郡, 加平郡, 楊平郡, 長湍郡, 開城郡, 江華郡, 黃海道 平山郡 遺蹟遺物調査報告書」,『大正5年度 古蹟調査報告』, 朝鮮總督府, 1917.

이마니시의 보존에 대한 건의는 바로 실행에 옮겨져 조선총독부에서는 총독부 토목국 영선과 기수 이이지마 모도노스케飯島源之助를 현지에 파견하였다. 삼전도비를 조사한 이이지마는 1916년 12월 1일에 복명서를 제출했다. 두 고적의 모양, 상태, 보존 방법, 공사비 등을 기재한 조사서 2부와 관련 도면 및 사진이 첨부되어 있다. 건립 공사비는 "172원 90전을 요함"이라고 보고하고 있다. 이이지마가 남긴 사진을 보면 좁은 민가 사이에 비와 귀부가 넘어져 있는데,[208] 완전히 파괴한 것이 아니라 비신을 넘어뜨리기만 한 것으로 보인다. 주변의 가옥은 1895년 이후 들어선 것으로 보인다.

따라서 잠실동 47번지에 세워진 입간판에 설명한 "1895년(고종32)에 강물 속으로 쓰러뜨렸다"는 문구는 수긍할 수 있으나 "1913년에 다시 세웠다"는 문구는 착오로 여겨진다.

전도된 비는 1917년에 다시 건립한 것으로 보이는데, 이 비의 보존을 중시하는 데에는 또 다른 속셈이 있었던 것으로 보인다.

교토제국대학 미우라 히로유키三浦周行는 「조선역사고적에 대하여」에서 삼전도비를 다시 세워 보존함에 대해 다음과 같이 평가하고 있다.

조선에서는 왜구라든가 왜추수길倭酋秀吉 등의 문자를 각한 비문이 있는데 왕사往事는 심히 구慼치 아니한다할지라도 병합 후 금일에 있어 이를 봄은 통치상 결코 양호한 사事가 아니다. 저 조선의 인조왕이 청태종에 항복

208 「眞興王巡狩碑, 淸太宗功德碑 조사 복명서」, 『국립중앙박물관 소장 조선총독부박물관 공문서』, 목록번호 : 96-137.

하고, 한강동안의 삼전도에 단을 만들고 삼배구고두三拜九叩頭의 예를 행한 후 다시 동지에 세운 청제의 은덕을 구가謳歌한 비는 일청전역에 의하여 일본이 청국을 굴복케 하고 조선을 독립국으로 되게 한 후, 이때의 한국 조정에서는 이를 파기破棄하였다. 이 필법으로 보면 이런 등의 불은부당不隱不當의 문자를 각한 비문을 철회撤回할지라도 하등의 불가한 사事가 아닐지라. 그런데 금일에 이르기까지 총독부에서는 아직 하나도 이를 철거하였다함을 듣지 못하였다. <중략> 구시대의 유물을 금일에 보존하는 가부여하는 본래 고구정치高求政治의 범주에 속하는 고로 자연 별문제가 되나 총독정치가 고적 혹은 역사를 인멸湮滅코자 한다는 등의 노성이 근저가 무함을 식자를 부대不待하고 가지可知한 것이다.[209]

임진왜란 때의 기록을 담은 비문 등이 통치상 불미한 기록이라 할지라도 총독부에서는 하나도 훼손치 않고 보존했다고 하며, 삼전도비의 보존도 총독정치의 긍정적면을 끌어들이고자 함을 볼 수 있다.

북관대첩비를 일본으로 반출하고, 광개토대왕비문을 왜곡날조하고 심지어는 비까지 일본으로 반출하고자 했던 그들이 삼전도비를 서둘러 보존함에 있어서는, 민족자존을 저하시켜 통치에 활용하고자 하는 저의가 있었던 것이다.

조선총독부에서는 삼전도비를 1934년 5월에 보물로 지정하여 보존했다.[210]

209　三浦 박사담, 「朝鮮歷史古蹟에 대하여(三)」, 『每日申報』 1919년 10월 10일자.
210　『東亞日報』 1934년 5월 4일자.

1916년 9월 7일

사적조사 강연

총독부 산림과에서 산림과장 와타나베渡邊 기사 이하 백 수십 명이 전도에 걸쳐 관유지 및 민유지를 조사하는 중인데, 이 조사에는 사적史績의 조사도 병행하고 있다. 사적 조사는 특별한 소양을 필요한 것이므로 총독부 산림과에서는 불교예술의 조예가 깊은 경무총감부 근무 이나다 슌스이稻田春水를 초청하여 9월 7일과 8일에 걸쳐 양일간 사적조사에 관한 강연회를 개최하였다.[211]

1916년 9월 10일

서역 유물 일반에 공개

금년 5월에 구하라 후사노스케久原房之助가 초독부박물관에 기증한 고베新戶의 오타니 별장二樂莊 소장의 서역고대예술품 등의 발굴물 2천여 점은 그 후 총독부 박물관에 회송되어 우마주카馬場 촉탁의 지휘 아래 경복궁내 경회루 전 수정전내에 진열해 오던 중 전부 진열을 종료하여 10일 오전부터 일반이 관람케 하였다.

『매일신보』1916년 9월 14일자에는 다음과 같은 기사가 있다.

---

211 『每日申報』1916년 9월 9일자.

수정전 내에 진열한 서역 발굴물은 전 서본원사 법주 오타니 고즈이大谷光瑞가 선년에 인도 네팔지방에서 세계적 비밀국이된 서역에 늘어가 수많은 불적 고사를 탐험할 때 다대한 노고와 경비와 장구한 연월을 소비하여 발굴한 귀중품이라 서역은 지나본부와 인도와의 지로로 불교융성을 극한 유적에는 아직 지나화 되지 아니한 불교의 유물이 많은 세계의 지보로 인정할 것이 많아 구주의 역사가 등은 일찍이 이에 눈을 떠 영국인 스타인, 불란서인 페리오, 독일인 구룬에델 및 곡구, 러시아인 올덴부루히 및 고트도후 등은 비상한 신고辛苦를 상쏳하고 그 유물을 수집한 일이 있으며, 대곡광서의 발굴한 지방은 감숙 외 1성의 전부에 걸쳐 섭렵하였으므로 수집의 구역 및 범위가 광대하여 벽화, 불화,신상, 묘지, 석비,제기, 무기, 회화 소상, 도검, 고전, 고경, 동인, 병, 호, 옹, 인형, 금속, 골각품, 기타 토제품 등 2천여 점에 달하니 참고자료로 가치가 심대한 것이라. 궁전의 입구에 진

수정전 내의 서역유물(국립중앙박물관 소장 유리건판)

열된 벽화는 모두 교묘히 수리를 하여 필력이 웅휘한 당시의 불상 신상 천
녀 화조 풍속 등의 색채가 선명하게 생동하고 운운.

1916년 9월 13일

고적조사 위해 평양을 온 조선총독부 촉탁 구로이타 가쓰미黑板勝美는 9월 13
일 아베阿部 매일신보 사장의 소개로 민유식閔裕植의 자택을 방문하고 씨가 진
장한 동현보첩東賢寶帖을 감정하였는데, 이 보첩은 신라, 백제, 고려로 조선 최
근까지 명사 7, 8백 명의 수적手蹟을 망라한 것인데, 시중에서 보통 매매하는 서
화와는 함께 논할 수 없는 진서라 하며 구로이타는 득의의 서화계통을 일일이
설명하며, 진서 중 충무공 이순신의 전황을 담은 것과 기타 3종은 특히 역사적
참고자료로 귀한 것이라 하여 복사하여 주기를 청하여 얻어 갔다.[212]

1916년 9월 18일

이마니시의 가평군, 양평군, 여주군의 고적조사

이마니시 류今西龍는 1916년 9월 18일 경성을 출발하여 가평군, 양평군, 여주군을

---

212 『매일신보』 1916년 9월 15일자.

조사하고 동월 30일 결성으로 귀환했는데 그 일정과 조사내용은 다음과 같다.[213]

9월 18일 경성을 출발 양주군 마석우리磨石隅里에 도착했다.

9월 19일 마석우리를 출발 가평에 도착하여 초연대성지를 조사했다.

9월 20일 가평군 북면 이곡리 석장우고분을 조사했다.

가평군 조사의 '잡기'에는 가평군 북면의 가평암지에 대해서는 가평군 향토사의 기사를 참고하고 있는데 대략 다음과 같다.

향토사에 다음의 기사가 있다. "북면 화악리 사동에 기지其址가 있다. 1탑 1부도가 있는데 1911년에 어떤 자가 경성으로 옮기려다가 이루지 못함, 지금 하층의 대석大石이 있다고 함. 탑도 또한 일부를 빼앗김 그 부도를 훼손 시에 동기銅器 2개가 나왔는데 하나에는 사리골이 있었고 다른 하나에는 '세창구년추구월갑자世昌九年秋九月甲子'의 9자를 각함이 있음을 기억하고 있는 자가 있음, 지금 그 소재를 잃음" 이상 향토사의 기사임.

종현암지鐘懸庵址에 대한 기록은 『신증동국여지승람』이나 『조선보물고적조사자료』 등에도 나타나 있지 않으며, 해방 이후의 가평군지 등에도 가평군 북면 화악리에 종현암이 나와 있지 않아 이마니시 류今西龍가 기록한 종현암지가 어디에 소재하는지 알 수 없다.

---

213 今西龍, 「京畿道 廣州郡, 利川郡, 驪州郡, 楊州郡, 高陽郡, 加平郡, 楊平郡, 長湍郡, 開城郡, 江華郡, 黃海道 平山郡 遺蹟遺物調査報告書」, 『大正5年度 古蹟調査報告』, 朝鮮總督府, 1917; 今西龍, 「大正5年調査旅行日程」, 『국립중앙박물관 소장 조선총독부박물관 공문서』.

기타 사지에 관한 향토사의 기사를 조사했다.

9월 21일 가평을 출발, 현리에 도착하여 조종현지朝宗縣址를 조사하고 현리의 서북에 있는 석사촌산성을 조사했다.

9월 22일 현리를 출발하여 청평천에 도착했다.

9월 23일 청평천을 출발하여 양평 도곡리 도착했다.

9월 24일 도곡리를 출발히여 양평에 도착했다.

양평은 1908년 양근군과 지평군을 합병하여 부르고 있다.

9월 25일 양평군 사나사 유물을 조사했다. 사나사는 1907년 의병 봉기 때 병화로 지금은 겨우 소당小堂을 재건하여 승려 4인이 거주하고 있었다. 사라사철불은 조선 철불 중 우수한 것으로 화재를 만나 피해를 입어 관청에서 특별히 수리 보호할 것을 요망하고 있다. 그 외 원증국사석종, 원증국사석종명비, 3층석탑 등을 조사했다.

사나사 3층석탑

9월 26일 양평을 출발하여 상원사에 이르러 상원사의 유물을 조사했다, 상원사에 있던 고려시대범종은 현재 경성 동본원사 설교장에 걸려 있다고 한다.

상원사를 조사한 후 다시 보리사지에서 현기탑비를 조사했다. 보리사에 대해서『동국여지승람』지평현 불우조에 "보리사菩提寺는 미지산彌智山에 있고 고려 상서좌복사尙書左僕射 최언휘崔彦撝 찬撰 승 대경현기탑비大鏡玄機塔碑가 있다"

라 하고, 『지평현지砥平縣誌』에는 동국여지승람의 기사를 전재하고 '남폐今廢'의 2자를 첨가하고 있다는 것을 기술하고 있다. 이 현지 편찬 연대는 불명이나 그 인물조에 '이서하李瑞夏'의 이름을 들어 이 사찰이 영조왕시대 이전에 이미 폐사가 된 것으로 추정하고 있다.

대경대사현기탑비에 대해서는, 2, 3년 전에 중추원 근무 가츠라기 스에지葛城末治가 엄동에 탁본을 작성한 적이 있고, 동네 사람의 말에 의하면 그 지방 주재의 헌병 등이 2, 3회 수탁한 적이 있다고 한다. 탑비는 사지의 북변 중앙부에 비신, 귀부, 이수가 수 칸間의 사이에 유존하고, 넘어져 있는 사진을 게재하고 있다. 현기탑으로 추정되는 1석탑은 연수리 이장 김선호 씨의 말에 의하면 수년 전 귀부의 좌방 수칸 지점에 있었는데 일본인이 이를 경성으로 운반해 갔다고 한다. 비는 현지에 보존하기 어렵기 때문에 박물관으로 옮기고, 이미 경성 방면으로 반출한 현기탑은 수색 검출하여 함께 박물관에 보존하기를 바라고 있다.

9월 27일 현기탑비를 탁본하고 용문사, 죽장암, 윤필암을 조사하고 용문사에 숙박했다.

9월 28일 용문사를 출발하여 여주군 고달사지에 도착하여 고달사지 유물을 조사했다.

고달사지의 원종대사혜진탑비는 비신과 함께 귀부 이수가 유존했다. 연대는 알 수 없으나 땅에 넘어져 결손된 흔적이 있고, 1914년 여주군에서 이를 다시 세워 귀부 위에 안치했는데 다음 해 1915년 3월 2일 오후 7시에 원인을 알 수 없이 돌연 후방(북방)으로 전도顚倒되어 비신과 귀부의 갑상이 부딪혀 8개로 괴단壞斷되어 있는 모습의 사진을 보고서에 게재하고 있다. 보존방법에 있어서는 원지에 보존하는 것은 도저히 불가능하기 때문에 박물관으로 옮기기를 희망하고 있다.

고달사원종대사혜진탑에 대해서는 고려초기의 공예의 절정을 보이고 있다고 하며, 무명탑에 대해서는 현재 탑 앞에 조선인의 묘총을 설치함에 그 난폭한 행위에 매우 불쾌한 감을 표현하고 있다.

석등잔석은 이 부락에 거주히는 종2품 이모의 지택 내에 석등롱石燈籠의 격석隔石, 보주寶珠 등의 잔석이 보관되어 있는 것을 조사했다.

신륵사 보제존자석종과 석종비와 석등

9월 29일 고달사지를 출발하여 파사성을 조사하고, 신륵사에 도착했다. 신륵사에는 5층전탑, 5층전탑중수기비, 3층석탑, 다층대리석탑, 전 보조국사부도, 보조국사석종, 보조국사비, 석등, 대장각기비 등이 있는데, 이마니시가 조사에 착수했을 때 본부로 돌아오라는 명을 받아 중지했다고 한다. 그래서 양평으로 향했다.

9월 30일. 양평을 출발하여 경성에 도착했다.

* 고달사지(高達寺址)의 석조물

고달사지에는 현재 두 승탑(국보 제4호, 보물 제7호)이 있는데, 원종대사혜진탑元宗大師慧眞塔(보물 제7호)은 1934년 8월 27일에 조선보물 명승천연기념물 보존령에 의해 보물 제14호로 지정되었다. 세키노關野가 처음 이곳을 조사할 당시에는 원종대사의 혜진탑비의 비신이 귀부상에 이수와 함께 건재하였다.

그는 고달사지에 유존하는 2기의 부도 중에서 동남편에 있는 파손이 거의 없는 본 부도를 원종대사혜진탑元宗大師慧眞塔으로 보고 서북편에 있는 부도를 일명탑逸名塔으로 서북부도西北浮圖라 지칭하였다. 이마니시 류今西龍도 1916년에 이곳을 조사할 때 당시의 주민들이 원종대사를 존숭尊崇하여 본 탑에 대하여 매년 8월에 제를 올리고 있어 원종대사혜진탑임에 전혀 의심을 가지지 않았다.

세키노 타다시關野貞는『조선미술사』에서 원종대사혜진탑에 대해,

조선에 현존하는 부도 중 걸작傑作이다. 기단의 신부身部에는 영귀탑靈龜塔을 짊어지고 있는 형상을 새겨 놓았으며 좌우에 구름속에서 꿈틀거리고 있는 용이 부조되어 있다. 이것은 극히 호방하고 건강한 정신을 발휘하고 있으며, 그 상하에 역시 고상하고 화려한 연꽃이 조각되어 있다.

<중략> 기교 또한 역시 정밀하게 다듬어져 있어서 고려 부도 중 뛰어날 뿐 아니라 이런 종류의 것으로는 고금을 통해 견줄만한 것이 없다고 해도 좋다.

라고 기술하고 있다.

고유섭은『조선미술문화사논총朝鮮美術文化史論叢』에서,

원종대사혜진탑은 동사지同寺址에 있는 신라의 원감부도(국보 제4호)를 본뜬 것이나 작作으로는 도리어 우수한 것이니 고복석鼓腹石에는 영귀靈龜를 정면에 새기고 운용을 좌우에 새겨 호괴豪瑰한 품이 벌써 걸작인데 앙련보련의 웅휘한 맛이 일단의 정채精彩를 가加하고 탑신의 사천왕상과 옥개

원종국사혜진탑비의 귀부와 이수 및 석불대좌

의 건장한 맛과 상륜의 정교한 품이 발군의 미태美態를 형성하고 있다.[214]

라고 하며 일명부도(국보제4호)를 모방하긴 하였으나 오히려 우수한 작품으로 보고 있다.

그러나 오늘날 이 두 부도탑이 누구의 것인 지에 대해 많은 논란이 있다.[215]

---

214 高裕燮, 『朝鮮美術文化史論叢』, 서울신문사출판국, 1949, p.91.
215 蘇在龜는 「高達院址 僧塔編年의 再考」(『美術資料』 제52호, 국립중앙박물관, 1993)에서, 고달 사지 무명탑(국보 제4호)은 형식화된 과장기법을 보여주고, 원종대사혜진탑(현 보물 제7호) 은 짜임새가 있고 힘의 강약과 우아한 조형미를 잘 나타내고 있어 신라 하대의 작품에 가까 워 고려시대의 승탑으로 보기가 어렵다는 것이다. 따라서 원래의 원종대사혜진탑은 오히려 고달사지 무명탑(현 국보 제4호)이 되어야 하며 지금의 원종대사 혜진탑(보물 제7호)은 원 종대사의 대 스승인 신라하대의 圓鑑大師塔(870년경으로 추정)이 되어야 한다는 주장이다. 또 鄭海昌은 「高達寺址의 浮屠와 碑趺에 관하여」(『史學研究』 제13호, 1962년 6월)에서, 고달사 부도의 模作문제에 있어 원종대사부도(일명탑 즉 현 국보 제4호를 지칭)는 원 감부도(혜진탑 즉 현 보물 제7호를 지칭)의 모작으로 보고 있다. 關野의 일명부도(국보 제4호) 後作說은 동감이나 혜진탑(보물 제7호)의 여초 작품설은 수긍할 수 없는 것이 며, 葛城末治의 혜진탑(보물 제7호)의 일명부도(국보 제4호) 模作說은 그의 觀察不定 의 所致인 것이라 생각된다고 한다.
그러나 두 부도가 그 양식에서 큰 시기적 차이를 보이고 있지 않기 때문에 현욱의 부도 는 당대에 건립되지 못하고 있다가 찬유대에 와서 건립되었을 가능성도 있다.
嚴基枏는 『新羅와 高麗時代의 石造浮屠』에서, 고달사지의 2기의 부도는 세부적인 치석

보물 제7호 부도
(1912년의 모습(『조선고적도보』)

고달사지 무명탑無名塔(국보 제4호)은 고달사터의 서북방향 즉 혜진탑에서 서쪽으로 50미터 정도 떨어진 산기슭에 위치한다.

8각원당형의 석조부도 중 굴지屈指의 거작巨作으로 상륜부는 일부 결실되었을 뿐 탑신 옥개석 등은 모두 갖추고 있다. 기단부의 하대석은 측면에는 안상眼象을 조각하였고 상면에는 복련伏蓮을 조각하였다. 중대석은 거북을 중심으로 네 마리의 용과 운문을 장엄하고 강직하게 조각하였다. 상대석은 앙련仰蓮을 조각하였으며 탑신에는 문비형門扉形과 사천왕상을 양각하였다. 옥개석 정상면에는 복련을 돌리고 상륜부를 받도록 하였는데 현재는 상륜부재로는 복발과 보개석 1개뿐이다.

1912년에 촬영한 국보 제4호의 탑 사진(고적도보 도판번호 : 2973)에는 보주

수법과 그 양식이 큰 시기적 격차를 두지 않고 모두 고려 초기에 건립된 것으로 추정되며, 따라서 현욱의 석조부도는 어떤 이유로 현욱이 입적한 직후에 건립되지 못하다가 고려가 건국된 이후 찬유가 고달사에 주석하고 있을 때 스승이었던 심희의 부탁이나 현욱과 사자상승관계를 표방하고 봉림산문을 계승한 혜목산문의 중심인 고달사의 위상을 높이기 위해 고려 왕실의 후원을 받아 건립되었을 가능성을 제시하고 있다.

고달원 원종대사혜진탑비의 記錄에는 탑의 위치를 밝히기를 "혜목산 서북 언저리(산기슭)에 탑을 세우니 불법에 따른 것이다"라고 하였다. 여기에서 서북 언저리라는 것만으로는 두 부도 중 어느 것을 지목하는지를 알기가 어렵다. 그러나 두 부도 중 하나가 원감대사의 것이라면 원감대사의 것이 먼저 건립되어 있었을 것이며, 혜진탑비에 혜진탑의 위치를 기록할 때 원감대사의 부도탑의 위치와 구별함을 의식하지 않을 수 없을 것이다. 그렇다면 보물 제7호는 국보 제4호에 비해 동남편에 있고 국보 제4호의 탑은 보물제7호의 탑에 비해 서북편에 있다. 따라서 關野가 지적한 혜진탑에 비해 서북편에 있는 일명탑(국보 제4호)이 원종대사의 혜진탑일 가능성도 추론해 볼 수 있다.

寶珠 이상이 결실되어 있다. 그런데 『대정5년도 고적조사보고』에 실려 있는 도판에는 그것이 개석상蓋石上에 얹어져 있다. 이는 1912년 이후 검출檢出(검출장소 미상)하여 이렇게 한 것이라 한다.[216]

탑의 높이는 약 3.4미터로 건립 연대나 주인공이 명확히 밝혀지지 않았으나 신라 때의 고승 원감대사로 추정하기도 하고 조성년대는 800년대 또는 1000년대라고 하나 명확히 밝혀진 것은 없다.

『대정5년도 고적조사보고』에,

국보 제4호(1912년의 모습 『조선고적도보』)

> 혜진탑 서방에 또 하나의 탑이 있는데, 개석의 일부가 결락缺落하여 지상에 있고 보주부분이 실하였다. 이 탑 역시 혜진탑과 공히 존중되어야만 하며 <중략> 현재 이 탑 앞에 조선인이 묘총墓塚을 썼다. 그 난폭한 행위에 대하여 심히 불쾌감이 든다.

라고 이미 일부 훼손을 기록하고 있다.

1934년 11월 9일자의 경기도지사가 총독부로 보고한 '보물피해에 관한 건'[217]을 보면, 피해상황을 발견한 것은 1934년

---

216 『大正5年度 古蹟調査報告』, p.150.
217 金禧庚 編, 「韓國塔婆研究資料」, 『考古美術資料』第20輯, 考古同人會刊, 1969, p.38-39. 1934년 11월 9일자의 경기도지사가 총독부로 보고한 '寶物 被害에 關한 件.

10월로서 당시 조사로는 부도 전방 약 10미터 떨어진 장군석을 운반하여 부도의 기단에 가로놓고 그 상하에 작은 돌을 놓고 기계를 사용하여 기단 위의 언내를 밀어 올려 그 사이에 작은 돌을 끼워 놓고 내부를 살핀 흔적이 있었다고 한다.

이 부도는 사찰의 금당지로 추정되는 곳에서 뚝 떨어진 산 중턱 기슭에 위치한다. 사찰이 폐허가 된 후 돌보는 사람이 없었기 때문에 방치된 사이에 유사流砂에 의하여 지대석 근처까지 매몰되어 있었다고 한다. 또 1950년대에 도굴범들이 탑 안에 든 장치를 빼내려고 시도하다가 탑에 손상을 입혀 복구를 하기 위해 탑을 바로잡고 류사流砂를 막는 석축작업을 하는 중에 탑전에서 안상이 있는 배례석과 8각석재가 노출되고 탑 뒤에 옛날 축대석이 들어 났다.[218]

이곳 고달사지에는 일찍이 비신을 잃어버려 그 이름을 알 수 없는 파괴된 귀부龜趺가 하나 있다. 이우李俁의 『대동금석서大東金石書』에서는 원종대사혜진탑비에 대한 기록은 있으나 다른 비에 대한 언급이 없으며, 『신증동국여지승람』에도 한수韓脩의 시에, "일조비석의청천一條碑石倚靑天" 하는 것으로 보아 이미

고달사지 원감대사비의 것으로 추정되는 귀부

당시에 원종대사의 비만 존存하였던 것으로 일명의 비신은 파괴되어 사라진 것으로 보인다.

『고적급유물등록대장초록古蹟及遺物登錄臺帳抄錄』(1924)에는 국보제 4호에 대해서는 등록번호 제15호를 부여하고 단순히 '고

---

218 『驪州郡誌』, 여주군, 1989, p.1278.

달사지승탑'이라 하고 귀부에 대해서도 '고달사지귀부'라 하여 등록번호 제16
호로 등록하고 있다.

이마니시 류今西龍의 보고서『대정5년도고적조사보고』에는, "본래 어느 비의
귀부龜趺, 어느 승僧의 부도浮屠인지 알 수 없어 그 이름을 잃어 버렸다" 하여,
'무명탑無名塔 및 귀부龜趺'로 명칭을 붙이고 있다.

세키노 터다시關野貞의『대징원년고적조사보고』에는 이 탑(국보4호)을 일명
탑逸名塔이라 하고 사지에 남아 있는 일명귀부逸名龜趺를 일명탑비逸名塔碑의 귀
부로 추정하고 있다.

비록 규모는 원종대사혜진탑비의 귀부에 비해서 왜소하지만[219] 원감대사비
의 귀부로 추정되고 있다.

이 일명비의 귀부를 원감대사비圓鑑大師碑의 귀부로 처음 주장한 사람은 가츠
라기 스에지葛城末治로,「고달사지의 일명귀부逸名龜趺와 부도浮屠에 대하여」(『조
선금석고朝鮮金石攷』, 1935)에서, 이 비의 주인에 대해 원감대사圓鑑大師 현욱玄昱
의 탑비로 보고 있다.[220]

---

219 嚴基杓는『新羅와 高麗時代의 石造浮屠』에서, 고달사지의 귀부는 전체적인 형식과 양
   식으로 보아 원종대사혜진탑 보다는 앞서서 건립된 것으로 보고 있으나, 그 양식이 현
   욱이 입적한 시기와 어울리지 않으며 치석수법도 전대에 비하여 퇴화된 기법을 보여주
   고 있어 여러 가지 의문점이 있음을 지적하고 있다. 즉 사자상승이 강조되었던 당대의
   엄격한 풍토에서 법손제자였던 찬유익 귀부보다 규모가 작다는 점에는 의구심이 있다
   는 것이다. 따라서 현욱의 탑비는 원종대사혜진탑을 치석한 국공장인 집단이 아닌 다
   른 장인집단에 의하여 건립되었을 것으로 추정하고 있다.
220 葛城末治는 먼저『祖堂集』에 전하는 기사를 들어 현욱은 貞元3년(신라 元聖王3년,
   787)에 태어나 具足戒를 받은 것은 元和3년(808) 현욱 22세 때이다. 또 長慶4년(신라
   헌강왕16년, 824)에 입당하여 13년간 唐土에서 수학을 하고 신라 희강왕2년(837)에 귀
   국하여 민애왕 이하 5조의 존숭을 받았으며 경문왕의 명으로 고달사에 居하다가 咸通9

고달사지 쌍사자석등(보물 제282호)

고달사지 쌍사자석등(보물 제282호)은 전형적인 양식에서 벗어난 이형적인 석등으로 현재 국내에서는 유일한 형태의 쌍사자석등으로 매우 독창적인 아름다움을 간직하고 있다.

고달사 터에 도괴되어 있던 것을 부락민이 수습하여 보관하였는데 1916년 이마니시 류(금서룡)의 조사시에는 이 부락에 거주하는 종2품 이 모씨의 집에 석등롱石燈籠, 격석隔石, 보주寶珠 등의 잔석이 있었던 것으로 기록하고 있다.[221]

해방 이후 이 씨가 죽자 1957년 그의 아들이 서울 종로에 있는 동원예식장 주인에게 3만 팔천원에 팔았다. 국가에서는 이 석등이 원지를 이탈하여 개인의

년(868) 11월에 향년 82세, 승랍 60에 입적하였다.
신라 경명왕 8년에 건립한 경남 창원의 鳳林寺眞鏡大師寶月凌空塔碑의 비문 중에 大中 9년 12월에 탄생한 진경대사는 9세 때 혜목산에 住한 원감대사를 謁했는데 이때가 신라 경문왕3년(863)으로 원감의 나이 77세에 해당된다. 또 신라 헌강왕12년(882)에 건립한 것으로 추정되는 강원도 양양의 沙林寺弘覺禪師塔碑의 비문 중에 "鑒大師自華歸國居 于慧目山"을 들어 비록 斷碑로 인해 鑒字 앞이 떨어져 나갔지만 '鑒大師'는 圓鑒大師로 추정되는바, 眞鏡大師의 碑銘과 弘覺禪師碑의 年代를 攷究하면 矛盾이 생기지 않는다. 그리고 신라 명승 가운데 諡號에 鑒자가 들어가는 것은 眞鑒禪師와 澈鑒禪師가 있으나 大師와 禪師는 僧階가 相異하다. 이러한 등을 들어 이곳에 圓鑒의 입적 후 원감의 비와 탑이 건립되었을 것이며 이 逸名碑의 귀부를 원감의 것으로 추정하고 있다.
221 『大正5年度古蹟調査報告』, p.227.

손에 넘어간 사실도 모르고 1958년에 국보 제430호에 지정하기도 하였다.[222]
후에 국가에서 이를 거두어 1959년에 경복궁으로 이전하였다가 용산국립박물
관의 개관과 함께 현재 용산국립박물관 홀로 옮겨 전시하고 있다.

2006년 6월에 고달사지를 전면적으로 발굴할 때 쌍사자석등이 있던 지대석
과 옥개석을 찾아내어 현재의 모습으로 갖추게 되었다.

1916년 9월 22일

평양 일대의 대발굴

1916년은 평양 일대의 낙랑고분에 대한 대발굴이 개시되었다.

「대정5년도 고적조사 개요」[223]에 나타나 있는 바와 같이 세키노 타다시關野貞
를 반장으로 하는 촉탁 야쓰이 세이이치谷井濟一, 구리야마 순이치栗山俊一, 오바
쓰네키치小場恒吉, 노모리 겐野守健, 오가와 게이키치小川敬吉 등은 평양 부근에
있는 낙랑유적과 고구려의 유적과 유물을 조사하는 일에 주목적을 두었다.

세키노 일행은 9월 22일 평양에 도착하여 23일에 대동강면의 고분군을 답사
하고 그 결과 10기의 고분을 선정하였다. 대동강면의 고분 10기는 제1분에서
제6분까지는 정백리에 속하고, 제7분부터 제10분까지는 석암리에 속했다. 세

---

222 『朝鮮日報』1958년 1월 30일자.
223 「大正5年度 古蹟調査 槪要」, 『大正5年度 古蹟調査報告』, 朝鮮總督府, 1917, pp.3~5.

제3호분 발굴 장면(『고적조사특별보고』, 1919)

키노關野의 총감독 아래 총독부 촉탁 오바 쓰네기치小場恒吉(1~3호분), 노모리 타케시野守建(4~6호분), 오가와 케이기치小川敬吉(7~10호분)가 분담하여 발굴하고 야쓰이谷井는 발굴경과 중 사진촬영을 담당하였다.

9월 24일부터 발굴에 착수하여 약 1개월을 소비하여 10월 23일 발굴을 종료하였다. 24일부터 각 분에서 출토한 유물을 정리하고 28일 모든 것이 완료되었다.

『매일신보』 1916년 9월 28일자에는 다음과 같은 기사가 있다.

관야 박사 소식. 관야 박사는 22일에 평양에 이르러 류옥여관柳屋旅館에 목하 체재 중인데 매일 대동강면 부근의 고분조사에 종사 중이오 이미 25일까지 인부를 매일 75명씩 사역하여 5개소의 고분을 발굴하였는데 이 발굴에 의하여 낙랑시대의 연와 등도 발견하고 박사는 심대한 흥미로 조사연구에 종사 중이라 박사는 금회 조사 일수는 20일 간인데 그동안 대동강반에서 12개소의 분묘에 대하여 낙랑, 대방, 고구려의 사적을 연구할 터이라

하고 이를 위하여 본월 말일에는 곡정문학사, 10월 상순에는 율산 문학사
도 내지에서 내선하여 박사와 함께 조사연구에 종사하리라 한다.

발굴유물의 수량을 보면, 제1호분에서 17종 167점, 제2호분에서는 19종 42
점, 제3호분에서 20종 85점, 제4호분에서 10종 53종, 제5호분에서 2종 14점, 제
6호분에서 26종 37점, 제7호분에서 22종 45점, 제8호분에서 12종 49점, 제9호
분에서 86종 205점, 제10호분에서 9종 58점이 출토되었다.[224] 특히 9호분에서
는 순금제교구純金製鉸具(국보89호), 거섭3년명居攝三年銘의 칠반漆盤[225]을 비롯한
막대한 유물이 발견되어 조사자들을 놀라게 하였다.

제5호분

---

224 平安南道『樂浪及高句麗』, 1929, p.13.
225 이는 紀年이 있는 漆器의 발견으로는 최초이며, 이후 계속된 평양 일대의 발굴과 도굴
    에 의해 나타난 기년 명문의 칠기의 수는 梅原末治,「漢代 漆器 紀年銘文集錄」(『東方學
    報』, 1934)에 수록된 것만도 40여 점이나 된다.

1916년 11월부터 대동군 시족면과 노산리 개마총鎧馬塚, 고구려시대 고분 7기, 용강군 황산남록의 고구려시대 고분 4기, 해운면 한 대 고분 3기, 순천군 고구려시대의 선소면 검산고분, 북창면 송계동 고분天王地神塚을 발굴하고 내부를 조사했다. 대동군 부산면의 대화궁지, 보산진산성 등을 조사했다.[226]

평남 용강군 해운면 갈성리 고분은 어을동 고성의 서북 갈성리부락 북방의 경지내에 2기의 고분이 있어 그 동북에 있는 것을 갑분이라 이름하고, 서남 도로변에 있는 것을 을분이라 이름 했다. 을분은 이미 조사를 거친 것으로 봉토 중에는 와석이 혼재되어 있고 내부로부터 낙랑시대에 속하는 도기파편을 발견했다(고적도보 제1책 제121도~제124도).

갑분은 1916년 11월 5일 먼저 외형을 실측하고 오후에 발굴에 착수 17일에 분 정상으로부터 약 7척 되는 곳에서 부패한 목재를 발견하고, 19일에 처음 광 아래에 도달했다. 21일에 목관 흔적 및 도용, 도호를 발견, 22일에 창, 검, 수정, 청동금구 등의 유물을 출토하고 23일에 조사를 종료했다.[227]

그 발굴과정은 세키노가 남긴 『세키노 타다시 일기關野貞日記』[228]에서 살펴보면 대략 다음과 같다.

10월 15일	도쿄 발
17일	경성 도착

226　藤井惠介, 早乙女雅博 외 2명 편, 『關野貞アヅア踏査』, 東京大學總合硏究博物館, 2005, p.243.

227　關野貞 外 5人, 「平壤附近に於ける樂浪時代の墳墓」, 『古蹟調査特別報告』, 朝鮮總督府, 1919; 關野貞 外 5人, 『樂浪時代の遺蹟 (本文)』, 朝鮮總督府, 1927.

228　關野貞硏究會 編, 『關野貞日記』, 中央公論美術出版, 2009.

21일	경성 발, 개성 만월대 및 남산, 고려벽화고분 조사, 이와이(岩井) 기사와 동행
22일	개성 발, 평양 도착, 야쓰이 만남
23일	오바, 오가와, 노모리 3씨가 평양에 도착, 군서기의 안내로 대동강면 고분조사와 교무부장 방문
24일	대동강면 정백리고분 3기 실측
25일	정백리고분(갑) 발굴 착수, 정백리고분(을) 실측, 정고분 실측 후, 오가와가 王平塚 실측함
26일	금일부터 5호분 발굴 중시, 갑분 벽 상부가 나타남, 왕평총에서 腕輪, 지륜 등을 발견
27일	왕평총 연도 일부가 나타남
28일	왕평총 전부가 드러남, 왕총칠편, 五銖錢 출토
29일	을총(乙塚), 송림총 시굴
30일	교육회 진열소를 봄, (평양)부청에서 평양 고지도 병풍을 관찰, 그 후 발굴고분을 순시함, 을총(乙塚) 전벽(塼壁) 상부가 나타남, 정총 목곽 잔편을 봄, 중총과 파괴총, 평총 시굴
10월 1일	파괴총 봄, 평총 양실 바닥이 드러남, 중총 아직 진행상황 미흡, 송림총 전망이 없어 중지, 전자총(田字塚)에서 여러 종류의 토기가 발견
2일	정오에 정백리 도착, 을총 목곽이 드러남, 즐금구총(櫛金具塚) 바닥에 도달함, 즐금구 등을 노출함, 전자총에서 여러 가지 토기, 칠기 테두리, 은즐(銀櫛) 등이 나타남
3일	조왕리 고분 시찰, 을총에서 한경 및 문양 있는 칠기 파편과 토기편 발견됨, 송림총에서 목곽편 발견
4일	을총에서 청개경(靑蓋鏡) 아름다운 문양 칠편을 발견함
5일	을총 전면굴개(前面掘開)에 착수
6일	남궁리 대화궁지를 답사
7일	송림총 목관 조사, 갑총(甲塚) 전면 굴개(掘開) 착수
8일	보산진(保山津) 조사
9일	갑(甲)총 전실 상부가 드러남, 정총에서 거울과 칠기편 발견, 송림총의 인접 고분 발굴 착수
10일	정총에서 사유쌍신경 발견

11일	
12일	송림총 진실(前室)의 굴기(掘開) 완료
13일	정백리 제6호분 전실 천장이 추락한 채로 발견
14일	석암리 제2호분에서 동기(銅器)와 토기 발견, 야쓰이가 도착
15일	기양(箕陽)클럽에서 '낙랑시대(樂浪時代)의 유적(遺蹟)에 대해서'라는 제목으로 강연을 함
16일	정총(丁塚)에서 칠기 수습 종료, 제9호분에서 거울, 박산로, 칠기가 출토
17일	제9호분에서 수각탁(獸脚卓), 기타 도금기 출토되어 장관을 이루어 놀람
18일	제1호분 旁室(측실)을 발굴, 오전에 궁릉천장을 봄
19일	제6호분에서 거울 2면이 출토
20일	제6호분에서 칠렴과 칠명(漆皿)을 수습함, 9호에서 벽(璧), 두사(頭飾), 상아 도장, 도자 2점 출토
21일	제9호분에서 마구, 도검, 순금용 금구(純金龍金具) 출토
22일	제9호분에 도착하여 출토품을 조사함, 각분(各墳) 연구
23일	출토품 정리
24일	낙랑, 고구려 기와 정리, 오늘 대동강면에서 철수, 일행들 평양으로 돌아옴
25일	낙랑, 고구려 기와편 정리
26일	아침 순천행의 계획이었으나 두통과 발열로 연기함
27일	6시 40분 평양 출발, 숙천(肅川)을 지나 순천(順川) 1시 30분 도착, 검산고분 및 사천동 낙랑전 출토지 답사
28일	오전 9시 출발, 마상(馬上) 3리 북창면 송계동 고분 조사, 현실구조 기묘, 벽화 있음
29일	오전 7시 30분 차로 출발, 오후 1시 숙천에 도착, 숙천관에서 점심, 오후 3시 40분 기차를 타고 오후 5시 30분에 평양에 도착
30일	오후 3시 차로 장수원 도착
31일	시족면(柴足面) 고분 1호~4호분 답사

11월 1일	시족면 고분 1호, 3호, 4호를 조사
2일	1호, 3호, 4호, 5호, 6호를 조사
3일	쉼
4일	야쓰이, 구리야마 군과 장수원으로부터 대성산에 올라 석벽을 일주함, 5호가 약간 입구가 열림
5일	제2호분, 노모리와 함께 실측
6일	제5호분에서 벽화를 봄, 제6호분을 노모리와 함께 실측
7일	쉼
8일	6호와 제2호분을 실측
9일	오전에 제2호분 실측. 오후에 광법사를 답사
10일	제4호분과 제5호분 조사. 기단에 대한 연구를 함
11일	야쓰이, 구리야마 군과 장수원 출발, 안학궁지, 주암 고구려 유적지를 답사
12일	오전 부청에 있는 평양 고지도 병풍을 봄, 오후 평양 성벽을 조사함
13일	야쓰이 군과 종일 정전(井田) 조사
14일	새벽 1시에 출발하여 8시 경성에 도착, 총독부에 가서 제반 협의를 함
15일	오전 8시 30분 이와이(岩井) 군과 경성 출발 김천에서 자동차로 예천에 도착
16일	말을 타고 예천 출발, 풍기에서 중식을 하고, 순흥우체국에 도착
17일	순흥 발, 말을 타고 오전 11시에 부석사에 도착, 보존에 관해 협의를 함
18일	부석사를 출발하여 소수서원을 보고, 순흥에서 중식, 오후 5시 영주 도착
19일	아침에 군청의 백월서운탑비 및 읍내불상을 보고 10시에 출발, 오후 3시에 예천에 도착
20일	오전 8시 예천을 출발, 오후 2시 김천에 도착, 2시 40분 열차로 출발
21일	오전 8시 30분 진남포에 도착, 부전삼화 고려 감화 진열소를 봄, 오후 2시 자동차로 온정리 도착
22일	구리야마 군 출발, 세키노는 오전 9시부터 갑호(제1호분) 삼실총, 칠실총, 지석총을 봄

23일	야쓰이와 용원면 갈현리 벽돌이 나온 곳을 봄, 그런 다음 칠실총, 삼실총, 지석총과 갑총을 봄
24일	황산 및 청룡산록의 고분을 조사함
25일	낙랑 고분과 고구려 고분에 관한 보고서 초안을 마침
26일	오전 10시 마차를 타고 온정리 출발, 오후 4시 진남포 아사히관(朝日館) 도착, 7시 2분 열차로 9시 평양 도착
27일	야쓰이와 자동차로 주궁지(珠宮址) 조사
28일	오전 1시 40분 평양 출발, 일행 오전 8시 경성 도착하여 파성관에 여장을 품, 총독부 및 박물관으로 감
29일	오전에 총독부, 오후 2시 30분 박물관에 감, 오후 7시 조선 호텔에서 건축과들의 초대로 만찬회에 참가
12월 1일	오전 8시 30분에 경성 남대문 출발
2일	
3일	오후 3시 도쿄에 도착

세키노 일행의 1916년 9월~11월에 걸친 평양 일대에서의 발굴 조사를 정리하면 대략 다음과 같다.[229]

조사지역	조사자	조사유구	출토 및 수집유물	시대
대동군 대동강면	關野貞, 谷井濟 一, 小場恒吉,	정백리 제1호분	五銖錢, 貨泉, 도기, 漆器, 鐵鏃 등 17種 167點	낙랑
대동군 대동강면	關野貞, 谷井濟 一, 小場恒吉,	정백리 제2호분	칠기 수점, 靑銅製提瓶, 도기파편 등 19종 42점	낙랑

---

229 關野貞,「平安南道 大同郡 順川郡 龍岡郡 古蹟調査報告書」,『大正5年度 古蹟調査報告書』,
朝鮮總督府, 1917;「平壤附近に於ける樂浪時代の墳墓 一」,『古蹟調査特別報告 1冊』, 朝鮮
總督府, 1919; 關野貞,「樂浪時代の遺蹟」,『古蹟調査 特別報告 第4冊』, 朝鮮總督府, 1927.

조사지역	조사자	조사유구	출토 및 수집유물	시대
대동군 대동강면	關野貞, 谷井濟一, 小場恒吉,	정백리 제3호분	철검, 동경 2면, 도기 수점, 칠기, 銀釧 등 20종 85점	낙랑
대동군 대동강면	關野貞, 谷井濟一, 野守健	제4호분(정백리 제151호분)	도제 및 칠기파편, 陶製坩 등 10종 53점	낙랑
대동군 대동강면	關野貞, 谷井濟一, 野守健	제5분(정백리 제153호분)	2종 14점	낙랑
대동군 대동강면	關野貞, 谷井濟一, 野守健, 栗山俊一	식암리 제6호분	琉璃小玉, 指輪 3개, 白銅鏡 2면, 漆器, 도기파편 등 26종 37점	낙랑
대동군 대동강면	關野貞, 谷井濟一, 小川敬吉	제7분(석암리 제99호분)	甕, 坩, 甑 등 22종 45점	낙랑
대동군 대동강면	關野貞, 谷井濟一, 小川敬吉	제8분(석암리 제120호분)	五銖錢, 水晶玉, 琥珀玉, 도기파편 등 12종 49점	낙랑
대동강면	關野貞, 谷井濟一, 小川敬吉	제9분(석암리 제9호분)	指輪, 刀子, 玉印(永壽康寧 陰刻), 純金製鉸具, 陶製坩, 陶製甕, 靑銅製博山香爐, 居攝三年銘漆盤[300] 등 86종 205점	낙랑
대동강면	關野貞, 谷井濟一, 小川敬吉	제10분(석암리 제253호분)	銀釧, 지륜, 琥珀製飾玉, 五銖錢 등 9종 58점	낙랑
평남 대동군 시족면	關野貞, 谷井濟一, 栗山俊一	노산리 鎧馬塚	벽화 발견	고구려
평남 대동군 시족면	關野貞, 谷井濟一, 栗山俊一	내리 西北塚	鐵釘	고구려
평남 대동군 시족면	關野貞, 谷井濟一, 栗山俊一	토포리 大塚	大塚-석침, 金銅鏃, 鐵刀子, 陶瓶, 黃褐釉陶瓶, 三脚陶盤, 彩文陶製蓋, 鐵釘, 陶器殘缺	고구려
평남 대동군 시족면	關野貞, 谷井濟一, 栗山俊一	토포리 南塚		고구려
평남 대동군 시족면	關野貞, 谷井濟一, 栗山俊一	호남리 四神塚	벽화, 透彫鍍帶片	고구려

조사지역	조사자	조사유구	출토 및 수집유물	시대
평남 대동 군 시족면	關野貞, 谷井濟 一, 栗山俊一	호남리 金線塚	金絲, 瓦片, 金銅飾金具, 鐵釘	고구려
평남 대동 군 시족면	關野貞, 谷井濟 一, 栗山俊一	礫裾塚		고구려
평남 용강 군 해운면	關野貞, 谷井濟 一, 栗山俊一	용암리 황산 남록 三室塚	骨片,	고구려
평남 용강 군 해운면	關野貞, 谷井濟 一, 栗山俊一	용암리 황산 남록 二室塚	鐵釘 약간	고구려
평남 용강 군 해운면	關野貞, 谷井濟 一, 栗山俊一	용암리 七室塚, 撐石塚	七室塚-철정, 陶製坩, 靑銅製小金具, 陶壺, 鐵釘	고구려
순천군	關野貞, 谷井濟 一, 栗山俊一	선소면 검산고분		고구려
순천군	關野貞, 谷井濟 一, 栗山俊一	북창면 송계동 고분 (天王地神塚)	벽화	고구려

『매일신보』 1916년 12월 5일자에는 이번 조사와 관련하여 다음과 같은 세키
노의 설명을 싣고 있다.

관야 박사 담

금회 조사한 것은 대동강 유역인 대동군 대동면 토성 및 용강군 해운면 등의

낙랑시대의 유적 및 대동군 장수원 부근의 고구려 유지 등인데, 자에는 전혀

---

230 이는 紀年이 있는 漆器의 발견으로는 최초이며, 이후 계속된 평양 일대의 발굴과 도굴
에 의해 나타난 기년 명문의 칠기의 수는 梅原末治, 「漢代 漆器 紀年銘文集錄」(『東方學
報』, 1934)에 수록된 것만도 40여 점이나 된다.

대동강면 토성 부근의 낙랑군치 시대의 유적에 대하여 술할 것이라 낙랑시대
는 <중략> 낙랑군의 군치 장소가 판연치 못하여 많은 사람은 모두 평양이 그
군치의 장소라 믿었더니 거금 4년 전에 자기는 평양의 대안 대동강의 하류 약
1리의 지 즉 대동강면 토성에서 1토벽을 발견하여 조사한 토벽의 내부에서
후한시대 특색의 모양이 있는 환와丸瓦 및 평와파편을 발견한바 조선에도 극
히 옛날부터 와는 있었으나 조선의 와에는 모양이 없는 고로 와의 파편은 이
토성내에 한민족의 건축물이 일찍이 존재한 사실을 증명하고 있고 다시 조사
를 진행한즉 한시대의 동인과 함께 다수의 銅鏃 또는 동제의 도검 등을 발견

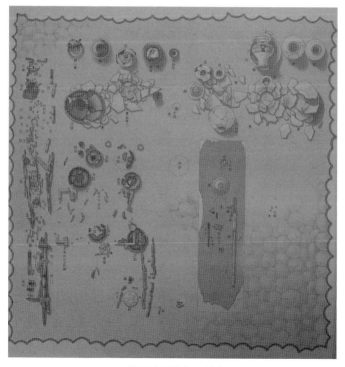

제9호분 유물 출토 상태

하였는데 <중략> 대략 낙랑시대 군치 장소는 토성인 事를 알게 한 것이라.
<중략> 토성부근의 고분은 그 주위는 붕괴되었으나 분명히 방대형의 원상
이 남아 남은 것도 있다. 이 고분에는 모두 내부에 곽을 설하고 그 중에 관을
납하였는데 곽에는 목제의 곽과 전와로 축조한 곽의 2종이 있으며<하략>

세키노는 "1909년 이래 우리들은 수회의 조사로 낙랑, 대방의 군치지로 생각되는
것을 발견하고 또 고분의 발굴로 당시 문화의 증거로 다수의 유물을 획득하여 두 군
의 유적 유물을 시작으로 세인의 이목을 새롭게 하기에 이르렀다"[231]고 하고 있다.
평양 일대의 대발굴로 인하여 엄청난 유물이 출현하자 "낙랑고분에는 순금보화
가 무더기로 묻혀있다"는 소문이 일본인들 사이에 나돌면서 고려자기를 도굴하던
도굴꾼들이 대거 평양일대로 몰려들면서 낙랑고분의 대난굴 시대가 전개되었다.

1916년 세키노 일행이 발굴한 '순금제교구'(국보 제89호)

핫타 쇼메이八田蒼明는『낙랑과 전설의 평양』에서, "1916년 세키노關野 박사 일행이 석암리 제9호 목곽분을 발굴하여 백 수십 점의 귀중한 부장품을 얻자 낙랑연구열이 점차 민간에까지 확대" 되었음을 증언하고 있다.

세키노關野의 기록에,

도굴로 인하여 평양방면의 발굴이 곤란하다. 작년 봄(1916)에 토민들의 도굴이 시작되어 그 출토품을 호사가들이 다투어 구하는 바람에 날로 도굴이 장려되는 결과를 낳게 되었다. 이미 50, 60기의 고분이 모두 파괴되었으며, 우리가 작년 10월에 평양에 거할 때 이러한 출토 유물의 그 양이 많음과 진귀한 것을 보고 놀랐다. <중략> 토민들의 도굴로 천고 귀중한 유적이 사라지는 것이 너무나 애석하여 도청, 부청당국자에게 일층 취체取締를 엄중히 할 것을 당부했다. 총독부에 대하여는 속히 적당한 조사방침을 취해 줄 것을 진언했다. 그래서 작년 겨울 이래 취체取締는 다시 강화되었다. <중략> 학계를 위하여 간절히 당국자의 성의 있는 노력을 바란다[232]

라고 하고 있다.

평양 대동강면 일대의 발굴에 대한 흥미는 1909년 세키노關野 일행의 석암리 고분의 발굴과 그 해 겨울에 이마니시今西 등이 동지同地의 분묘를 발굴하여 그 발굴품을 일본으로 가져가 소개하면서 도굴을 부추기게 되었으며, 1916년 조선총독부가 새로이 고적조사위원회를 조직하고 대규묘 발굴을 개시 대동강면에서 10기의

232 關野貞,『朝鮮の建築と藝術』, 1941, p.256.

고분을 발굴하여 풍부한 부장품을 세상에 알리면서 이를 전후하여 평양 재주의 일본인들 간에 고분 출토 유물에 관한 강한 욕심을 불러일으키게 되었다. 그 중에 가장 대표적인 자는 야마다山田으로 그는 직접 본인이 수집을 하기도 하지만 한인들이 경작 중에 우연히 출토한 유품의 소편小片까지 사모아 우메하라 스에지梅原末治가 1920년에 평양에 조사차 들렀다가 본 야마다山田의 수집품은 그 수가 천을 넘었다고 한다.[233] 이 때를 전후하여 세키노關野 일행의 발굴은 평양의 일본인들에게 비상한 자극을 불러 일으켜 고분을 염탐하는 자들이 늘어나고 도굴이 성행하여 평양경찰서가 강력 단속하는 법을 강구하여 어기는 자를 엄히 다스리고 출토품을 압수하여 총독부 조사과에 송치하는 방침을 취하였다. 그러나 대부분의 도굴품은 돌고 돌아 평양에 있는 세키구치關口半, 하시도橋都芳樹, 시라카미白神壽吉 기타 일본인 수집가들의 손에 들어갔다.[234] 이처럼 도굴품들이 평양의 유지들의 손에 들어간 이상 경찰들이 조사를 할 수가 없었음은 쉽게 짐작할 수 있다.

고려 명종의 지릉이 도굴 당하다.

명종明宗의 지릉智陵은 『고려사 세가』 고종3년 3월 조에 의하면, "판사천사判事天事 안방열安邦悅에게 명하여 지릉을 수리하게 하였는데, 이는 몽고병이 헐어 놓은 까닭이다" 라는 기록이 보인다.

---

233 梅原末治, 「北朝鮮 發見の古鏡」, 『東洋學報』 第14卷 2號, 東洋協會學術調査部, 1924, p.67.
234 梅原末治, 「北朝鮮 發見の古鏡」, 『東洋學報』 第14卷 2號, 東洋協會學術調査部, 1924, p.68.

명종 지릉은 1916년 9월 중 도굴을 목적으로 악한이 누차 지릉을 염탐한 형적이 있으므로 관헌 및 능간수인이 주의를 했는데, 잠시 관헌의 주의가 태만한 틈을 타 1916년 9월 22일 밤에 여러 명의 도적들이 이 고분을 도굴했다. 이 보고를 받고 조선총독부에서는 1916년 10월 14일 총독부기수 세기야 쵸노스게關谷長之助와 이마니시 류今西龍를 파견하여 조사를 하였다. 도굴범들은 조선인 13인으로 구성되어 이마니시 등이 조사할 경에는 이미 그 다수가 포박되었다.

명종지릉출토품(古蹟圖譜에 의함)

이마니시 일행의 조사는 전일 도둑들이 침입한 입구를 이용하여 현실 내로 들어가 내부에 쌓인 토사를 밖으로 반출하고 실측은 세키야가 했다. 조사 때 헌병 및 장단군 서기의 입회 하에 조선인 인부를 사용했다. 현실의 4벽에는 벽화의 흔적이 있었다. 이 왕릉은 3회의 도굴을 당했는데 3회가 금회로 조선인 13인의 도적이 도굴을 한 것이다. 현실 내에서 약간의 청자기와 작은 금환 잔편 1개, 동환 3개, 철정 등을 발견했다. 황송통보皇宋通寶 1개, 개원통보開元通寶 1개를 발견했다.[235]

235 今西龍,「高麗陵墓調査報告書」,『大正5年度 古蹟調査報告』, 朝鮮總督府, 1917, 圖版 134~147, p.501~515.

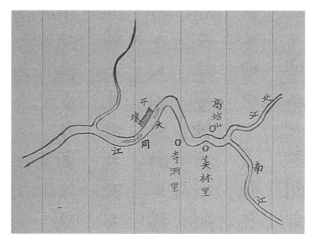
대동강안 지형도

　수습한 유물은『조선고적도보』제7책(도판 3342-3351)에 게재했다. 이는 도굴이 되었지만 일제 때 학술적 발굴에 의하여 확실한 것이 발견된 예는 이 능에서 나온 유물 수 점 뿐이다.[236] 그러나 이 수 점은 상감청자의 편년編年을 推定하는데 중요한 단서端緖를 제공提供하고 있다.

　서긍徐兢이 지은『선화봉사고려도경』에 고려청자에 대한 좋은 기록을 남기고 있으면서 고려청자에 있어서 가장 특색이라 할 수 있는 상감청자에 대하여 하등 말한 바 없을 뿐 아니라 인종仁宗의 장릉長陵에서 나온 황통6년병인3월皇統六年丙寅三月에 받든 공효대왕恭孝大王(仁宗의 諡號)의 옥책玉册과 함께 아름다운 청자화병 등이 출토되었

236　小田省吾,『朝鮮陶瓷に 關する 若干の文獻』, 學藝書院, 1936, pp.11-12.
　　　高裕燮,「靑瓷의 傳世와 出土」,『高裕燮全集』, 通文館, 1993, p.71에,
　　　"도굴된 뒤이지만 학술적 발굴에 의하여 확실한 것이 발견된 예는 경기도 장단군 장도면 두매리 明宗 智陵에 있어서 수 개뿐이고 仁宗의 長陵에서 그의 玉册과 함께 발견되었다는 수점과 개풍군 토성면 여장리 노국대장공주 正陵에서 출토되었다는 象嵌香爐 같은 것은 학술적 발굴에 의하지 않은 듯하다."

으나 어느 것이나 상감한 청자는 없었다. 그런데 한 대를 사이에 두고 명종의 지릉에서 상감이 있는 청자명, 발 등 수 점이 발견된 까닭으로 상감청자는 결국 이 인종과 명종과의 사이 즉 의종조毅宗朝(1147~1170)에 생겼을 것이라고 추정하고 있다.[237]

1916년 9월 27일

도리이 류조(鳥居龍藏)의 평안남도, 황해도 고적조사

조선총독부 고적조사위원 도리이 류조鳥居龍藏는 1916년 9월 27일부터 10월 24일까지 평안남도 황해도 및 경기도 일부를 순회하여 유사이전을 조사하고 1917년 5월에 약보고를 제출했다.[238]

먼저 평안남도 유사이전 유적 조사는 평양 대동강반의 대표적 유사이전의 유적이라 할 수 있는 사동, 고방산 부근, 미림리 등을 조사하여 이곳에서 석기시대의 석기, 석부, 석포자, 석족, 석도, 석추 등 많은 유물을 채집했다.

그 외 평남 용강군 한토성에서 15정 떨어진 황산록 고분군을 조사하고, 용강군 해운면 용반리 패총 발굴 약간의 토기, 석족, 지석을 발굴하고, 매산리 고총

---

237 高裕燮, 「靑瓷의 變遷」, 『高裕燮全集4』, 通文館, 1993.
238 鳥居龍藏, 「不安南道黃海道古蹟調査報告書」, 『大正5年度 古蹟調査報告書』, 朝鮮總督府, 1917; 『국립중앙박물관 소장 조선총독부박물관 공문서』 목록번호 : 96-301; 小野忠明, 「朝鮮大同江岸節目紋土器に隨伴する石器」, 『考古學』 제8권 제4호, 東京考古學會, 1937년 4월.

은율군 남부면 군량리 유적

성토에서 석부 등을 발견하기도 했다.[239]

황해도에서는 은율군 남부면 사금동 유적, 은율군 북부면 운산리 부근 유적, 안악군 읍내면 오리동 유적, 봉산군 토성 유적, 은율군 남부면 군량리 유적을 조사하여 석부, 석포정, 석추, 석족, 석검, 토기편 등 많은 유물을 채집했다.

당시 다음과 같은 관련 신문기사가 있다.

조거룡장 씨는 금회 평안남보 및 황해도 지방의 고물유적답사를 위해 27
일 오전에 평양으로 출발하였는데 귀경기는 본년 연말 예정이라더라(『매
일신보』1916년 9월 29일자).

---

239 小野忠明,「朝鮮大同江岸節目紋土器に隨伴する石器」,『考古學』제8권 제4호, 東京考
古學會, 1937년 4월.

안주에서 조거 씨 고적조사

조거용장 씨는 지난 30일 안주군 칠불사 및 백상루를 조사하고 20세 내지 30세의 남녀 약 10명을 군청으로 소집하여 인류학측을 하고 개천으로 향하였다(『매일신보』 1916년 10월 7일자).

총독부 촉탁 고적조사원 조거룡장 씨 일행은 진남포 용강 강서 시방에서 인류학상 조사를 종료하고 지난 11일 귀양하였는데 14일부터 황해도 방면 조사에 착수할 예정이라더라(『매일신보』 1916년 11월 15일자).

평안남도교육회 주최로 13일 오후 4시부터 기양구락부에서 조거 고적조사원의 강연이 있었는데 최근 평남 각 지방에서 조사 연구한 조선인 인류학상의 유익한 강술을 하였다더라(『매일신보』 1916년 11월 16일자).

황해도 송화군 약산면 읍내리에 거주하는 사금 광부 오동건은 요사이 동군 연정면 두죽리 논에서 사금을 채굴하던 중 큰 독 한 개를 발견하여 송화헌병분대에 신고하여 보관하여 오던 중 11월 27일 조거룡장 씨에게 감정을 청한즉 그 독은 넉넉히 2천년 이상을 지낸 구어 만든 것으로 판명되었다(『매일신보』 1916년 12월 13일자).

1916년 9월 30일

태봉산 태실 도굴

조선시대에는 왕족이 출생하면 태를 명산에 매봉埋封하였다. 전국의 명산에는 태를 묻은 곳이 많았는데 이는 단壇과 같이 석축石築을 하고 표석을 세워 두었다. 그리고 이러한 산을 태봉산이라 불렀다.

전라북도 금산군 추부면 마전리 태봉산은 이 태조의 제태臍胎를 봉한 곳이라 하여 대전에서 금산에 통하는 대로에 있음으로 참배하는 자가 끊이지 않았다. 그런 중 9월 30일경에 도굴을 당하였다.

『매일신보』 1916년 10월 15일자에는 다음과 같은 기사가 있다.

지난 9월 30일경 그곳을 몰래 파는 자가 있어 본월 3일에 그곳 헌병분대에서 알고 수색중이다. 이 태봉산은 충남과 전북의 두 도 경계에 있는 유명한 산으로 조선 태조의 제태를 봉했다는 이야기가 전해지며 이 지방 전설에는 태조의 제태를 황금항아리에 봉안하여 무거운 석괴 속에 안치하였다는 이야기가 전해진다. 석궤를 옮기고 그 안의 유물을 훔쳐 간 것이다. 제태를 묻은 자리는 위에는 탑과 같은 비석이 있고 비석 아래는 커다란 받침돌이 두개 있는데 그 아래 석궤가 있으며 그 돌은 한 개가 6, 7백 근이나 나가는 무게라 범인은 최소한 세 명 이상으로 추정되었다. 석궤의 주변에는 깨진 돌조각이 무수히 있었으며 근처에는 켜다 남은 양초조각이 있었다.

범인들이 파낸 자리에는 항아리가 그대로 있었으며, 항아리 속에는 부패한 형

겊 조각과 갈색으로 변한 흙덩어리만 있었으며, 항아리 두껑 표면에는 '유대세계유갑인삭신유일병신시입안維大歲癸酉甲寅朔辛酉日丙申時入安' 이란 글이 있었다.

이 같은 도굴 사건이 발생한 후 이나다 순스이稻田春水에 의해 곧 바로 조사가 이어졌다. 그의 기록에는 다음과 같이 기록하고 있다.

태실胎室이 있는 곳은 약 2평 가량을 차지하고 있으며 8개의 화강암석으로 8각형으로 쌓고 주위는 석재로 높이 3척의 옥원玉垣을 두르고 「태조대왕태실太祖大王胎室」이라 각刻한 석비石碑를 세웠다. 지하 2척의 곳에서 경 3척의 석궤石櫃을 묻고 실내에는 「維大歲癸酉甲寅朔辛酉月丙時入安」이라 주서朱書로 되어 있고 개부의 호徑一尺五寸高二尺을 장하였다. 이외는 하등의 물건을 발견하지 못하였다. 이는 이미 도굴을 당한 때문이다(10월 21일 稻田春水 보고).[240]

후에 일제는 전국 명산에 산재한 태를 서울 인근의 경기도 고양시 원당동 서삼릉 지역으로 이장을 하였는데, 조선왕가 태무덤들의 백자태항아리들을 교묘히 일제 때 제작한 것으로 뒤바꿔 버린 것도 있었다. 문화재 관리국이 1996년 3월 15일 서삼릉 지역의 태실 재정비를 위해 1차 발굴한 헌종과 예종의 아들 인성대군 태무덤에서 출토된 태항아리를 조사한 결과 제작기법과 유약을 볼 때 일제 때 만들어진 것으로 밝혀졌다.[241]

---

240 稻田春水, 「全羅北道 錦山郡 胎封山의 發掘」, 『考古學雜誌』 第7卷 3號, 1916년 11월, p.55.
241 『조선일보』, 1996년 3월 16일.

1916년 9월

금석문 탁본 제지

『매일신보』 1916년 9월 9일자 기사

고적조사와 더불어 금석문 수집이 빈번해지자 금석문의 가치가 점차 세인들에게 알려지게 됨에 따라, 일반인들이 탁본을 하기 위해 고비 기타 금석물을 오손 훼손하는 일이 적지 않았다. 이에 총독부에서는 보존상의 필요로 탁본을 하고자 하는 자는 먼저 총독부의 허가를 받도록 했다. 또 고찰에 있는 것도 동일하게 허가를 받게 했다.[242]

1916년 10월 4일

이마니시 류(今西龍)의 고려왕릉 조사

이마니시 류今西龍는 1916년 10월 4일 총독부 기수 세키야 쵸노스케關谷長之助와 동행하여 경성을 출발 개성군, 장단군, 강화군, 평산군을 조사하고 10월 30

---

242 『釜山日報』 1916년 9월 4일자.

일 경성으로 귀환했다. 그 일정과 조사내용은 다음과 같다.[243]

10월 4일 실측자 및 사진사, 총독부 기수 세키야關谷와 동행하여 경성을 출발 개성에 도착하여 만월대를 일람했다.

10월 5일 서구西龜, 현玄, 정正, 태泰, 명릉군明陵群을 조사하고 개성에 숙박했다.

개성군 여릉리麗陵里 고릉동高陵洞에는 충렬왕忠烈王의 경릉慶陵으로 추정되는 능이 있는데 석광石壙의 상부를 도굴자들이 뚫었으며 광내壙內에는 어떤 유물노 없었으며 도굴공盜掘孔으로 흘러 들어간 흙이 바닥에 고착固着되어 있었다.[244]

충렬왕忠烈王의 비妃인 제국공주齊國公主 고릉高陵은 "매장埋葬 당시 귀중품이 부장副葬되었다는 풍설風說이 있어 충혜왕忠惠王 2년 임신壬申에 이르러 도적에 의해 도굴의 화를 당하였는데, 근년에 또 다시 도굴"[245]당했다고 한다. 고릉은 1978년 북한 사회과학원 고 고학연구소에서 발굴 복원하 였다. 당시 조사에서 무덤벽 면과 천정에는 회벽이 거의 떨어져 나갔으나 일부 남아 있는 회벽에는 벽화를 그렸 던 흔적이 부분적으로 나타

제국공주 고릉

243 今西龍,「京畿道廣州郡, 利川郡, 楊州郡, 驪州郡, 高陽郡, 加平郡, 楊平郡, 長湍郡, 江華郡, 黃海道, 平山郡 遺蹟調査報告書」,『大正5年度 古蹟調査報告書』, 1917; 今西龍,「大正5年調査旅行日程」,『국립중앙박물관 소장 조선총독부박물관 공문서』.
244 川口卯橋 編,『開城郡 高麗王陵誌』, 開城圖書館, 1927, p.52.
245 今西龍,「高麗陵墓調査報告書」,『大正5年度 古蹟調査報告』, 朝鮮總督府, 1917, p.411. "此陵近年亦盜屈."

나 있었으며, 자기파편 2개, 일부 장식품 파편이 발견되었다.[246]

10월 6일 칠릉군, 선릉군宣陵群 등을 조사하고 개성에 숙박했다.

10월 7일 소릉군, 냉전동군을 조사하고 개성에 숙박했다.

10월 8일 강릉康陵 외 3릉, 강감찬건립탑을 조사하고 개성에 숙박했다.

10월 9일 온혜溫鞋, 헌릉憲陵을 조사하고 개성에 숙박했다.

10월 10일 칠릉군七陵群의 제7릉의 내부를 조사하고 개성에 숙박했다. 개성군 중서면 선릉宣陵군 제3릉 및 칠릉군 제7릉의 영역 내에서 각 1개의 타제석부를 채집했다.

『대정5년도 고적조사보고서』 수록된, 경릉 도굴 흔적

10월 11일 두문동 고려분묘를 조사하고 개성에 숙박했다.

10월 12일 개성에 체재하면서 서류조사 및 기타 채집유물을 정리했다.

10월 13일 개성 발, 장단에 도착했다.

10월 14일 명종지릉明宗智陵의 내부 조사하고 장단에 숙박했다.

10월 15일 지릉에서 유물 검출, 개성으로 돌아왔다.

10월 16일 개성 출발 강화 도착했다. 강화군 강화도, 지석묘, 삼랑성, 강화사고, 전등사, 기타 강화도에 있는 사원을 조사했다.

10월 17일 강화읍 출발 건평에 도착했다.

---

246 백산자료원, 『고려무덤 발굴보고』, 사회과학출판사, 2003.

10월 18일 외포리 고려고분을 조사하고 건평에 숙박했다.

강화도 망산 남쪽 기슭의 고분도 경릉庚陵[247]을 포함하여 상당수가 도굴을 당하였다. 이 지역에는 많은 고려시대 분묘가 산재되어 있는데 외포동 근처 소사지小寺址로 여겨지는 부근에는 고려시대 분묘가 구시대에 발굴된 것 또 근년에 상당수가 도굴된 흔적이 산재되어 있었는데 이마니시今西의 기록에,

그중 외형상 최대의 것은 속칭 경릉庚陵으로 본원本員이 이 지역에 출장을 명받아 조사할 때, 名稱은 경찰서 조서에 의해 강릉康陵 혹은 경릉庚陵으로칭, 가칭 경릉으로 記述 지방인들은 옛날에 군수가 부임해 오면 이곳에 와서 배례拜禮하였다는데, 사실에는 의문이 간다. 수년 전 한 일본인이 도굴하여 유물일부遺物一部를 꺼냈는데 폭도에게 습격을 받아서 두고 갔다는 설이 있으며 혹은 무사히 휴대携帶하고 갔다는 설이 있다. 1916년 2월에는 조선인이 도굴을 하기 위해 후방後方 광내壙內를 침입하여 미수未遂에 그쳐 경관에게 포박捕縛당했다. 본원이 도굴지의 광내를 조사, 유물을 취득하였는데, 제 1회 도굴시 퇴적된 토중에서 건원통보乾元通寶 등 18개의 동전을 검출檢出하였다.[248]

라고 기록하고 있으며, 강화도 일대는 1916년에 이미 거의 다 파괴되었다고 보

247 今西龍,「高麗陵墓調査報告書」,『大正5年度 古蹟調査報告』, 朝鮮總督府, 1917, p.547, 도판 134~147.
   "數年前 日本人이 盜掘하여 달아나고, 大正5年二月 朝鮮人이 盜掘(附近의 小墳).
248 今西龍,「江華島 望山 南麓 高麗時代 墳墓調査記」,『大正5年度 古蹟調査報告』, 朝鮮總督府, 1917, pp.547-548.

아야 할 것이다.[249]

10월 19일. 건평 출발, 가릉嘉陵을 조사하고 마니산에 올랐다.

강화군은 고려조 천도의 관계로 개성 일대에서 이봉移封한 여릉麗陵 여묘麗墓가 많이 있었는데 그 후 재차 천도시遷都時에 옮긴 것도 많이 있었으나 조선이 들어서면서 옮기지 못한 것도 상당수가 있었다. 그러나 연대가 경과하면서 점차 그 소재를 잃게 되어, 조선 21대 영조英祖 때 유수留守 조복양趙復陽이 상명上命에 의해 수색하여 겨우 4기의 능을 발견하여 표석標石을 세우고 수호守護하였다.[250]

그 4기는 양도면 길정리 21대 희종熙宗의 석릉碩陵, 부내면 국화리 23대 고종高宗의 홍릉洪陵, 양도면 길정리 23대 고종高宗의 비妃 원종태후元德太后의 곤릉坤陵, 양도면 능내리 24대 원종元宗의 비 순덕태후順德太后의 가릉嘉陵 등으로 사람이 수호守護하고 있었으나 모두 도굴의 화禍를 면치 못했다.[251]

가릉嘉陵의 경우에는 1916년 경 토목국에서 조사할 때 부락민이 전하는 말에 도굴 당시에 마등馬鐙이 나왔다고 한다.[252]

고려 21대 희종(재위기간 1204~1211년)의 무덤인 석릉碩陵은 현재 사적 제

---

249 1916年頃 殖産局山林課에서 調査한 記錄(朝鮮寶物古蹟調査資料)을 보면,
　　松海面 下道里 - 小形古墳 무수히 散在함, 全部 發掘
　　府內面 菊花里 - 小形古墳 무수히 散在함, 全部 發掘
　　內可面 古川里 - 小形古墳 무수히 散在함, 全部 發掘
　　佛恩面 三成里 - 高麗時代 共同墓地, 이미 發掘
　　仙源面 錦月里 - 高麗時代 共同墓地, 이미 發掘
　　良道面 陵內里 - 嘉陵, 發掘
　　양호한 것이 단 한 基도 없었다.
250 『江華府誌』陵墓 條, 1783; 『續修增補江都誌』.
251 『京畿地方の名勝史蹟』, 朝鮮地方行政學會 發行, 1937, p.307-308.
252 『朝鮮寶物古蹟調査資料』, 朝鮮總督府, 1942.

희종 석릉

369호로 지정되어 있는데 2001년 9월부터 주변 정비를 위해 문화재연구소에서 발굴을 하였는데 해방 이후 남한에서는 처음으로 행해진 고려 왕릉의 발굴이라 할 수 있다. 발굴 결과 이미 세 차례에 걸쳐 도굴을 당한 것으로 확인되었다. 도굴구는 석실을 덮은 큰 돌의 남쪽과 서쪽, 그리고 북서쪽에 나 있었다. 석실 내부에는 세 번째 도굴에서 바닥을 헤집어 놓아 쓰레기더미 같이 만들었다. 이 곳에 부장된 청자들은 청자의 제작기술이 가장 발달하였던 12, 13세기에 만들어진 명품들이나 잇따른 도굴로 온전한 것은 1점도 발견되지 않았고 일부의 도굴꾼들이 파괴한 청자 파편 약간이 발견되어 2002년 1월에 공개되었다.

강화도 일대의 고분들은 일찍부터 도굴꾼들의 주목을 받아와 이마니시가 조사할 당시에는 이미 대부분이 도굴을 당하였다. 이마니시의 기록에,

왕씨 고려시대의 분묘는 본도 및 속도本島及屬島에 많은데 모두 강화새도江華在都 40년간에 매장한 것으로 … 우수한 유물이 있는 고로 도굴이 성행盛行하여 이

시대의 발굴품이 한때 시정市#에 무수히 나와 지금은 거의 발굴이 다하였다.[253]

라고 기술하고 있다.

10월 20일 전등사를 경유하여 강화읍에 도착했다.

10월 21일 홍릉洪陵을 조사하고 청련사를 경유하여 지석묘를 조사하고 강화읍에 도착했다.

10월 22일 강화를 출발하여 개성으로 돌아왔다.

고종홍릉(고적도보)

10월 23일 개성을 출발 오룡사 법경대사비法鏡大師碑를 조사하고 화장사에 도착했다. 화장사를 조사했다. 이 사에는 패엽경을 소장하고 있는 것으로 유명한데 십 수 년 전에 산일되었다. 지공정혜영조지탑指空定慧靈照之塔, 지공화상상指空和尙像, 7층석탑, 공민왕화상恭愍王畵像 등을 조사했다. 공민왕화상은 종 6척4촌5분, 폭 5척1촌5분으로 일우一隅에 '高麗聖君恭愍大王之眞'의 표제가 있는 우수한 작품이라고 평하고 있다.

10월 25일 월노동 제2릉을 조사하고 개성에서 숙박했다.

253 今西龍, 「京畿道江華郡 遺蹟遺物調査報告書」 第3 江華島 古墳 條, 『大正5年度 古蹟調査報告』, 朝鮮總督府, 1917, pp.227-228.

월노동月老洞의 제1, 2호분[254]이 도굴 당하였고, 개성군 진봉면 봉동리의 속설俗說 영릉永陵도 도굴[255] 당하였으며 일대의 공동묘지에 있는 고분들도 남김없이 도굴을 당하였다.[256]

10월 26일 순릉順陵 및 정릉貞陵을 조사하고 개성에 숙박했다.

10월 27일 동구릉東龜陵, 귀법사지, 화곡릉花谷陵을 조사하고, 오룡사법경국사비, 강감찬조탑, 귀법사지의 당간지주석, 석조, 석탑 등을 조사했다. 귀법사시 당간지주석이 있는 곳은 일본인 모가 과수원으로 만들어 과수원 내에 있으며 부근에는 개간을 하면서 출토한 와편이 다수 산재하고 탑개석 및 초석이 있다고 한다. 귀법사석탑의 경우에는 탑신을 잃고 기단 및 개석 수개가 유존하는데 허물어져 있는 사진을 게재하고 근년에 적한이 이같이 파괴 했다고 한다.

개성군 영남면 용흥리의 동구릉東龜陵은 이미 도굴을 당하여 릉은 황폐가 심하고 그 배후구背後丘의 토중土中에는 고와편古瓦片이 산란했다.[257]

개성군 영남면 용흥리에는 속칭俗稱 '얼구리릉' 이라고 하는 화곡릉花谷陵이 있다. 안정복의 『동사강목東史綱目』 혜종2년惠宗二年(945) 9월조에, "왕이 훙薨하여 순

---

254 今西龍,「高麗陵墓調査報告書」,『大正5年度 古蹟調査報告』, 朝鮮總督府, 1917, p.491.
　　"十二前 盜掘."
255 今西龍,「高麗陵墓調査報告書」,『大正5年度 古蹟調査報告』, 朝鮮總督府, 1917, p.492.
　　"兩三年前에 盜賊이 發掘."
　　山崎駿二,『開城郡 高麗王陵誌』, 開城圖書館, 1927.
　　"금서룡의 보고서에는 忠惠王 永陵은 이미 그 소재를 잃어버렸다. 2, 3년 전에 도적이 진봉면 봉동리 고총을 發掘하였는데 이 무덤을 永陵이란 설이 있다."
256 『朝鮮寶物古蹟調査資料』, 朝鮮總督府, 1942, p.40.
257 今西龍,「高麗陵墓調査報告書」,『大正5年度 古蹟調査報告』, 朝鮮總督府, 1917, p.470.
　　川口卯橋 編,『開城郡 高麗王陵誌』, 開城圖書館, 1927, p.47.
　　"이 릉 역시 30년 전에 도굴되었다."

릉順陵에 장사지냈다. 송악의 동쪽 기슭 탄현문 밖에 있는데 세상에서는 추왕릉皺王陵이라 부른다" 하고, 고유섭 선생은 「고려릉과 그 형식形式」에서, "추왕皺王의 능, 즉 혜종 순릉惠宗 順陵이라고 생각한다. '얼구리' 즉 국석菊石(곰보)왕의 능이란 말이니 전설에 혜종은 그 모후母后가 낳을 적에 삿자리에 떨어뜨려 삿자리 자국이 왕의 얼굴에 잔뜩 나서 추왕皺王이라 하였다는 것과 부합되는 까닭이다" 라고 한다. 이 능도 도굴 당한 흔적痕迹이 명백하였다.[258] 그 외 영남면 용흥리의 화곡과 반현에 산재한 직경 1간 내지 2간의 무수한 고분들도 남김없이 도굴을 당하였다.[259]

10월 28일 토성리 토성, 창릉昌陵 등을 조사하고, 세키야關谷 기수는 영릉榮陵을 실측했다.

10월 29일 개성을 출발 평산군에 이르러 다시 개성으로 돌아왔으며, 세키야 기수는 칠릉군 등 제릉을 실측했다.

10월 30일 현릉顯陵을 재조사하고 오후에 개성을 출발 경성으로 돌아왔다.

1916년도 이마니시 류今西龍의 조사는 1916년 8월 27일 불암사 조사를 시작으로, 9월 2일부터 9월 13일까지 경기도 광주군, 이천군, 여주군을 조사하고, 9월 18일부터 9월 30일까지 경기도 가평군, 양평군, 여주군을 조사하고, 10월 4일부터 10월 30일까지 경기도 개성군, 장단군, 강화군을 조사한 후 다음과 같은 자료를 제출했다.

---

258 今西龍, 「高麗陵墓調査報告書」, 『大正5年度 古蹟調査報告』, 朝鮮總督府, 1917, p.480.
259 『朝鮮寶物古蹟調査資料』, 朝鮮總督府, 1942, p.33.
　　 1934년에 발간한 『開城誌』(林鳳植)에는 月老洞의 고분 중에 德宗肅陵과 靖宗周陵이 있을 것으로 추정하고 있다.

1. 대정5년도 유적유물 조사보고서 2책

1. 고려릉묘 조사보고서 2책

1. 사진 162매

1. 세키야 쵸노스케關谷長之助 실측 작성 시측도 44면

1. 고려릉 소재지 표시기입 5만분의 1도 3매

대정6년 9월 제출

1916년 10월에 조사한 고려릉묘의 조사는 별도로『대정5년도 고적조사보고』
의 고려릉묘조사보고서로 제출되었다.

1916년 10월 10일

고려 칠릉군 조사

칠릉군七陵群은 중서면中西面 만수산萬壽山의 남쪽 태조동의 서북쪽에 있으며
고려왕릉 일곱이 있으므로 이곳을 칠릉동七陵洞이라 부르고 있다. 이 일곱의 릉
은 어느 왕의 릉인지는 미상未詳이므로 다만 숫자로 표기하여 칠릉七陵이라 표
기하고 있다.[260] 서쪽에서부터 동쪽으로 가면서 번호를 부여하였는데 제일 서
쪽에 있는 무덤이 1릉이며 제일 동쪽에 있는 무덤이 7릉이다.

이 중 제6릉은 1906년 6월 21일자『관보』에 의하면, "1906년 음력 정월 13일

---

260 『英祖實錄』 1755년 3월 20일 조에 "칠릉(七陵)의 표석(表石)이 완성되다" 하는 기사가 있다.

7릉군의 제1릉

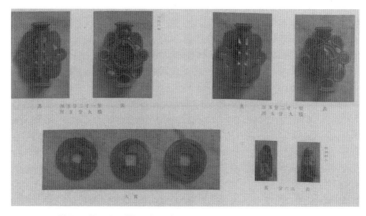

칠릉군 출토유물(『조선고적도보』제7책 (도판 3336～3341))

밤에 도굴을 당하였는데 길이와 폭 6, 7척, 깊이 10여 척"이라고 한다. 1916년
에는 제3, 4, 7릉이 도굴꾼들에 의해 도굴을 당하였다는 사실이 총독부에 보고
되어 이마니시 류今西龍는 1916년 10월 10일 총독부 기수 세키야關谷長之助의 도
움을 받아 조사를 했다. 일본인 인부 3명을 사용하여 도적이 침입한 입구를 통
하여 현실 내로 들어가 당일 조사를 종료했다. 제7릉은 2회에 걸쳐 도적이 침

입하여 유물을 약탈해 갔다. 근일에 침입한 도적은 현실 내의 쌓인 흙을 옮기면서 유물을 수색한 흔적이 있었다. 조사시에 황금제관식黃金製冠飾 1대對, 황금불상黃金佛像 1구軀, 동전銅錢 등을 발견하고 일부 잔존 유물을 박물관으로 옮겼으며,[261] 그 유물은 『조선고적도보』 제7책 (도판 3336~3341)에 게재되어 있다. 제4릉도 도굴 흔적이 있었으며 와편과 자기, 토기편이 봉토 위에 산란했다. 7릉군의 나머지 능들도 이후 계속적인 도굴을 당한 것으로 보인다.[262]

7릉군七陵群은 북한사회과학원 고고학연구소에서 1983년에 발굴 정비하였는데, 당시 제1릉에서는 청자술잔1개와 청자접시 파편, 금동장식띠 등이 발견되었다. 2호분은 막음돌의 윗부분에 도굴구가 있었으며, 은전, 구슬, 청동손잡이 등이 발견되었다. 제4호분은 여러 차례 도굴 당하여 아무런 유물을 발견하지 못했다. 제5호분도 여러 차례 도굴을 당하여 청자파편 3개만 발견되었다. 제6호분은 도굴로 인하여 남쪽벽이 심하게 파괴되어 있었으며 부장품으로는 구슬, 청동장식띠 등이 발견되었다. 제7호분에서는 금제불상 1개, 금제장식 1쌍, 청자파편 일부가 발견되었다.[263]

261 今西龍, 「高麗陵墓調査報告書」, 『大正5年度 古蹟調査報告』, 朝鮮總督府, 1917, p.523.
262 『每日申報』1931년 3월 4일자에,
　　　"작년 12월 11일 오후 8시경부터 그 익일 오전 5시까지의 사이에 개성부외 중서면에 있는 고려왕릉의 제1, 제2릉을 발굴하야 봉분 속에 묻혀 있는 고가의 고려자기를 절취하려다가 목적을 달성하지 못한 범인 개풍군 한서면 설유동 외 2명을 18일 개성서원의 손에 체포되어 취조를 받는 중이다" 라고 하는데 7릉군의 릉으로 보인다.
263 김인철, 『고려무덤 발굴보고』, 사회과학출판사, 백산자료원, 2003.

1916년 10월 11일

개성군 중서면 여릉리 두문동 고분 조사

두문동은 광덕면 광덕산 서쪽 기슭에 있는 지명으로 고려가 망할 때에 그곳 사람들이 문을 닫고 절의節義를 지켰기 때문에 동네 이름을 두문동이라 하였다.[264] 이태조가 고려를 멸망시키고 건국하자 조선을 반대하던 고려의 귀족과 신하 72인이 끝까지 고려에 충성을 다하고 지조를 지키며 조선의 녹을 먹지 않고 항거하여 이태조에게 몰살당하여 순국한 곳이다. 이곳의 고분군은 소분묘小墳墓가 군집群集되어 있는데 일찍부터 도굴꾼이 주목注目하던 곳으로 총독부에서 조사할 때 새로 도굴된 흔적이 수 개가 있었다. 이마니시 류와 총독부 기수 세기야 쵸노스케關谷長之助가 유적지의 동측 아래쪽의 3개의 분묘를 일본인 3인과 개성헌병분대 헌병, 개성군 서기 박모의 입회하에 1916년 10월 11일에 조사하였는데, 제1, 2, 3호분[265]등을 포함한 상당수가 이미 도굴 당하였다. 그중 제1호분에서는 잔존유물殘存遺物로 청자호靑瓷壺, 청자발靑瓷鉢 2점, 동시銅匙 등이 발견되었고, 제2호분에서는 철정鐵釘, 청자호靑瓷壺, 청자명靑瓷皿(대, 중, 소), 동전銅錢 등이 발견되었다.[266]

---

264 李肯翊, 「練藜室記述」 杜門洞 條.

265 今西龍, 「高麗陵墓調査報告書」, 『大正5年度 古蹟調査報告』, 朝鮮總督府, 1917, pp.537~539.
 "大正五年盜掘."

266 今西龍, 「高麗陵墓調査報告書」, 『大正5年度 古蹟調査報告』, 朝鮮總督府, 1917.

1916년 10월 19일

묘지에서 발견한 순금제이식

경북 영주군 순흥면 석교리 김봉이 외 3명은 본년 10월 19일 석교리의 서방 산암산 승턱에서 묘지를 수선하던 중 순금으로 만든 귀걸이 기타 부속품을 발견하고 이를 고물상에 팔려다가 관헌에게 적발되어 유물은 모두 압수되었다.

11월 19일에는 고적조사를 위해 동지에 출장한 세키노도 자세히 조사를 하였는데, 동네 노인의 말에 의하면 발견 장소는 고려 때의 장지로 고려조 귀족의 무덤으로 보인다고 한다.[267]

1916년 10월 27일

귀법사지(歸法寺址)석탑 조사

귀법사지는 개성군 영남면 용흥리에 소재하는데, 963년(고려 광종14) 광종이 대원大願을 발하여 국찰國刹로서 송악산 아래에 이 절을 지었다.[268] 그리하여 광종 이후 목종, 선종, 의종 등 여러 왕들의 행차가 잦았으며 중요한 법회의식

---

267 『每日申報』1916년 12월 7일자.
268 『高麗史 世家』光宗14년 7월 條.

이 거행되었음이 고려사에 나타나 있음을 보아 당시로서는 최대의 국찰이었던 것 같다. 『신증동국여지승람』 개성부 조에,

> 귀법사 옛터는 탄현문 밖에 있다. 최충이 해마다 더울 때에 이 절의 승방
> 을 빌어서 여름 공부를 식혔다.

하며 최충은 이곳에서 과거의 예비등용문인 하과夏課를 베풀었다. 즉 최충은 매년 여름이 되면 벼슬을 하지 못한 선비들을 모아 이 절의 승방에서 강의를 하는 한편, 시로써 서로의 실력을 겨루게 했다고 한다. 이 절이 언제 폐사가 된지는 확실치 않으나, 이중환李重煥의 『택리지擇里志』에는 "서북에 있는 영통동은 보육의 옛집이 있던 곳이다. 옛날에는 귀법사가 있었는데 지금은 폐해버렸다"고 한다. 이정구李廷龜(1564~1635)의 『화담기花潭記』에는 이 절의 옛터에 석주가 남아

귀법사지탑

있다고 기록한 점을 보아 조선 중기 이전에 폐사되었음을 알 수 있다.[269]

이 탑을 이마니시今西가 1916년 10월 27일에 조사하였는데 그 보고에,

> 1910년경에 탑 속의 유물을 훔치기 위한 무뢰한에 의해 붕괴되었다. 그 무뢰
> 한을 잡기는 하였으나 그 유석遺石이 산란하고 석재가 상당히 파손되었다.

하며, 조사보고서의 사진(도판 68호)과 『조선고적도보』 제6책에 불법자들에 의
해 도괴되어 있는 처참한 모습이 잘 나타나 있다.

이외에도 당간지주석은 사지의 서방에 있는데 이 지역이 국유화되면서 일본인
이 이곳을 차용하여 과수원을 경영하여 자연히 이 지주석은 개인의 사유물처럼
되었다고 한다.[270]

1916년 10월

청주 용두사 당간지주로부터
고물 발견

충북 청주읍(도청소재지) 용두

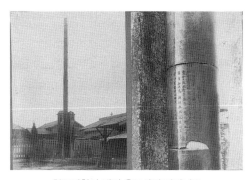

청주경찰서 내의 용두사지 당간지주

---

269 이정 편저, 『한국불교사찰사전』, 불교시대사, 1996.
270 『大正5年度 古蹟調査報告』, p.195-196.

사龍頭寺 폐사지 내에 잔존하는 당간을 10월에 총독부에서 보존공사를 하던 중 당간을 구성하고 있는 철통에서 도금불상 1체, 5층탑 1개를 발견했다. 또 부근 땅으로부터 고전古錢 20여 개를 발견했다.[271]

1916년 11월 7일

총독부에서는 11월 7일 오후 3시반부터 제2회의실에서 임시직원연수회를 열고, 총독부촉탁 문학사 이마니시 류今西龍의 '임나에 대하여'라는 강연이 있었다.[272]

1916년 11월 12일

교토대학 《천황대전봉축전람회》

1916년 11월 12일부터 13일까지 교토제국대학 문과대학에서 다이쇼 즉위의 대전을 봉축하기 위하여 천황대전봉축전람회를 개최했다. 각 실에는 역사, 지리, 고고, 토속, 언어에 관한 전적, 유물 등을 진열하여 일반에게 공개를 했다. 이때 제4실에는 인도, 서역, 중국, 조선의 금석, 조상, 조선사경朝鮮寫經이 진열

271 「彙報」, 『考古學雜誌』 제7권 3호, 1916년 11월.
272 『每日申報』 1916년 11월 7일자.

되었다. 제5실에는 조선 만주 등지에서 가져온 각종 표본, 사진 등이 진열되었다. 제6실에는 조선경朝鮮鏡 10면 등이 진열되었다. 한국에서 가져간 유물이 많이 진열되었을 것으로 짐작되나 그 목록은 알 수 없다.[273]

영주 부석사에서 불상 발견

수선 중인 영주 부석사에서 11월 12일에 무량수전을 헐기 위하여 그 준비 단계로 재목에다 번호를 붙이는 중 수미단 뒤 대들보 위에서 소불상 10구를 발견했다. 곧 총독부에 이 사실을 보고하였는데 불상은 10구 모두 도금한 것이고 5구는 입상이고, 좌상이 1구, 연꽃 받침에 입상이 4구인데 3촌내지 6촌5분씩 되는 희귀한 것이다.[274]

1916년 11월 15일

세키노의 일기를 보면 1916년에는 11월 15일에 경성에서 출발하여 예천에 도착하고, 16일에는 예천을 출발하여 풍기를 경유하여 순흥에서 숙박하고, 17일에는 말을 타고 부석사에 도착, 18일에는 부석사를 출발하여 순흥을 거쳐 영

---

273 「評論」,『歷史地理』제27권 1호, 歷史地理學會, 日本歷史地理學會, 1916년 1월, pp.117-118; 京都帝國大學 文學部,『京都帝國大學 文學部30周年史』, 1935.
274 『毎日申報』1916년 11월 29일자.

주에 도착, 19일에는 백월서운탑비 및 읍내 불상을 조사하고, 오후에 예천에 도착, 20일에 김천에 도착하여 열차로 경성에 노착한 정도로 나타나 있다.[275]

1916년 11월 26일

전남 사지 유물 조사

요시오카 세이지吉岡淸二는 1916년 11월 26일부터 12월 9일까지 전라남도 순천 송광사松廣寺, 선암사仙巖寺, 해남 대흥사大興寺 내에 위치한 금석물金石物 19개의 내역을 조사했다. 그리고 3개사 외 각지에 있는 탑비 및 석불에 관해 참고가 될 만한 것을 기록하고 있는데 다음과 같다.[276]

1. 전남 화순군 동복면 동복읍으로부터 서북 약 10정의 고소산록 폐한산사적廢寒山寺跡, 현재 畑地에 있는 신라시대의 제작으로 탑 고 약 20척의 3층석탑 1기
2. 광주군 서방면 삼각산 중의 7층석탑 1기
3. 광주농림학교 내 답중畓中의 비
4. 광주농림학교 내 고 약 1장3척의 미륵상

---

275 關野貞硏究會 編, 『關野貞日記』, 中央公論美術, 2009.
276 「松廣寺, 仙巖寺, 大興寺 조사 복명서」, 『국립중앙박물관 소장 조선총독부박물관 공문서』, 목록번호 : 96-137.

5. 광주군 임곡면(임곡역으로부터 약 1리)의 부도 1기, 석탑 1기

6. 광주군 무등산 증심사의 토벽내에 도입埋込한 석탑 1기

7. 순천군 낙안면 상송리 7층석탑 및 석불

8. 담양군 읍외 10정여 개소의 석탑 1기

9. 나주읍 서문외 니사尼寺의 석불

10. 구례군 오신 사성암四聖庵의 원효내사가 새겼다는 전실의 암불岩佛

11. 경남 통암사를 통하는 도로 측 남방의 이두문자비

12. 전남 영암군 도갑사 산내 말사 西庵(?)의 고 약 5척 좌상석불, 석탑 1
기, 부도 수개, 13층탑

13. 나주로부터 3리 영암방면 도로 우방 2町여 개소의 석탑 1기

14. 화순으로부터 신계동에 이르는 도로 약 반리 우측 약 1정의 畓中의 고
3, 4척의 석불 1체

15. 순천군 주암면 덕림리의 도로 우측 및 주암면사무소 후방 석불 각 1체

※ 한산사지삼층석탑(寒山寺址三層石塔)

이 석탑은 화순군 동복면 신율리 949, 탑동 마을 어귀의 밭 가운데에 자리하
고 있다. 옛 모습 그대로 남아 있다.

전라남도 동복공립보통학교에서 편찬한 『향토사료』(연대미상. 내용상으로
보아 1916년경으로 추정)에는 한산사석탑 사진 1매와 함께 설명을 첨부하고
있는데, 그 내용은 다음과 같다.

한산사는 경내의 동쪽 바위 사이로 흐르는 약수가 차고 맛있기로 이름나 있다.

이 절의 종소리는 맑아서 여수 8경으로 꼽혀 왔으며 특히 이 절에서 바라보는

여수는 한적하고 아름다운 모습이다. 고려시대 보조국사 지눌이 창건한 사찰

로서 임진왜란 당시 수군과 의승군의 주둔처이기도 한 호국역사의 현장이다.

구봉산(388m) 중턱에 위치하여 울창한 숲과 바위사이로 솟아나는 약수,

그리고 아름다운 경치가 있는 도심권 명소로서 한산모종寒山暮鐘(해질녘에

울려퍼지는 범종소리)은 여수8경 중 제3경이다.

한산사탑(전라남도 동복공립보통학교, 『향토사료』)

1916년 11월 28일

제4회 고적조사위원회

1916년 11월 29일에 개최한 제4회 고적조사위원회에서는 '고적 보존공사 시행표준', '불상 및 석비 취기取寄', '고적 및 유물 등록'(3개 지역 37개소, 285호 보제존자사리탑~321호 고구려고분까지)이 안건으로, '고적 보존공사 시행표준'에는 고건축물, 고분, 금석물 등 고적의 보존공사방법과 보존공사를 할 때 상관에게 보고하고 지시 받아야 하는 5가지 사항이 적혀 있다.

'불상 및 석비 취기取寄의 건'은 다음 4개소의 불상 및 석비石碑로 "현지 보존이 어렵기에 박물관으로 반입하여야 한다"고 그 이유를 밝히고 있다.

1. 여주 고달사지高達寺址 원종대사혜진탑비元宗大師慧眞塔碑

지난번 이마니시 고적조사위원 출장 때 도괴되어 있는 것을 발견하고 그 파손이 심하여 도저히 현지에 復舊竪立할 수 없는 상황이기 때문에 이를 보존상 박물관으로 반입하여 보관할 필요가 인정됨, 운반비 약 50원

2. 개성 적조사지寂照寺址 철불(경기도 개성군 영남면)

3. 개성 적조사지寂照寺址 석불(경기도 개성군 영남면)

개성에서 약 4리 떨어진 곳에 있으며, 철불은 밭에 석불은 原野에 방치되어 있어 현지에 보존하기 곤란하고 盜賣의 우려가 있어 박물관으로 빈입하여 일반에 참고에 제공할 필요가 인정됨, 운반비 약 30원

4. 영천榮川 태자사太子寺 낭공대사백월서운탑비朗空大師白月栖雲塔碑

왕시往時에 봉화 태자사에서 현지에 옮겨온 것으로 저번에 등록물건 중에 편입, 문예의 참고품으로 박물관으로 반입하여 보관할 필요가 인정됨, 운반비 약 50원

제4회 고적조사위원회 의안 결의에서 '불상 및 석비 반입取寄', '고적 및 유물 등록안'은 원안原案과 같이 결정되었다.[277]

※ 태자사(太子寺) 낭공대사백월서운탑비(朗空大師白月栖雲塔碑)

태자사太子寺 낭공대사백월서운탑비朗空大師白月栖雲塔碑는 박물관으로 반입하기로 결의한 후, 1917년 3월 15일자로 고적급유물대장에 제102호로 등록하였다. 그 내용은 다음과 같다.

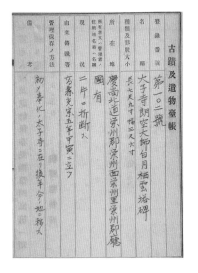

등록번호 : 102호

명칭 : 태자사 낭공대사백월서운탑비

형상 : 장 7척9촌 폭 3척6촌

소재지 : 경상북도 영주군 영주며 영주리
영주군청

현황 : 2편으로 절단됨

비고 : 처음 봉화 태자사에 있어 후년 현재
의 곳에 옮김

---

277 「제4회 고적조사위원회」,『국립중앙박물관 소장 조선총독부박물관 공문서』 목록번호 : 96-107.

우 등본騰本 고적급유물보존규칙 제4조 제1항에 의거하여 송부함

대정6년 3월 15일 조선총독부

이 같이 고적급유물대장에 등록한 후 갑자기 유명세를 타게 되었다. 조선고적조사회 위원장 오다 간지로小田幹治郎는 『매일신보』 1917년 10월 12일자에 다음과 같은 글을 싣고 있다.

김생金生의 서書로 성成한 고비古碑, 봉화 태자사의 백월서운탑을 발견

오랫동안 그 거처를 잃어서 고적을 상고하는 사람의 애석히 여기던 백월서운白月栖雲의 비석도 다행히 두어 달 전에 경상북도 영주에서 발견되어 그 비문을 박인 것도 두, 세 장이 고적조사회에 와 있으며 이 비석은 일간 총독부박물관에 가져오기로 되었더라. 이 비석에 새긴 글씨는 조선에서 가장 오래인 명필로 그 이름이 높은 신라 김생金生의 글씨를 모다 새긴 것인데 고려 숙종시대에 송나라로부터 건너왔던 사신을 따라 송나라에 들어갔던 학사 홍관洪灌이 김생의 쓴 흘림글씨 한 권을 그때의 명필문장에게 보였더니 모두 다 조선 사람의 글씨라고 믿는 이가 없고 지나 고금에 제일 명필인 왕희지의 필적이 아닌가 한고 의심하는 자가 많았다 할 지경이라. 그런데 이 사람의 필적은 애석히 지금에 전하는 바이 없고 다만 이 태자사太子寺의 낭공대사백월서운탑비朗空大師白月栖雲塔碑에 김생의 글자를 모아 새긴 것이 하나 남아 있을 뿐인 고로 실로 극히 귀중한 비석이라.

이 비석도 김생이 쓴 것은 아니니 김생과 낭공대사는 시대로 매우 틀리고 석서목釋瑞目이라는 사람이 김생의 글씨를 주어 모아서 돌에 새긴 것이라.

이 백월서운의 비라는 것은 지금부터 구백육십삼 년전 신라말년의 도승으로 그 이름이 높던 낭공대사의 사리를 묻은 경상북도 봉화군 태자산 태자사 사리탑의 비문으로 그 비문을 최인곤崔仁滾(최인연崔仁滾의 오기)이라는 사람이 지어서 이것을 새길 때에 글자의 서체를 여러 가지로 선택한 결과 석단목이 조선명칠 중에 제일이라 일컫는 김생이 끼친 글씨를 모아서 비로소 이 탑비가 이룬 것이라. 자세한 이야기는 최근에 간행된 『조선휘보』에 설명할 터인데 하여간에 조선의 옛일을 상고하는데 가장 유익한 자료가 되는 것은 분명히 말하기에 기탄치 아니하노라. 김생이라는 사람은 기록에 "탄생한 지방을 알지 못한다" 하여 어느 지방의 태생인지 알 수 없으나 신라 성덕왕 십년 임술에 탄생하였으며 다른 재주는 닦지 않고 전혀 글씨에 진력하여 나이 팔십이 넘어서 오히려 붓을 잡아 수이지 아니하며 예서, 행서, 초서가 모두 신묘한 지경에 들었다 하였는데 이 글씨를 모은 귀중한 비석이 어떻게 하여 봉화로부터 (지금의 영주군 영천면)에 옮겨가서 지금까지 세상에 알려지지 않고 깊이 묻혀 있었는가 하면 한번 김생에 이름이 송나라에 물린 뒤로는 지나에 사신이 올 때마다 이 비문을 박아 달라고 청구하는 고로 중종 4년에 봉화군사 이완李浣이 군내의 유지자 권현손權賢孫과 상의하고 가만히 봉화의 동현 마당으로 옮겨다가 다시 영천으로 가져온 것인데 가석한 일은 비의 대가리와 받침이 깨여졌으나 비문은 전부가 분명하다.

오다 간지로의 글을 실은 그 다음날인 『매일신보』 1917년 10월 13일자에는 '아유카이 후사노신鮎貝房之進의 담談' 이라 하여 다음과 같은 내용을 게재하고 있다.

귀중貴重한 김생金生의 서書, 그 진필은 세상에 남아 있지 않다

조선의 서성 김생書聖 金生의 필적을 엿볼 수 있는 백월서운白月栖雲의 비명은 지금까지 묘연히 그 그림자가 감추어 허다 세월에 그 거처를 알지 못하였더니 이번에 홀연히 세상에 나타났다는 일은 실로 서화를 연구하는 사람을 위하여 경사로운 일이라 유래로 이 백월서운의 탑비는 돌의 높이가 여섯 자 여섯 치, 폭이 세자 세치에 글씨가 서른한 줄, 한 줄에 여든 석자, 한 자의 크기가 사방 팔푼되는 행서인데 본래 경상북도의 석남사石南寺에 있던 것으로 신라 신덕왕神德王의 6년에 최인곤崔仁滾(최인연崔仁滾의 오기)이가 글을 지어 석단목釋端目이가 김생의 글씨를 모아 석비에 새긴 것이라. 김생이란 사람은 앞에도 말한 바와 같이 조선의 서성이라 함을 불구하고 그 필적이 세상에 남아서 그 신령한 유적을 엿볼 수 있는 것은 실로 이 비문뿐이오. 또 경상북도 경주 남산 산록에 있었다 하던 창림사昌林寺의 비도 또한 김생의 글씨이었으나 그 비는 이조의 중엽에 없어져 버렸다 전하는데 조자앙趙子昻은 이 비문에 박인 것을 보고 실로 왕희지의 글씨도 이에 미치지 못하겠다고 칭찬을 마지않았다 함을 보아도 김생의 글씨가 얼마나 귀중함을 알 수가 있다. 백월서운의 비는 앞에도 말한 것과 같이 김생이 죽은 뒤 백년 가량이나 지나서 석단목이 그의 끼친 글씨를 모아서 새긴 것인데 세상에서 혹시 그 비의 자체가 저윽이 빡빡한 곳이 있는 고로 김생의 글씨는 아닌 듯하다고 비평을 하는 말도 있었으나 이것은 돌에 새긴 까닭으로 얼마쯤 획이 빡빡하여진 일도 있을 걸이라. 이 백월서운의 탑이 세상에 유명하여진 뒤로 항상 구경을 오는 사람이 많은데 그 중에는 고관대작의 사람도 오는 까닭에 그 지방백성은 응접이 괴로워서 가만히 땅속에 묻어 버려

서 거처를 읽었더니 그 뒤에 어떤 촌민이 외양긴 속에서 파내어서 일마동안 세상에 나타났다가 그 뒤에 또한 거처를 잃은 뒤로 금일까지 이르렀으며 다만 비문 박인 조화로 겨우 김생의 면목을 엿볼 수가 있을 뿐이더니 다시 그 원비가 세상에 발견된 것은 실로 이 위에 다시없을 좋은 참고품을 얻음이라. 대체 김생이란 사람은 그 성명을 자세히 알 수 없도록 미천한 출신으로 삼국사기 등에도 "김생의 부모가 미천하여 유래를 알 수 없다"고 기록하였으며 신라 원성왕 시대의 사람으로 팔십 이상이나 여섯 임금의 세상에 살아 있었음은 삼국사기 등에 의지하여 추찰할 수가 있으며 <중략>

하여간 김생의 진필은 전혀 남아 있지 않다 하여도 좋으며 세상에서는 왕왕히 김생의 글씨라 일컫는 경문조각을 팔러 다니는 자가 있으나 모두 믿을 수가 없으며 그 진필은 김생의 생시에도 오히려 극히 드물었던 듯이 생각되노라. 김생의 필적은 금일에는 백월서운의 탑비와 및 영화석각永和石刻에 나타나 있을 뿐이오. 이 백월서운의 비와 영화석각은 김생의 필적을 엿볼 수 있게 세상에 남아 있는 다만 두 개 보배인데 이제 백월서운의 원비가 발견되었다 함은 옛 일을 상고하는 자료로 조선의 귀중한 보배를 얻었다고 이르지 아니할 수 없다.

위 내용을 보면 "두어 달 전에 경상북도 영주에서 발견", 또는 "이번에 홀연히 세상에 나타났다"고 하는데, 1916년 11월에 개최한 제4회 고적조사위원회에서 "저번에 등록물건 중에 편입"이라 하고 있기 때문에 오다나 아유카이가 지목하는 시기보다 훨씬 전에 세상에 알려진 것이다. 1916년 11월에 제4회 고적조사위원회에서 박물관으로 반입하기로 결의하고 1917년 3월에 고적급유물대장에 등록을 하자 갑자기 주목을 받게 된 것이다.

낭공대사백월서운탑비가 박물관으로 반입된 것은 1918년에 와서야 완료된다.
『조선휘보』 1919년 1월호의 「대정 7년에 있어서 조선」의 '고적조사' 조에는
백월서운탑비를 박물관으로 반입한 것으로 나타나 있는데,[278] 『조선휘보』 1919
년 8월호의 「대징7년도 고적조시 성적」에서는, "본 연도에 본부박물관에 취기
取寄를 마친 유물은 좌와 같다. / (1) 영주 태자사 낭공대사 백월서운탑비 / 선
년도 중 운반에 착수했으나 본 연도에 들어와 박물관에 도착함"[279]이라 하여
어디에 착오가 있는지 알 수 없으나 혼동을 주고 있다.

그 외 기록을 보면, 『조선금석총람』 상에는, "처음 경상북도 봉화군 태자사지
에 있었는데 왕년往年에 영주군 휴천리로 옮긴 것을 1918년 본부로 옮겨왔다"
하고, 『고적급유물등록대장초록』(1924)에는 "처음 봉화 태자사에 재하였음, 후
년 영주군 영주면 영주리 영주군청에 옮겨진 것을 대정7년에 다시 본부박물관
으로 옮겼다"라고 하고, '현황'에서는 "2편으로 절단"이라고 기록하고 있다.

『매일신보』 1938년 9월 30일자에 게재한 「역대명가유필진적歷代名家遺筆眞蹟」
에도 "대정7년(1918)에 총독부박물관 구내에 이건한 것이다"라고 하고 있어
1918년에 조선총독부박물관으로 옮긴 것이 바른 것 같다.

태자사는 그간 정확한 위치가 알려지지 않았으나 1964년부터 신라 오악학술
조사의 일환으로 이 절터를 탐색한 결과 경상북도 안동시도산면 태자리의 한
폐사지를 이 절터로 추정하였다. 『신증동국여지승람』 제25권 봉화현 불우 조에,

278 「大正七年に於ける朝鮮」, 『朝鮮彙報』, 1919년 1월, p.62.
279 「大正七年度 古蹟調査成績」, 『朝鮮彙報』, 1919년 8월, p.129.

태자사太子寺 : 태자산太子山에 있다. 신라 병부시랑 최인연崔仁渷이 지은 승 낭
공탑명과 고려 좌간의대부 김심언金審言이 지은 승통진탑명僧通眞塔銘이 있다.

라고 하고 있으며, 또 낭공탑비명朗空塔碑銘에 대해서는 『청장관전서靑莊館全書』에는,

봉화 태자산에는 낭공대사백월서운탑비가 있는데 김생의 글씨를 집자한
것이다.[280]

라고 기록하고 있다.

낭공대사의 법휘法諱는 행적行寂이고 속성은 최씨다. 경문왕11년(870)에 조공
을 바치러 가는 김긴영을 따라 중국에 들어가 유학을 하였다. 그 후 헌강왕11년
(885)에 고국에 돌아와 남산 실제사實際寺에 안기하다가 경북 영일군 묘봉산妙峰
山에 있는 석남사石南寺에서 주석할 것을 청하여 그곳에서 주석하다가 916년 2월
12일에 입적하였다. 2월 17일에 서쪽 봉우리 기슭에 임시로 묻었다가 917년(경
명왕1) 11월에 동쪽 산꼭대기에 묻었는데 절에서 300보 떨어졌다. 왕은 시호를
내려 낭공대사라 하고 탑명을 백월서운지탑이라 하였다. 비의 문은 최인연이 찬
하고 글씨는 석 단목이 김생의 글씨를 집자하였다. 건립 연대는 당시 후삼국기
의 혼란기로 인하여 바로 건립하지 못하고, 비문에 "현덕원년세재갑인칠월십오
일립顯德元年歲在甲寅七月十五日立" 이라 하여 고려 광종5년(954)에 해당한다.[281]

280 李德懋, 『靑莊館全書』第69卷.
281 『海東金石苑』, 『朝鮮金石總覽』上58, 朝鮮總督府, 1919.

그런데 사찰이 어떤 연유에서인지 일찍이 폐하여져 낭공대사의 탑비는 버려져 있었다. 1509년경에 당시 영천 군수 이항과 권현손이 이를 안타깝게 여겨 영주군 영주면 휴천리로 옮기고 추기를 추가하여 다시 비를 세웠는데, 낭공대사탑비의 <추기>에 그 전말이 기록되어 있다.

내가 어렸을 때 김생의 필적을 『비해당집』의 고첩에서 얻어 그 용이 뛰고 호랑이가 드러누운 듯한 기세를 사랑하였으나 세상에 많이 전해지지 않음을 한하였었다. 영주에 와서 이웃 읍인 봉화현에 비석이 홀로 옛 절의 남은 터에 있는데 김생의 글씨라는 말을 들었다. 나는 이 세상에 드문 지극한 보물이 잡초에 묻혀 있음을 아깝게 여겼으나, 누군가가 거두어 보호함이 없으니 들소의 날카로운 뿔과 목동의 두드리는 불이 모두가 모두 염려가 되었다. 드디어 군에 사는 사람인 전 참봉 권현손과 함께 이전을 꾀하여 자민루 아래에 안치하고 난간을 세우고 그 빗장과 문을 굳게 하였다. 진실로 탁본히는 사람이 아니면 출입하지 못하게 하였으니 그들이 함부로 범하여 건드릴까 두려워서였다. 이로부터 김생의 필적이 널리 당시에 전하여져서 사대부로서 호사하는 무리들이 앞을 다투어 감상하였다. 오호라! 천백 년 동안 황곡에 버려졌던 돌을 하루아침에 큰집에 들여와서 세상이 보배로 여기게 되었으니, 대저 물건의 드러남과 숨음이 또한 그 운수가 있음인져. 내가 비록 재능이 얇고 졸렬하여 창려 한유의 박식하고 우아함에는 미치지 못하나 이 불건을 감상하게 된 것은 곧 진실로 기산岐山의 석고와 다름이 없으니 어찌 우연이겠는가.

정덕正德4년(1509, 중종4) 추 8월 군수인 낙서 이항이 기록하고 박눌이 쓰다.[282]

이전된 후의 상황은 박종朴琮(1735~1793)의 『청량산유록淸凉山遊錄』에,

김생은 신라 사람으로 글씨로써 천하에 이름났다. 그가 쓴 백월선사비는
본래 이 산중에 있었더니 중국에서 그 서기가 뻗친 것을 바라보고 찾아온
사람이 있어서 '이 글씨의 서기가 북두성을 찌르고 있으니 진실로 천하의
절보' 라고 하며 비를 뽑아 구성까지 옮겨갔다. 그리고는 돌이 너무도 무
거워 버려두고 갔으니 지금도 구성관에 있다고 한다. <중략> 청량지淸凉誌
에 '백월선사비가 구성龜城 객사에 있다'고 기록되었다. 구성은 영천의 구
명舊名이다. 드디어 객사에 들어 가 보니 과연 그 비석이 있어 자그마한 비
각으로써 이를 덮었다. 비의 높이는 10척 가량, 넓이는 6척 가량이고 자획
이 마멸되지 않았다. 비문 제 1항에는 「신라국조국사교시낭공대사백월서
운지탑新羅國朝國師教諡朗空大師白月栖雲之塔」이라 쓰고 그 다음 비명과 서문 끝
에는 한림학사 수병부시랑 지서서원 사금자어대 신 최인연이 교시를 받들
어 글을 짓고 김생이 글씨를 쓰고 석釋 단목이 이를 편집하였다고 씌어 있
다. 그 필획이 정묘하고 웅건하여 진실로 보배로우나 이를 찍으려 하여도
자세가 불가능하였다. 객사의 곁에는 연못이 있고 연못에 임하여 지은 쌍
청당雙淸堂이 있는데 극히 한정하고 깨끗하였다.[283]

282 『譯註羅末麗初金石文』에서 拔萃.
283 朴琮, 『淸凉山遊錄』 김찬순 역, 조선문학총동맹출판사(북한), 1964.

이때까지만 하여도 상당히 그 보존이 잘된 것으로 보이나, 그 후 소재를 거의 잃어버리고 버려두었음인지 홍양호洪良浩(1724~1802)의『이계집耳溪集』권16 '제백월사비題白月寺碑' 조에,

> 백월서운사비는 신라 최인연崔仁渷이 찬하고 석 단목端目이 김생의 서를 집자하였다. 원래 영남 영천에 있었는데 중년에 있는 곳을 알 수 없게 되었다. <중략> 내가 경주에 있을 때 매부 김형태가 영천 군수가 되며 영천에 가서 백월비를 찾았더니 황폐한 곳에 버려져 반은 흙에 묻혀 있었다. 급히 사람을 시켜서 관사 앞으로 옮기고 술로 닦았더니 아직 글자를 알 만 하였다. 이내 수십 벌을 탁본하여 세상에 널리 알렸고 주인에게 부탁하여 목갑으로 싸서 비바람을 막게 하였다.

오랫동안 이곳에 보관되어 있던 비를 1918년에 조선총독부박물관으로 옮겨 경복궁에 보관하여 두었으며, 가츠라기 스에지葛城末治는 태자사지에 이 비의 귀부와 이수가 남아 있었다고 하였다.[284]

해방 이후 현지에 방치되어 있을 것으로 짐작되는 이 비의 귀부와 이수를 찾기 위하여 수색하였었는데, 사지는 봉화군내에 있으리라는 짐작뿐이지 확실한 지점을 알지 못하였다.

비를 이치 할 때만 하여도 행정구역이 봉화군으로 되어 있었으며 현 안동군 태자동이야 말로 구 봉화군 태자동이기 때문에 태자사지로 추측하였다. 이곳 사지에서 귀부와 이수를 발견하였으나, 경복궁에 있는 낭공대사비와 태자동에 유존하는 귀부

---

284 葛城末治,『朝鮮金石攷』, 大阪屋號書店, 1935, p.329.

와 이수의 규격을 비교하였으나 서로 맞지 않았다.[285] 결국 수색에 실패하고 말았다.

1916년 11월

서림사지 불상 발견

『매일신보』 1916년 11월 30일자에는 다음과 같은 기사가 있다.

적동불을 발견

강원도 양양군 서면 노병태라는 자는 동면 서림자 벽보산에 올라가 인삼을 캐다가 우연히 국유산림 중에 매몰된 적동 도금한 4촌5푼 가량의 관세음보살상 1좌와 연꽃받침 하나를 발견하여 소관경찰서에 신고하였는데 현장인즉 고려시대 서림사西林寺의 기지요 현금에도 석탑 1기가 서있는 모양이라더라.

이 신문기사에서 '적동불赤銅佛'이라 하는 것은 발견 당시에 여러 이물질과 산화되어 있는 그대로의 모습을 표현한 것으로 보이는데, 이 불상은 통일신라

285　秦弘燮, 「奉化 太子寺址 調査槪要」, 『考古美術』 제6권 제12호, 1965년 12월.

시대의 약사여래입상藥師如來立像으로 국립중앙박물관(新2118)에 보관되어 있다가, 현재는 국립춘천박물관에 보관되어 있다.[286]

* 서림사지 석탑 석불

서림사지西林寺址는 강원도 양양군 서면 서림리에 소재한다. 서림리라는 동명은 바로 서림사에서 유래된 것으로 짐작된다. 서림사지에 대해서는 1916, 1917년경에 조사한『조선보물고적조사자료』에는 사지는 "서림리 부근의 전답 중에 있고 서림사지에 석불, 석탑 각 1개가 잔존한데 불완전" 하다고 하는 것으로 보아 사는 오래 전에 폐해지고 사지는 경작지화 되어 석탑과 석불만 남아 있었던 것으로 보인다.

폐사지에 남아 있던 석탑과 석불은 1917년 8월 20일에 등록한 초안[287]을 보

서림사지석탑과 석불(문화재청 자료)

286 문화재청 자료.
207 「등록 원고」, 『국립중앙박물관 소장 조선총독부박물관 공문서』, 문서번호 : 96-149.

면, 서림사지3층석탑(등록번호 제187호)은 노반이상 잃었으며, 서림사지석불상(등록번호 제188호)은 두부는 절단되어 지상에 전락되어 있었다.

이 두 유물은 1931년 6월에 총독부 학무국 종교과에서 심의한 조선고적명소천연물보존령과 보물보존령에 의해 보존 유물로 지정되었다.[288] 그러나 스기야마 노부조杉山信三의『조선의 석탑』(1944)에 의하면 도괴된 것을 복원[289]한 것이라고 하고 있어 그간에 인위적인 피해가 있었던 것으로 보인다.

이 두 유물은 해방이후 그동안 돌봄이 없이 그대로 논에 방치되어 있던 것을 1965년에 상평초등학교 현서분교로 옮겨 보존하고 있다.

9백 년 전의 고기(古器), 길을 닦다가 발굴

『매일신보』1917년 3월 9일자 기사

경북 영주군 영주면 가여리의 서남편 이름 없는 산 중턱에서 11월 중 예천-영주 간의 도로공사에 종사하던 중 영주면 상망리 김후길이란 자가 차반 모양으로 된 구리로 만든 증 한 개와 놋그릇 부속품 열

288 『東亞日報』1931년 6월 9일자.
289 杉山信三,『朝鮮の石塔』, 彰國社, 1944.

한 개를 파내었다. 그 그릇 일부에는 '덕산사德山寺'라는 문자를 새긴 것이 나타났다. 유물이 발견된 곳은 옛날 덕산사라는 거찰이 있었으나 홍수로 인하여 유실된 터로 알려져 있어, 발견된 유물은 덕산사 유물로 추정되고 있다. 또 동리에는 현재 돌부처 두 개가 있다고 한다.[290]

『매일신보』1917년 3월 9일자 기사에 보이는 영주면 가여리可與里란 지명이 미상이다. 혹 가흥리可興里의 오자가 아닌지도 의문이고, 돌부처 둘에 대한 행방도 알 수 없다.

수로왕릉 재당 및 부속건물 수리

조선총독부 촉탁 구리야마 슌이치栗山俊―는 1916년 11월에 전라남도 순천군의 고적을 조사하고 돌아오는 길에 경남 김해군 김수로왕릉 앞의 재당齋堂 및 부속가附屬家에 대해 조사를 했다. 이는 지난일 김해군으로부터 제출한 수리계획에 대한 김수로왕릉 부속건물의 학술적 가치와 수리의 적부適否를 명받아 조사하게 된 것이다.

첨부한 별지 보고서 '김해군 가락국駕洛國 김수로왕릉金首露王陵 앞 재당齋堂 및 부속 가家 수리 비견'에는 김해군은 예부터 일본과 밀접한 관계를 가지고 있는 것이 많은 가락국 즉 임나국은 김해군이 그 고도로 고적 역시 적지 않다고 하며, 수리에 있어 특별히 기술자를 배치하여 감독케 하고 지방기술가를 임명하여 하등의

---

290 『每日申報』1917년 3월 9일자.

차지差支가 없기를 믿는다고 하며 1917년 1월 31일자로 복명서를 제출했다.[291]

그러나 이 계획은 예산관계상 바로 실행에 옮기지 못했음인지 수리에 대한 기록이 보이지 않는다. 그리고 한참 후인 1923년 3월 29일자 『매일신보』에,

> 김해 김, 허 양씨 열심
>
> 가락국 수로왕비 진주태후 허씨릉 재각중건 중 능침 5칸 문루 3칸, 고사庫숨 3칸을 1923년 춘기에 약 2만원 예산으로 정하여 임원 제씨가 열심히 중건에 전력할 터라더라.

라는 기사가 보이고 있어 1923년에 와서야 일부 수선공사가 이루어졌을 것으로 추정을 해보지만 이 공사가 완료되었다는 기록은 보이지 않는다. 이 기사에서는 '중건'이란 용어를 사용하고 있지만, 실제 공사가 이루어졌다할지라도 극히 일부만 이루어졌다고 보인다. 그것은 1930년대의 신문 기사에서 보면 계속해서 수리에 관한 기사가 나타나 있다.

> 왕릉과 공원의 보수방침 결정
>
> 경남 김해군에서는 낙동강 개수와 동시에 중요 도시의 연락할 간선도로 및 가교 실현에 반하여 깊은 역사를 가진 왕릉 숭선전崇善殿 수선과 공원 신설을 계획 중이라 함은 기보와 같거니와 금회 이 사업의 완성을 기하고

---

291 「김해 가락국 金首露王陵 앞 齋堂 및 부속 家 수리 조사 복명서」, 국립중앙박물관 소장 조선총독부박물관 문서, 문서번호 : 96-137.

자 좌의 방침을 결정하였다.

사업사항

1. 제사비기금 조성

2. 숭선전의 수선

3. 김해공원의 신설

4. 가락왕사의 편찬간행

이상의 사업자금을 금 5만원으로 하고 왕사반포王史頒布 수입금 및 독지가

(주로 김, 허 양씨)로 함.

의연금義捐金 거출자의 방명은 왕릉에서 영구히 보존하고 백 원 이상 거출

자에는 기념품을 증정함.

모집기간은 1931년 11월 31일로 하고 공사는 1932년 2월 말까지 완성코자 함.

본 사업의 사무소는 당분간 김해군청 내에 치함(『매일신보』 1931년 5월 5일자).

이 기사의 내용으로 보면 1932년 2월말까지는 공사가 완성되어야 하는데
1933년에 가서도 숭선전 수선 계획에 관한 기사가 보인다.

가락왕사편찬위원회가 조직되어 다음과 같은 결의를 하다.

결의사항

一. 가락왕사의 편찬간행(자금이 되었으므로 신속 간행케함)

一. 왕릉崇善殿의 수리

一. 금해릉원公園의 신설

이상이 사업자금 5만원으로 하고 왕사 바포 수입 급 대방독지가金 · 許兩

氏의 의연으로써 함(『동아일보』 1933년 5월 2일자).

김수로왕의 후손들은 가락왕사를 편찬하여 전 조선에 산재한 4백만 자손들에게 분포하고 독지가의 의연과 김, 허 양족의 의연성금 5만원을 얻어 퇴폐된 숭선전과 1만 8천여 평의 능원과 왕릉공원을 설치한다고 한다. 이 소문은 해외에 재류하는 왕족은 자원중수위원을 신청하여 이왕 같이 협력이 진행되면 금주에는 용이히 중수공사를 완성하리라 한다(『동아일보』 1933년 5월 28일자).

수로왕의 능원 중수

능원 건물을 1만 7천원 경비로

경남 김해군은 낙동강 유역에 고대문화를 자랑하는 가락국 수로왕의 옛 도읍지로서 춘풍추우에 퇴폐된 고대건물 숭선전과 1만 5천여 평의 능원은 탐승객을 탄식시켜 오던바 작년 3월에 낙동가교가 준공됨에 따라 탐방객들은 날마다 답지하는데 이를 수리키 위하여 그 후손인 김, 허 양족(김해 현주자)이 장구한 시일을 두고 대책협의를 거듭하였으나 중수비가 용이치 아니함으로 폐허의 참경에 직면하였는데 그 후손인 전 참봉 김성학 씨는 없는 일가들에게 의연금을 모집함은 부당하다하여 1만 6천665원을 내어 12채 건물과 능원의 대중수를 하게 되었다하며 김씨의 처 방씨도 1천100원을 내어 능원의 단장과 능전에 새길을 신수하였다는데 이 공사가 완성되면 고색이 창연한 대가락국 옛 도읍지인 김해가 경남에서 새로운 이채를 보게 되리라 하였다(『신한민보』 1934년 7월 19일자).

건물 공사와 능원의 단장은 1934년에 와서야 자금이 조성되어 이루어진 것으로 보인다. 그 이후에도 계속 몇 차례의 공사가 이어진 것으로 보이는데, 다음과 같은 기사가 보인다.

2천 년 전 가락국 문화, 30만원의 기부를 모집

김수로왕릉을 위시하여 동 왕비 봉황대, 귀지봉 패총 기타 다수의 고적은 옛사람의 유적을 천고에 자랑하여오던 터인데 이런 고적도 춘풍추우 2천여 년의 장구한 세월을 지나오는 동안에 풍마우세하여 대부분은 지금에 오직 옛 자취만을 남기고 있을 뿐이다. 이에 동군의 가락국유적보존회에서는 전선 각도에 널리 이런 고적 수식비 30만원을 독지가에게서 모집 중이라 함은 기보한 바이어니와 금번 이의 완료를 보게 된 동 보존회에서는 경남도 산림과에 의촉하여 김수로왕릉을 위시한 모든 고적의 수식修飾계획 수립에 대하여 일임한 바 있었다. 이에 도당국에서도 이의 설계를 촉진 중에 있어 만반 준비의 정돈을 기다려 금월 하순부터는 수식공사에 착수하리라는데 지금부터 일반의 많은 기대를 자아내고 있다(『매일신보』1936년 4월 15일자).

가락왕릉 개수비, 김치영 씨 4천여 원 기부

김해의 유일한 고적 김해 김씨의 종보로 후세 자손에게 보여줄 수로왕릉 또는 그에 따른 고대건물이 1천8백여 년 동안 풍마에 옛날 단정을 볼 수 없이 퇴락되어 있던 바 8,9년 전에 그 자손인 부산부 범일정에 사는 고 김성학 씨가 1만여 원의 거액을 자진 기부함에 따라 조선 각처에 있는 그 자손들의 이연으로 능원은 준수하여 옛낙의 구 자취를 가지게 되 오로지 씨의 공로

이므로 작년에 기념비까지 세웠는데 이번에 고 김성학 씨의 미망인 박씨와 그의 아들 김치영군이 금 4천백 원을 내어 허황후릉 앞 홍문을 건립하고 능 중수와 왕릉 입구 도로를 내는 동시 답 14두락을 기부하였는데 그 자손들은 물론 일반도 칭송함을 마지아니하고 있다(『동아일보』1939년 10월 25일자).

현재의 수로왕릉과 수로왕비의 능은 『삼국유사』에 전하는 위치와 같으며,[292] 수로왕릉은 기적畸蹟을 보였던 바 영험이 있는 것으로 전해지고 있다.[293] 1439

---

[292] 『三國遺事』'駕洛國記'에, "靈帝 中平6년(189) 3월 1일에 왕후가 붕어하니 나이는 157세였다. 나라 사람들은 땅이 꺼진 듯이 슬퍼하였고, 龜旨峯 동북쪽 언덕에 장사 지냈다." "왕후가 세상을 떠나자 왕은 매양 외로운 베개를 의지하며 몹시도 슬퍼하다가 25년 후인 獻帝 立安4년(199) 3월 23일에 서거하였으니 나이는 158세였다. <중략> 대궐의 동북쪽 평지에 賓宮을 세웠는데 높이는 한 길(丈)이고 둘레가 3백보인데 그곳에 장사를 지내니 首陵王廟라 했다."

[293] 『三國遺事』'駕洛國記'에, 신라 말년에 忠至匝干이란 자가 있었는데 금관성을 쳐서 빼앗아 성주장군이 되었다. 이에 英規阿干이 장군의 위엄을 빌어 廟享을 빼앗아 함부로 제사를 지내더니 단오를 다해서 제사를 지내다가 공연히 대들보가 부러져 떨어져 치어 죽었다. 장군은 <중략> 3척 교견에 眞影을 그려 벽 위에 모시고 조석으로 기름불을 켜서 경건하게 받들더니 겨우 3일만에 진영의 두 눈에서 피눈물이 흘러내려 거의 한 말이나 땅위에 괴었다. 「大韓古跡」, 『大韓每日申報』1907년 7월 3일자에, 가야국 시조 수로왕의 릉소가 김해 땅에 있으니 밭 사흘갈이를 제향비로 릉 근처에 두었는 지라 신라말년에 충지라 하는 장군이 그 고을에 출수하였을 때 비장 영규가 빼앗고자 하여 왕의 사당에 고유할 때 사당집 대들보가 부러져서 영규가 즉사하거늘 장군이 두려워하여 왕의 화상을 벽에 위하고 제사를 지내니 화상에서 붉은 피가 한 말이나 흐르는지라 장군이 겁을 내어 화상살라 버렸고, 그 후에 도적이 그 릉 속에 금은보배가 있다하여 굴총할 즈음에 갑옷 입은 장사가 도적을 쏘아 죽이며, 큰 뱀 하나 길이가 30여 척이오 눈이 번개불 같이 나와서 도적을 물어 죽이니 그 후로는 다시 범접치 못하더라. 李允宰의 「大駕洛國의 納陵」(『삼천리』제6권 제11호, 1934년 11월)에, 金海골에 들어서면 바루 西城을 대어 그리 좁지 아니한 어란을 차지하야 一帶의 鬱密한 樹林이 있으니, 여기를 시방은 納陵公園이라 하야, 이 골에서 唯一의 遊賞地로 되어

년에는 표석을 세우고,[294] 1580년(선조13)에 경상도관찰사였던 허엽이 수축하여 상석·석단·능묘 등을 갖추었고, 『조선왕조실록』 정조16년 7월 20일 조에는 당시의 규모를 알 수 있는 기록이 보인다.[295] 1878년(고종15)에는 전각에 편

있다. 이 納陵은 옛 大駕洛國 始祖 金首露王의 陵寢으로, 崇善殿의 殿角과 碑銘과 石物은 春風秋雨 1,800년의 依稀한 옛 자취를 남기었다

首露王陵은 龜旨峯南에 있고, 許后의 陵은 그 東北一里 가까이 있어 오늘날까지 傳하여 오는 것이다. 어느 때인가, 盜賊들이 陵中에 넣어 둔 金銀寶器를 끄내려하야 發塚을 한즉, 갑옷 입은 군사가 陵中으로 좇아 나와 활을 쏘아 8人을 射殺하니, 餘賊이 놀라 달아났다 한다. 이 陵에 對하야 이러한 異蹟이 많아 口碑로 傳한다.

294 『朝鮮王朝實錄』世宗21년(1439) 10월 4일.

예조에서 아뢰기를,

"首露王 陵寢에 표석을 세우고 수호하는 사람을 두게 할 필요는 없으나, 단지 四面으로 각각 30보씩을 한정하여 밭갈고 나무하는 것을 금하게 하옵소서."

하니, 그대로 따랐다.

295 『朝鮮王朝實錄』正祖16년(1792) 4월 7일(乙巳).

예조가 아뢰기를, 각신 이만수의 별단(別單)의 여러 조항은 다음과 같습니다.

가락국의 왕릉이 金海府 성 서쪽 2리쯤 되는 평야에 있는데, 사면이 모두 낮은 논으로 둘러 있습니다. 그런데 비록 큰 장마를 만나더라도 능 곁의 10步 안에는 물이 고이지 않으니, 거주하는 백성들이 이상한 일이라고 전하고 있습니다 封墳을 쌓은 것은 그리 높지도 넓지도 않고 사초(莎草)도 밀라 죽지 않았습니다. 설치한 물건은 魂遊石 1坐, 香爐石 1좌, 陳牲石 1좌이고, 능 앞의 짤막한 비석에는 '首露王陵'이란 4글자를 써서 거북머리의 받침돌에 세워 놓았으니, 이는 바로 경자년에 특별 전교로 인하여 고쳐 세운 것입니다. 돌담으로 둘러 쌓았는데 앞은 祭閣까지 닿았습니다. 許王后의 능은 城 북쪽 2리쯤 되는 龜旨峰의 동쪽에 있는데, 龜峰은 바로 수로왕이 탄생한 곳입니다. 수로왕과 허왕후의 두 능은 서로의 거리가 또한 2리쯤 되고, 봉분 쌓은 것과 설치한 물건은 수로왕릉과 같으며, 짤막한 비석에는 '首露王普州太后許氏陵'이란 10글자를 썼습니다.

돌담 전면에 三門을 설치하고 다른 閣宇는 없습니다. 祭閣은 4칸인데 丁字閣의 제도를 사용하였고, 부엌 4칸, 齋廊 4칸, 齋室 4칸으로 바로 옛 會老堂입니다. 祭閣의 기둥 밖 서까래 끝에는 간간이 물이 새고 단청은 벗겨져 떨어진 곳이 많으며 부엌의 서까래는 태반이나 썩었으니, 올 여름의 장마를 지내면 쉽게 무너질 염려가 있습니다. 금번에는 이미 告由하지 못했으니 역사를 시작하기 어려운 형편이지만 秋享을 기다려 수리하는 것은 아마도 그만둘 수 없을 듯 합니다.

액을 내리고[296] 김씨 · 허씨 양성을 교대로 참봉을 맡게 했다.

⁂ 수로왕릉 및 부속건물 사진

1906년 9월에 간행한 『사학잡지』(제17편 제9호, 사학회)에는 삽도로 게재된 2매의 사진이 있다. 현재까지 발견된 수로왕릉과 부속건물 사진으로는 가장 오래된 모습으로 추정되는데 '삽도 해설'을 보면 "이 사진은 시게무라 교시로重村久四郎이 본년 하계휴가에 만한 여행 중 이 고적을 탐방하여 얻은 것이다. 사진은 오가와 잇신小川—眞이 촬영한 것" 이라고 한다. 시게무라 교시로重村久四郎의 한국 여행은 1906년 여름 광도사범학교의 만한수행여행단의 일원으로 시라토리 구라키치

수로왕릉(『史學雜誌』 제17편제9호)

---

296 『朝鮮王朝實錄』高宗15년(1878) 7월 20일.
　　藝文館에서 駕洛國 首露王의 金海府 전각에 편액을 내려주면서 편액의 號望을 崇善·崇安·崇翼으로 보고하였는데, 首望에 落點하였다.

가락루 및 제건물(『史學雜誌』제17편제9호)

白鳥庫吉를 따라 남하하여 8월에 한국에 들어와 여행을 한 것으로 나타나 있다.[297]

이 사진을 촬영한 오가와 잇신小川一眞은 당시 한국의 풍속이나 풍경사진을 많이 제작한 유명한 사진작가이다.

『황성신문』1901년 12월 6일자 광고란에 게재한 경성의 옥천당玉川堂이란 사진관의 '미술적 풍속 풍경화 엽서 발매'란 광고문을 보면 "서양 신시체 풍속 경치의 사진은 동양제일의 사진대가로 유명한 소생의 사부 오가와 잇신小川 眞 선생의 교

수로왕비릉 및 파사석탑
(『부산일보』1915년 8월 30일자)

297 中村久四郎, 「韓國開城の二舊蹟」, 『歷史地理』제9권 1호, 역사지리학회, 1907년 1월.

묘한 기술로 된 것인데, 우미 고상함은 한눈으로도 그 실경을 보는 감동이 있는 사진으로 실내장식에 적당하고 또 화엽서畵葉書 중 최우최미하고 고상함이 비할데 없는 …운운" 하고 있다.

『부산일보』 1915년 8월 30일자에는 수로왕비릉의 사진이 게재되었는데, 앞쪽에 흐리지만 파사탑의 모습이 보이고 있다.

파사석탑은 수로왕의 비 허왕후가 서역 아유타국에서 머나먼 바다를 건너올 때 파신의 노여움을 잠재우기 위해 함께 싣고 왔다고 한다. 파사석탑은 옛 호계사 자리에 있던 것을 김해부사 정현석이 본탑은 허왕후께서 인도 아유타국에서 가져온 것이니 허왕후 곁에 두어야 한다며 옮겼다고 한다. 탑은 네모진 사면의 오층이고 조각이 매우 기이하며 돌은 조금 붉은 빛의 옥문무늬가 있고 질도 달라 우리나라의 類가아니며, 닭 벼슬피에 가루로 만든 파사석과 일반석으로 실험한 결과 파사석 부분은 물기가 계속 남아 있는 반면 일반석은 건조하여 말라버렸다고 한다.[298] 현재는 파사각을 세워 보호하고 있다.

데라우치 총독이 1916년 10월에 일본 내각총리로 임명되어 한국을 떠나게 되자, 민간 유지자들이 상의하여 데라우치에게 기념품을 증정하자는 협의가 있었는데 이시즈카石塚, 조진태, 한상룡, 이완용, 야마구치山口, 조중응, 송병준 외 일본인 유지들이 주동이 되어 이들의 연서로 다음 사항을 전도 부윤에게 서면을 보냈다.

---

298 참고, 문화재청 자료.

一. 귀지에서 내선 인민간 유지 중으로부터 발기인 약간 명을 선정한 후 11월 20일까지 통지함을 바람

一. 도청 또는 부청 소재지에 있는 발기인이 결정되는 동시에 신문지상에 광고하여 특지가의 찬동을 득함에 그치고 별도로 개인적 권유를 피할 것을 바람

一. 헌출금은 1인 2원 이상 5원 이하로 함

一. 기념품의 선정 및 증정의 방법 등은 추후 상론함[299]

1916년 12월 12일

경기도 개성군 중서면에 있는 고려 후황공주릉后皇公主陵을 12월 12일부터 15일 사이에 도굴을 당했다.[300]

1916년 12월

1916년 12월에 경기도 부천시 학익리의 지석묘 3기가 조사되어 토기편, 마석족, 지석 등을 채집했다.[301]

---

299 『매일신보』 1916년 11월 10일자.
300 『每日申報』 1916년 12월 27일자.
301 梅原末治, 『朝鮮古代の墓制』, 國書刊行會, 1972.
   조사자는 밝히지 않고 있다.

사천왕사지 출토 녹유사천왕상전 입수

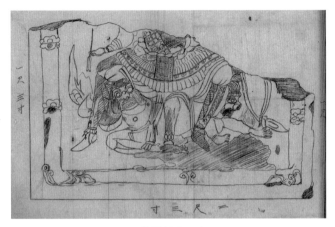

사천왕상전 도면

1916년 12월 20일부로 경상북도 경무부장이 조선총독에게 보낸 '사천왕사의 고비상古碑像 발견에 관한 건 보고'에 의하면,[302]

12월에 포항 방면의 출장 중이던 조선총독부관방 토목국 근무, 총독부 기수 사이쇼지最勝寺가 12월 14일 돌아오면서 경주 내동면 배반리 사천왕지 부근에 사는 주소 성명 불상의 아동(14, 15세)으로부터 사천왕상전을 매수하였다. 사이쇼지는 이를 경주읍내로 가져왔다가 이튿날 경주경찰서에 신고하여 박물관에서 입수하게 되었다.

평양재주의 야마다 사이치로山田鈙次郎는 1916년에 평양 주변의 출토품 기와

---

302 「경상북도 경주군 四天王寺址 발견 鬼瓦」, 국립중앙박물관 소장 조선총독부박물관 공문서, 문서번호 : 97-발견06.

54점을 교토대학에 기증했다.[303]

같은 해

1916년에 도쿄국립박물관에서 구입한 유물 중에는 다음과 같은 것이 있다.

유물명	시대	출처	비고
長頸壺	신라	『東博圖版目錄』2004, 圖251	구입. 1916년
印花文骨壺		『東博圖版目錄』2004, 圖302	구입. 1916년

303 吉井秀夫, 「日本 西日本地域 博物館에 所藏된 高句麗遺物」, 『高句麗研究』12, 社團法人 高句麗研究會編, 2001.

유물명	시대	출처	비고
台付長頸壺	경북 선산 부근	『東博圖版目錄』2004, 圖262	구입. 1916년
瓜形瓶	개성	『東博圖版目錄』2004, 圖423	구입. 1916년
高杯	조선 발굴	『東博圖版目錄』2004, 圖84	구입. 1916년
短頸壺	경주	『東博圖版目錄』2004, 圖29	구입. 1916년

이마니시 류(今西龍)의 손에 들어간『삼국유사』

1927년에 육당 최남선은『삼국유사三國遺事』활자본을 발행했는데, 이를 계명구락부에서 발간한『계명啓明』제18호에 전문을 실었다. 육당은『삼국유사』발행의 설명에 "삼국유사의 원본은 시방 와서 천금을 주고도 구하기 어려운 비적

秘籍이오. 불완전한 그 복간본復刊本도 귀하기 짝이 없으되 조선학을 세우고 조선아朝鮮我를 살피려 하면 삼국유사를 누구든지 얼른 볼 수 있도록 보급주류普及周流하지 아니하면 아니 될 것이다" 라고 하며 그 목적을 밝히고 있다.

당시 『중외일보』 1927년 4월 28일에 「조선고사보전朝鮮古史寶典 삼국유사 출간」 이란 제하의 논설을 싣고 있는데 다음과 같이 평하고 있다.

기록의 술術이 발달된 문화의 국으로서 현존한 역사가 겨우 삼국사기와 삼국유사의 양서뿐인즉 조선 고래에 관한 문적文籍이 얼마나 잔결산망殘缺散亡한 것을 알 수 있으며 조선 사학에 대한 연구가 크게 곤란한 것이 이 때문이다. 그러나 양종 사서조차 매우 희귀하여 사학에 종사하는 인사로서 왕왕 구독키 어려움을 개탄하는 바이러니 광문회 삼국사기가 출간된 연후에 조선인 사이에 비로소 조선고사朝鮮古史가 유포하게 되었지만 아직도 삼국유사는 그 명칭도 기억치 못하는 이가 있으리만치 세상에 절적絶跡이 되었음을 유감으로 생각하나 존적사업存籍事業에 헌신 노력하는 육당 최남선 씨가 근일 다시 삼국유사를 중간하여 그의 주행보급周行普及을 역도力圖함으로써 사계에 그윽이 공헌이 있고자 함은 고문헌의 보호자로서의 그 노력이 족히 불후에 승乘하려니와 <중략>
삼국유사 중간이 조선의 자주적 학풍을 고취함에 있음을 추찰할 것이다. 이 삼국유사 주안 광포廣布가 조선학의 신기초를 두는 것으로 문화운동상 일신기一新期가 됨을 심축心祝하는 바이다.

이 같은 육당의 삼국유사의 발간을 있게 한 것은 이마니시 류가 입수한 본이 있었기에 가능했던 것이다. 이마니시가 입수한 삼국유사가 나타나기 전까지는 일본으로 건너간 도쿠가와본德川本과 간다본神田本이 있는데 이들은 모두 임진 왜란 때 약탈된 것이다. 도쿠가와본德川本은 가토 기요마사加藤淸正가 약탈한 것으로 비슈尾州의 도쿠가와가德川家에 비장秘藏되어 있으며, 간다본神田本은 우키타 히데이에浮田秀家가 약탈한 것으로 마나세 쇼린曲直瀬正琳의 소장으로 돌아가 양안원養安院 장서인藏書印이 있다. 이것은 메이지유신 후 간다 고우헤이神田孝平의 소장으로 돌아갔다. 이 두 본은 모두 왕력王曆 중 수首의 2엽二葉, 권1의 2엽二葉, 권3의 3엽三葉 합계 7엽七葉이 탈루脱漏되어 있다. 또 금강산 유점사에서 후반의 3권 1책을 발견하였으나 탈루된 것이 앞의 두 본과 같았다.[304]

이 같이 삼국유사가 희귀하기도 했으나 완전치가 않았던 것이다. 그러던 중 이마니시가 새로이 삼국유사를 입수하게 됨으로써, 완전한 삼국유사의 내용을 파악하게 되었다.

그렇다면 이마니시가 입수한 『삼국유사三國遺事』는 어떤 것인가? 이마니시 류今西龍는 다음과 같이 기술하고 있다.

소생小生이 사용한 삼국유사는 이조중종왕7년李朝中宗王七年 즉 명의 정덕7년임신正德七年壬申의 경주 중간본慶州重刊本으로 운운云云.[305]
소생은 순암順庵의 사師 성호星湖 이익李瀷이 순암順庵에게 준 서한書翰을 일괄一括하여 48통通을 소장所藏하고 있는데 이 서한에 안씨安氏(안정복)가 삼국

---

304 今西龍,「正德刊本 三國遺事に就て」,『高麗史研究』, 近澤書店, 1944.
305 今西龍 遺著,『朝鮮古史の研究』, 國書刊行會, 1970, p.6.

유사를 소장하고 있다는 것을 추측케 하고 있다. 최근 10년 간 조선에서 제 연구가諸研究家 호서가好書家들이 이 책을 궁수窮搜하고자 하였는데, 총독부의 와타나베 아기라渡邊彰 옹이 금강산 유점사에서 그 후반의 3권 1책을 발견하여 소생은 와타나베渡邊 옹의 후의厚意로 이를 검토해볼 수 있었다. 차본此本은 간다본神田本, 도쿠가와본德川本에 탈루脫漏된 부분이 동일했다. 1916년에 경성의 한 서가—書賈가 드디어 소생에게 삼국유사 1부를 제출하였으므로 소생은 꿈같은 기분에 기쁘고 또 기뻐 이것을 구구購求하였다. 이 책은 실로 안순암安順庵: 安鼎福의 수택본手澤本으로서 곳곳에 그 자필自筆의 식어識語가 있고 그리고 귀중해야 할 가운데서도 또 귀중함은 그 정본定本으로서 간다본神田本, 도쿠가와본德川本에서 탈루한脫漏한 7엽七葉을 모두 완비完備하고 이 것에 가하여 이 7엽七葉에는 매우 중요한 기사記事가 있는 것이다.[306]

이 이마니시본今西本 『삼국유사』의 특기할 점은 장방형長方形의 「선상공가장서先相公家藏書」라고 장서인藏書印이 찍혀 있어, 김부의金富義(1525~1582)의 부父인 김록金綠이 입수 소장하였던 것임을 알 수 있다. 김록은 조선 중종 때 사람으로 정덕임신간본正德壬申刊本이 나오기 2년 전에 진사시進士試에 합격하여 1538년에 강원도 관찰사를 지낸 사람이다.[307] 더구나 『동사강목東史綱目』의 저자 안정복安鼎福(1712~1791)의 수교手校까지 기입되어 있는 귀중한 것이다.

---

306 今西龍,「正德刊本三國遺事に就て」,『典籍之硏究』제5號, 典籍之硏究社, 1926, p.12, 今西龍,『高麗史 硏究』, 近澤書店, 1944, p.210.

307 村上四男,「三國遺事解說」,『朝鮮學報』第99號, 100號 合倂號, 1981년 7월.

이마니시 류今西龍가 경주본 삼국유사의 입수 경위에 대해 이인영은 다음과 같이 전하고 있다.

우리 고문헌 중 삼국유사 5권은 삼국사기의 결함을 보충하고도 오히려 남음이 있다. 우리들이 보통 아는 바 범위내에서는 현재 최고最古 삼국유사는 정덕7년 正德七年(1512) 경주부 중간본重刊本으로 고 이마니시 류今西龍 박사 손에 들어가게 되었다. 결본缺本으로서의 전본傳本은 현재도 수처를 산산算하고 있으므로 완 完本으로서의 출현으로는 이것이 처음이다. 나는 근년 삼국유사를 직접 이마 니시今西 씨에게 매도한 노인의 회고담을 들었다. 삼국유사가 어디서 나왔기에 이마니시今西 씨한테 가지고 가서 두 책에다 25원을 달라고 하였더니 선뜻 25 원을 내주더니 또 상금으로 5원을 더 주더라고 한다. 당시로는 조선책 두 권에 25원이라는 가격은 모름지기 고서 매매계의 최고 기록이었을 것이다.[308]

조윤제趙潤濟도 「고서왕래古書往來 진본珍本의 출세담出世譚」에서 이마니시의 삼국유사 구입에 대한 일화를 다음과 같이 기술하고 있다.

지금은 삼국유사라 하면 교토대학본京都大學本도 있고 계명구락부본啓明俱樂部本 도 있고 조선사학회본도 있고 또 고전간행회본도 있어 단순히 내용만을 볼려 면 1원만 내어도 사서 볼 수 있고, 원본대로 볼려고 해도 10원 이내에 훌륭한 사 진본寫眞本을 구할 수 있으나 한 20년 전에는 이것이 한 수수께끼적 존재이었다.

308 李仁榮, 「淸芬室雜識」(1939년 記錄), 『李仁榮全集』, 國學資料院, 1998.

삼국시대의 역사적 기록에는 삼국사기 삼국유사가 있는 것만은 알았지만 대체 삼국유사란 어떠한 내용의 책인가. 삼국사기와 같이 또박또박 연대를 박아적은 편년제의 기록일까. 그렇지 않으면 다른 무슨 내용의 책일까 하고 모두 궁금히 생각하고 있었다. 그랬더니 갑자기 이마니시今西 씨로부터 삼국유사를 얻었다 하는 소문이 학계에 도는데 보자 하니 고조선기古朝鮮記가 있고 가락국기駕洛國記가 있고 단군檀君이 있고 또 신화 전설이 있어 학계를 정말 놀라게 했다.

그러나 이것은 학계 일반을 놀라게 한 일이나 그 가운데는 이 책을 얻은 이마니시 씨 자신을 놀라게 한 일이 있다하니 대체 그는 또 무슨 일인가. 이마니시 씨라 하면 세상이 다 알다시피 이 조선역사의 권위자요 또 장서가이거니와 선생이 조선을 오면 고서의 수집에 거의 자리가 따뜻할 겨를이 없었다 한다. 또 이 판에 서적행상들은 자기로서 한 목 보겠다고 선생이 조선에 왔다하는 소문만 들으면 빗발치듯하는데, 하루는 선생의 숙소에 전과 같이 모 행상이 고서를 한 보따리 싸가지고 왔다. 선생은 친절히 실내에 맞아들여 보따리를 끌으라 하고 보니 의외에도 여태까지 수수께끼로만 생각하고 있던 삼국유사가 그 가운데서 나왔다. 놀랍다 할까 반갑다 할까 한참동안 선생은 망연하고 있다가 이 책값이 얼마냐? 물으니 그 행상이 가격을 불러 7원이라 하였다. 책에 대한 가치를 모르는 행상이 7원이라 부르는 것도 물론 무리가 아니나 여기에는 선생이 더욱 놀라 그 행상에게 이 책이 7원짜리가 아니라 하고 30원을 주어 보냈다 한다. 책 사는 사람에게는 흔히 있는 일이다.[309]

---

309 趙潤濟,「古書往來(上) 珍本의 出世譚」,『東亞日報』1936년 4월 22일자.

이마니시본今西本의 출현은 일부 베일에 가려 있던 삼국유사의 내용을 파악하는 데 결정적이었다. 이를 가장 먼저 깨닫고 완전한 삼국유사의 발행을 시도한 사람이 육당 최남선이다. 1927년에 육당의 노력으로 발행한 삼국유사를 계명구락부본이라고도 하는데, 이병도李丙燾는 계명구락부본에 대해 다음과 같이 설명하고 있다.

삼국유사의 고판본의 소전所傳은 매우 희귀稀貴하여 일찍이 내지로 건너가 전하는 것이 2종이 있고 또 안순암安順菴 수택본手澤本으로 고 이마니시 류今西龍 박사 손에 들어간 중종시 개간본改刊本이 있는 외에는 아직 세상에 들어난 완질본이 없고 오직 몇 군데에 <중략> 그런데 도쿠가와德川, 간다神田 양 본에는 7매의 낙장落張과 여러 곳의 결자, 오자가 있어 완본이라고는 할 수 없고 이마니시 씨 소장 순암 수택본은 낙장은 별로 없으나 역시 글자의 착오와 각결처刻缺處와 후인(순암)의 첨개添改한 곳이 많다. 그러나 아직 이마니시본 만치 비교적 온전한 완질고본全帙古本은 나타나지 아니하였다. 그리하여 이 이마니시본에 의한 교토제대 영인본과 경성 고전간행회 영인본이 전후하여 간행되었거니와 이마니시본이 나타나기 전에는 저 불완전한 도쿠가와, 간다 양본을 저본으로 하여 보충활인補充活印한 도쿄제국대본이 행세하였다. 삼국유사의 신활자본으로는 도쿄대본이 거기에는 여러 가지 결락이 많다. 이마니시본이 나타난 이후로는 이 본에 의하여 조선사학회 발행의 신활자본이 생기고 또 계명구락부에서 발행한 최남선 씨 수교手校 활자본도 있게 되었다. 그런데 최남선 씨는 일찍부터 삼국유사의 고본 수색에 노력하여 광문회光文會 당시에 제1권 제2권을 결한 세벌을 얻은 일이 있었고, 최근 송석하 씨에게도 제1권이 입수되었는데 비록

영본零本이나 이 송씨본의 고한 품은 금서본 이상으로 <중략>

이번 신정新訂 삼국유사는 이 송씨 소장의 제1권과 이마니시본의 영인본과 교자

校者(최남선) 소장의 영본을 참호參互하여 적의適宜히 교정校訂한 것이라 한다.[310]

육당 최남선의 삼국유사 발간은, 당시 말로만 전하던 삼국유사를 접한 연구

가들로서는 마른 땅에 빗물을 맞이하는 것과 같았다.

삼국유사 이마니시본은 당시 가장 권위 있는 귀중본이었다.

이마니시 류今西龍는 조선의 고적조사에 오랫동안 종사하면서 한국의 귀중서를

많이 수집했다. 그가 수집한 서적은 무려 1만 책을 돌파했으며,[311] 삼국유사三國遺

事 경주본慶州本을 비롯한 많은 귀중서를 천리도서관에 기탁을 했다. 그가 수집한

이마니시문고今西文庫의 조선관계문헌朝鮮關係文獻에는 우리나라 귀중서가 많이 소

장되어 있는데, 도활자陶活字『경사집설經史集說』, 현종실록자顯宗實錄字『삼국사기三

國史記』50권 8책, 목판본木版本『조선팔도지도朝鮮八道地圖』,『석씨원유釋氏源流』,『해동

고신선사지비海東故神禪師之碑』,『대동지지정리고大東地志程理考』,『석보釋譜』,『지장보

살본원경地藏菩薩本願經』,『난중비기亂中秘記』등 외에도 수많은 귀중서가 있다.[312]

해방 이후 군정청 학무국과 문화계 유지 제씨가 중심이 되어 일본서 가져간 고문

310 李丙燾,「六堂 崔南善씨의『故事通』과『三國遺事』」,『每日申報』1943년 12월 4일자.

311 藤塚鄰,「故今西龍敎授追悼の辭」,『京城帝大史學會報』第3號, 1934년 9월.

312 中村榮孝,「今西文庫 '亂中秘記' 寫本に就いて」,『朝鮮學報 第55輯』.

화재를 도로 찾도록 해달라고 아놀드군정장관을 통하여 요청한 결과 맥아더사령부로부터 조사보고서를 제출하라는 쾌소식을 받았다. 이에 서울대도서관장 이인영, 국립박물관장 금재원 등 제씨가 중심이 되어 도일문화재를 조사하여 1차로 보고한 반환 문화재 목록에는 일본에 건너간 삼국유사도 포함되었으나[313] 실패하고 말았다.

구로다 다쿠마(黑田太久馬)로부터 고려왕릉 유물을 구입하다.

구로다 다쿠마黑田太久馬는 1906년 이전부터 고려왕릉을 비롯한 고려무덤에서 나온 도굴품을 많이 소장하고 있었다. 1906년 6월 16일 도쿄미술학교에서 개최된 일본고고학회총회 때는 고려 숙종릉을 비롯한 고려무덤에서 나온 유물을 출품하기도 했다.[314]

조선총독부박물관에서는 1916년에 구로다 다쿠마黑田太久馬로부터 상당한 유물을 구입하였다. 그 목록을 보면, 묘지석墓誌石 옥책玉册, 고려청자, 관식, 인장, 필관, 골함 등을 비롯한 문서 쪽수만도 102쪽에 달했다.[315]

그 중에서도 묘지석墓誌石 옥책玉册, 청자화병을 비롯한 인종仁宗 장릉長陵에서 나온 유물들이 주목된다. 인종 장릉은 이마니시 류今西龍의 기록에는 1907, 1908년경에 도굴된 것이라고 하는데, 장릉에서 나온 출토 유물의 일부는 『조선

---

313 『東亞日報』 1945년 12월 27일자.
314 앞 1906년 6월 16일조, 참조.
315 「대정 5년도 진열품 목록 대장」, 국립중앙박물관 소장 조선총독부박물관 공문서, 목록 번호 : 97-진열02.

인종 장릉 출토의 청자화병과 시책탁본(黑田太久馬 구장)

고적도보』제7책 도판 3323~3335로 게재되어 있다.

아유카이 후사노신鮎貝房之進은 이 유물들에 대해,

> 근경近頃 인종대왕仁宗大王의 능릉이 도굴되어 수 개의 고려소高麗燒와 함께
> 묘지墓誌가 나왔다.<중략> 묘지墓誌는 구로다씨소장黑田氏所藏, 화병1개, 개
> 부다완蓋付茶碗 3개, 합자盒子 1개(이상 黑田氏 所藏).[316]

이라고 하여 장릉에서 도굴된 유물 일부가 구로다의 손에 들어갔음을 증언하
고 있다.

묘지에는 결손된 부분이 많지만, "유황통육년병인삼월維皇統六年丙寅三月", "존

---

316 點貝房之進, 「高麗の花(高麗燒,明治41년)」, 『朝鮮及滿洲之硏究』第1輯, 朝鮮雜誌社,
    1914, pp.354-355.

익왈공효대왕尊諡曰恭孝大王" 등의 문자文字가 나타나 있는 바, '皇統六年'은 서기 1146년에 해당하며, '恭孝大王'은 인종仁宗을 지칭하는 것으로『고려사』세가 제 17권, 인종 조 마지막에 "왕은 재위 24년 나이 38세였다. 이에 시호諡號를 공효

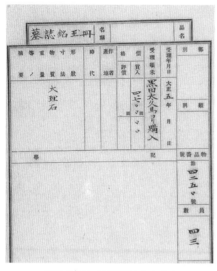

恭孝라 올리고 묘호廟號를 인종이라 하고 성남城南에 장사지내고, 능호陵號를 장릉長陵이라 하였다"라고 기록하고 있다.

인종 장릉의 출토유물은 2008년에 《고려 왕실의 도자기》라는 주제로 국립중앙박물관에서 전시를 할 때 공개 진열되었다.

구로다로부터 구입한 목록 대장

朝日修好條規

大日本國與

大朝鮮國素敦友誼歷有年所

洽欲重修舊好以固親睦是以

企權辦理大臣陸軍中將兼參

隆特命副企權辦理大臣議官

華府朝鮮國政府簡列中樞府

承各遵所添論旨議立條欵開列于左

一第一欵

朝鮮國自主之邦保有與日本國平等之權嗣後兩

우리 문화재 수난일지

1917년

1917년 1월 10일

불상 절취범 체포

1915년 음력 4월에 박도진(경기도 진위군 고덕면 소시동 학도암 여승)이 수원군 우정면 백수암에 모신 부처와 부속품 전부를 절취한 사실이 있었는데, 10일에 박도진을 체포하고 이런 사실을 자백 받았다.[317]

1917년 1월

이왕직차관 고미야 미호마츠小宮三保松가 퇴직하다.[318]

1917년 2월 4일

월정사의 말사인 강원도 정선군 정선면 관음사觀音寺를 폐지廢止하다.[319]

---

317 『每日申報』1917년 1월 21일자.
318 『每日申報』1917년 1월 30일자. 래.
319 『朝鮮總督府官報』1917년 2월 4일자.

1917년 2월 20일

불상 발견

1917년 3월 6일 영천경찰서장이 조선총독에게 보낸 '불상발견의 건 보고'에 의하면,[320] 2월 20일 경북 대구부 법천사출장소 승려 모리야마森山가 영천군 신녕면 치산동 민가로부터 약 1리 반 떨어진 서남방 산록의 돌로 쌓아둔 굴에 안치한 석조불상 2구을 발견했다.

도면

---

320 「경상북도 영천군 발견 매장물 석조아미타불상」, 국립중앙박물관 소장 조선총독부박물관 공문서, 문서번호 : 97-발견06.

1917년 2월

김해공립보통학교 내에서 김해고적보존회 발기인회를 개최하다.[321]

고물상에 나도는 관측기

전주에서 어떤 조선인이 천문관측기를 소장하고 있다가 이것을 전당포에 5원에 저당 잡히고는 찾아가지 않아 결국 이 관측기는 골동점에 팔리어 시중에 나돌았는데 『신한민보』 1917년 4월 12일자에는 다음과 같은 기사가 있다.

보물을 5원에 전당

천 년 전 천문관측기

전라도 전주군에서는 근자에 천문관측기 한 개를 발견하였는데 이 기계는 거금 1천 년 전에 신라의 천문학자가 발명하여 왕궁에 천문대를 건축하고 천체유류를 관측하여 조석의 풍우와 인간의 화복을 판단하던 보물이라 순은으로 새긴 경위선과 천여 개의 글자가 천여 년을 지내였으되 동록 하나도 끼지 아니하였고 그 정교하고 치밀한 미술은 비록 현금 세계의 공업으로도 모방할 수 없는 진귀한 보물인데 어떤 한인 한 이가 일인 전당국에 오원에 전당을 잡히고 찾아가지 아니한 것을 발견하였다더라.

---

321 『每日申報』 1917년 2월 27일자.

여기에 대해『매일신보』1917년 2월 22일
자에는 좀 더 구체적으로 기술하고 있다.

『신한민보』1917년 4월 12일자

천문대天文臺 발견

전주에서 근일 진귀한 고보古寶 천문대가
발견되었는데 이 천문대는 거금 1천 년 전
에 조선의 미술이 점차 왕성한 시에 신라

성 아래에 한 천문학자가 완전한 천체관찰기를 발명코자 하여 전심으로
연구한 결과로 이 천문대를 발명한 것인데 이래 조선 전도를 통하여 왕궁
의 4개소에 이를 설비하여 주야로 천체를 관찰하고 시각을 계산하여 또 일
면의 운수를 판단 예언한 왕족 귀족의 분묘 같은 것은 모두 이 천문대에
각한 경위經緯 양 선상에서 추고하여 선정함인 듯 하며 이 천문대는 천여
년 전의 제작품으로 명백한 역사가 존재함이 아니나 제작의 정교 세밀함
이 금세에서 도저히 모방치 못하는 바인데 기체器體는 반盤을 순적동純赤銅
의 두께 1분의 것으로 원형을 이루고 종횡익 1척1촌5분으로 중앙에 직경 2
촌5분5리의 혈穴이 있고 이 혈 중심에 자석을 비치하여 양영陽影을 취하여
시각을 계산하던 것이니 반의 표면에는 경위선을 누누縷縷한 순은純銀으로
무수히 매각埋刻하여 그 경위선을 연延하여 12간지에 각각 분기선으로 지
至하여 1천여 개의 문자를 은으로 매자埋字하여 이로써 천지우주를 대관하
여 조석의 청남풍우晴曇風雨로부터 인간의 운명을 판단한 것인데 연구월심
年久月深하고 성이물체星移物替하여 이래 어느 곳에 잠재潛在한 지 불명하더
니 1915년 가을에 개최된 물산공진회에 개성 모 벽지에서 1개와 경남 일우

一隅에서 또 1개가 출현하여 공진회 후는 천문대상의 참고품으로 박물관에 보존하게 되었고 그 나머지 2개는 소재가 불명하더니 근일 1인의 조선인이 이 천문대 1개를 안고 전주 대정정 구보전당국久保典當局에 와 금 5원에 전당잡히고 수遂히 유질流質이 되었는데 해품該品은 그 후 5원 80전으로 전주 고사정 모 고물상이 매수하여 사진을 촬영하여 경성으로 송부하던 바 전기와 같은 고보古寶인 것이 분명한 것인데 이미 1천 년을 지난 고물이나 한 점의 창錆도 없고 반盤은 정마精磨한 것과 같이 광휘光輝를 방放放하고 표면이 누누縷縷한 경위선 및 매각문자埋刻文字가 1천 년 전의 역사를 말하더라.

신문기사를 보면 4개의 관측기 중 2개는 박물관에 있고, 1개는 행방이 불명이다. 그리고 본 천체관측기는 전주의 고물상이 매수하여 사진을 경성으로 송부하였다 하니, 다른 곳에 매도하기 위한 것으로 보이는데 그 후의 행방에 대해서는 알려져 있지 않다.

다만 '박물관 진열품 구입의 건'을 보면, 경성의 골동상 이케우치 도라키치池內虎吉로부터 1923년 8월에 천체관측기 1개 외 상당수의 진열품을 구입한 문건이 보이고 있다.[322]

---

322 「대정12년도 진열품 구입결의」, 국립중앙박물관 소장 조선총독부박물관 공문서, 목록 번호 : 97-구입04.

1917년 3월 6일

동화사의 말사 경상북도 군위군 소재 박타사博垞寺를 폐지하다.[323]

1917년 3월 15일

고적 및 유물 대장 송부

「고적 및 유물 대장古蹟及遺物臺帳」은 1917년 3월 15일까지 등록된 고적 및 유물 제1호부터 제136호까지의 등록번호, 명칭, 종류 및 형상·크기, 소재지, 소유자나 관리자의 주소지명(명칭), 현황, 유래·전설, 관리보존 방법 등을 등록한 대장이다. 등본謄本은 조선총독부가 「고적 및 유물 보존규칙古蹟及遺物保存規則」 제4조 제1항에 의거하여 1917년 3월 15일 소유자 또는 관리자에게 송부하였다.

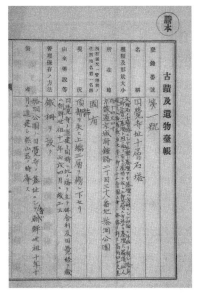

고적급유물대장
(제1호 원각사지(圓覺寺址)십층석탑)

323 『朝鮮總督府官報』 1917년 3월 6일자.

1917년 3월 17일

평남 강동군 만달면 승호동 고분 조사

1916년에 평안남도 강동군 만달면 승호동에 오노다小野田 시멘트 제조주식회사가 건설하기로 예정되어, 공장예정 부지 및 회사정설 철도예정부지 내에 있는 고분을 조사를 하게 되었다. 이에 조선총독부 촉탁 야쓰이 세이이치谷井濟一와 오바 쓰네키치小場恒吉가 출장하여 1917년 3월 17일부터 19일까지 3일에 걸쳐 조사를 했다. 복명서에 의하면 만달면 승호동 소재 약 300기의 고분 중 2기의 석총(제1호분, 제3호분)과 봉토가 비교적 완존한 1기의 토분(제2호분)을 조사하고 분묘의 위치, 내외 형태와 조성 시대를 밝히고 있다.

또 300여 기의 고분은 모두 보존해야만 하는 것이지만 국리민복을 해치면서까지 보존할 만큼 중요한 유적은 아니라는 의견을 제시하고 있다.

만달면 제1호분 전면

1927년 3월에 만달면 승호리 131번지 오노다小野田시멘트회사 소유지 내의 제 3호분을 발굴 조사한 복명서(『국립중앙박물관 소장 조선총독부박물관 공문서』, 1927, 만달면 고분 발굴 조사)를 보면 1916년 이래 오노다小野田 시멘트회사의 대공사를 하면서 300여 기의 고분 중 약 100여 기를 잃었다고 보고를 하고 있다.[324]

1917년 3월 22일

제5회 고적조사위원회

제5회 고적조사위원회는 1917년 3월 22일 개최되어 '1917년도 고적조사계획 및 설명', '고적 및 유물 보존', '진주 촉석루矗石樓 앞 뜰 석비 이전', '경성 남대문 개축연시改築年時 고증'이 안건이다. 삼한, 가야, 백제 유적 조사를 위한 '1917년도 고적조사 계획'은 '1917년도 고적조사계획 수립' 문건에서의 계획과 약간의 차이가 있다.[325]

'대정6년도 고적조사 계획'은 1917년 2월 16일에 1차적으로 정했는데. 총독부박물관 공문서의 1917년 2월 16일자로 고적조사위원회 간사가 세키노關野, 구로이타黑板, 이마니시今西, 도리이鳥居 위원에게 보낸 '대정6년도 고적조사 계획에 관한 건'에 나타나 있다. 이 계획안을 일부 수정하여 1917년 3월 22일 '제5

---

324 「평안남도 만달면 고적조사 복명서 및 조사 보고서」, 국립중앙박물관 소장 조선총독부 박물관 공문서, 목록번호 : 96-380.
325 「제5회 고적조사위원회」, 국립중앙박물관 소장 조선총독부박물관 공문서, 문서번호 : 96-107.

회 고적조사위원회'에서 발표한 것으로 보인다.

「대정6년도 고적조사 사무 개요」를 보면, 1917년도에 고적급유물의 보존공사를 시행하는 것은 평남 안주 백상루, 함남 황초령진흥왕순수비, 평남 성천 동명관, 함남 북청남문, 경남 밀양 영남루, 개성 만월대, 경기도 송파 청태종기공비, 충주 중앙탑, 황해도 봉산 양동리고분을 수리 보존하기로 했다.

또 '유물 취기取壽'의 건으로 개성 적조사지철조불상, 개성 적조사지석조보살상, 서산 보원사지철조석가여래좌상을 박물관으로 옮기기로 계획한 것으로 나타나 있다.

1917년 5월 7일에 개시하여 1918년 1월 14일까지 끝을 맺는 것으로 하고 있는 제2차년도의 「조적조사계획 설명」을 보면, 1917년도에는 전년도의 잔여와 아울러 삼한, 가야 및 백제의 유적을 조사하고 동시에 그 지방에서의 유사전의 유적을 조사한다 하고, 1917년도의 조사는 한대, 고구려시대와 경기도 충청남도, 전라북도의 삼한, 가야, 백제 유적과 경상남북도를 대상으로 한 유사이전의 유적을 조사하는 것으로 되어 있다. 특별조사는 급속을 요하는 것이나 박물관 진열품 수집의 필요로 하는 전남 나주군 반남면 기타 수개소를 예정하고 있다.

「고적조사사무개요」를 보면 일반조사는 1917년 5월 7일에 개시하여 1918년 1월 14일까지 종료하는 것으로 조사위원은 구로이타 가쓰미, 세키노 타다시, 이마니시 류, 도리이 류조, 야쓰이 세이이치의 다섯 명이고 측량, 제도, 촬영 등을 위하여 박물관 직원 4명, 토목국 직원 1명이 동행하였으며 통역을 위하여 중추원 직원 2명이 동행했다. 그리고 각 위원에게 일정과 장소를 정해주고 그 임무를 부여했다.

야쓰이 세이이치는 1917년 5월 7일 경성을 출발하여 측량원 2명과 함께 먼저 황해도 봉산군에 이르러 문정면 석성리의 당토성, 송산리 및 태봉리의 고분,

초와면 유정리, 양동리 및 입봉리의 고분, 대청리 장동 고분군, 동선리 고선사를 조사했다. 계속해서 순천군으로 들어가 선소면 검산동 고분, 사천동 묘전출토지, 석촌동 고분, 북창면 송계리 고분 등을 조사하고, 평북 운산군을 나와 6월 12일에 세키노와 합류했다. 야쓰이는「황해도 봉산군, 평안남도 순천군 및 평안북도 운산군 고적조사약보고」를 제출했다.

세키노는 5월 7일부터 황해도 봉산, 평남 순천을 조사하고, 6월 12일에 야쓰이, 오바, 노모리, 고이즈미 등과 운산에서 합류했다. 6월 13일부터 1주일간 용호동 고분 3기를 발굴 조사하고, 극성동 만리성을 답사하고, 북상하여 위원 덕암동, 만호동의 고분을 조사 후 서쪽으로 진출하여 밀산면 사장리, 신천의 고분, 서의 금산의 운해천동의 고분을 조사했다. 그 후 압록강을 건너 집안의 유수림자 지역에서 대고려묘자, 고려묘자 고분군, 외분구문자 고분군을 조사하고 평안북도 도금산을 조사, 의주를 경유하여 7월 15일 경성으로 돌아왔다.[326] 보고서는 세키노의 이름으로「평안북도 및 만주 고구려고적 조사 약보고」를 1918년 7월에 제출했다. 이것은 1920년 3월에『대정6년도 고적조사보고』로 간행했다.

구로이타 가쓰미는 측량제도원 및 사진사 각1명과 함께 8월 27일 경성을 출발하여 28일 경상북도 고령군에 이르러 고령군 지산동 주산의 고분군을 조사하고 다시 경상남도 김해군에 들어가 우부면 회현리의 고분군, 삼산리의 고분군, 내동리의 고분, 주촌면 농소리의 왜성지, 양동리의 가곡산성, 가락면 죽림리의 죽도산성지, 장유면 내동리의 용두산성지, 류하리의 고분군 등을 조사하고 9월 13일 경성에 귀착하는 것으로 하고, 조사 결과는 고령에서 가야분묘의 형식 및 분포를 밝히고,

326 「古蹟調査の狀況」,『朝鮮彙報』, 朝鮮總督府, 1918년 11월.

동시에 마구 등의 단편, 금동환, 창신 기타의 부장품을 수집하고, 김해군에서도 역시 가야분묘 및 산성의 형식과 일본 관계의 축성을 조사하는 것으로 하고 있나.

이마니시 류는 측량제도원 1명, 통역 1명과 함께 1917년 9월 23일 경성을 출발하여 경상북도 선산군에 도착하여 선산면 죽장사지석탑, 선산군 일대의 고분군, 폐사지, 석조물을 조사하고, 경상남도 함안군 가야면 가야리 고분군, 왕궁지, 말산리 고분군, 신음리 고분군, 기타 석불, 석탑 등을 조사하고, 창령군 경상북도 달성군 일부, 고령군, 성주군, 김천군을 조사한 다음 11월 25일에 돌아와 조사보고서 4책, 사진 162매를 1919년 12월에 제출한 것으로 『대정6년도 고적조사보고』에 나타나 있다.

야쓰이 세이이치는 2차 조사로 측량제도원 3명과 9월 21일 경성을 출발하여 경기도 광주에 이르러 석촌리, 가락리 및 방이리의 고분군, 이리의 토성지, 중부면 남한산성, 언주면 산성리의 산성을 조사하고 다음으로 고양군의 산성지를 조사하고, 충청남도로 들어가 천안군 성거면 천흥리의 당간지주, 공주군 주외면 금성리의 공산성지, 반포면 학봉리의 석탑, 청양군 청양면의 장성지 외 산성지, 정산면 성지, 군청의 3층석탑, 석조석가삼존상, 정산면 서정리의 9층석탑, 논산군의 개태사지의 유물을 조사한다. 부여면에서는 부소산성지, 나성지, 전 백제왕릉, 정림사지석탑, 유인원비, 군청에 보관한 유물 등을 조사하고, 전북 익산군으로 들어가 금마면 오금산성지, 미륵사지, 팔봉면 석왕리의 쌍릉을 조사하고 12월 16일 특별조사를 위해 전남으로 향하도록 계획하고 있다.

도리이 류조는 사진원 1명과 함께 10월 24일 경성을 출발하여 25일 경상북도 경주군에 도착하여 경주군 일대의 산성 및 유적유물을 조사하고, 울산군 석기시대 유적을 조사하고, 울릉도로 건너가 석기시대의 유적과 고분을 조사하고 다시 영주군으로 들어가 석기시대 유적 및 고분을 조사하고 안동군 석기시대 유적, 대구 달성공원성벽 아래의 석기시대 유적, 경남 거창군, 합천군, 진주군, 고성군, 김해군 등의 석기시대 유적, 김해패총 등을 조사하는 것으로 되어 있다.

1917년도 특별조사는 나주 반남리 고분, 경주 사천왕사터, 회령 오국성, 개성 부근 고분, 강화도 고분으로 "이상은 금년도 일반조사 계획에 포함된 것이 아니나 급속을 요하는 사정이 있는 까닭으로 특별히 금년도에 실시한다" 라고 되어 있다. 특히 나주 반남면 고분군의 조사는, "박물관 진열품 수집의 필요에 의하여 전라남도 나주군 반남면과 기타 몇 곳을 예정하고 있다. 이들 지역 말고도 추가 조사할 곳이 더 있으리라 생각된다" 라고 기록하고 있음을 보아 그 발굴품 수집을 목적으로 하고 있음을 알 수 있다.

「대정6년도고적조사개요」[327]에서 특히 강조하는 부분은 다음과 같다.

세키노關野위원

<전략> 이들 조사의 결과 중에 평안북도 운산지방에 있는 고분이 고구려에 속하는 것인지를 확실히 하여서 고구려의 분포를 밝혀내고 동신리 용호동인 제평동의 고분에서 철제로鐵製爐, 동제도금銅製鍍金의 금구金具 등 다수의 부장품을 수집하는 일과 집안현에 있는 고구려 환도성丸都城터라고 인정되는 유적을 조사하는 임무가 중요함을 유의할 것.

야쓰이谷#위원

<전략> 이 조사에서는 고령에 있는 가야시대의 분묘를 통하여 형식과 분

---

327 「大正6年度古蹟調査槪要」,『大正6年度古蹟調査報告』, 朝鮮總督府, 1919, pp.11~15.

포를 밝혀냄과 동시에 개鎧, 마구馬具등의 조각, 금동가락지, 창날과 기타의 부장품들을 수집한다. 김해군에서는 가야의 분묘와 산성의 형식 근내에 있어서의 일본 관계의 성을 축성하고 금동가락지등 기타의 부장품 수집에 주력한다.

이마니시今西위원

<전략> 이번 조사에는 경상북도 선산에서 고분의 분포형식과 아울러 불교입전 당시의 유적을 밝히고 경상남도 함안에서는 가야의 유적을 자세히 살피고 가야면 말살리 고분에서 개鎧, 마구 등의 조각과 기타의 부장품 등을 수집하는 일을 중점 둘 것.

야쓰이谷井위원

<전략> 이번 조사에서는 경기도 광주 고양과 충청남도 공주, 부여 등에 있는 백제국도百濟國都의 유적을 밝히고 부여의 왕릉이라 하는 것을 조사하여 백제 회화를 찾아내는 일이 가장 특별히 유념할 점이며 또 전라북도 익산의 마한 무강왕武康王의 능이라 전하는 고분을 조사하여 백제시대 것인가를 확실히 하고 도금금구淘金金具로 장식한 목관을 수습하고 그 지역에 있는 백제의 유적이라 판단되는 유력한 자료에 주목할 것.

도리이鳥居위원

<전략> 이번 조사에서는 경상북도와 경상남도의 유사이전의 유적 분포를 밝히고 김해군 우부면 회현리에서는 패총의 지층 아래에 묻혀 있는 석관을 찾아내는 일 등에 주력해야한다.

특별조사 야쓰이谷井위원

<전략> 이번 조사에는 옹관이 묻혀 있는 고분의 발굴을 위주로 한다. 시일 관계상 비교적 큰 것만 둘을 골라서 발굴한다. 옹관에 있을 금동보관金銅寶冠, 대도大刀, 칼날, 창, 도끼, 톱, 화살, 귀걸이, 귀옥, 관옥, 작은 구슬, 도제 감, 배杯 등이 나오면 가져 올 것, 아울러 이 부근에는 산성터가 있고 같은 고분 수십 기도 있으므로 상세히 조사할 것을 예정하고 있음에 유의할 것.

이는 마치 단순한 조사가 아니라 규명을 위한 노력과 함께 수습할 수 있는 유물들을 거두어 들이 라는 노골적인 지시가 명문화 되어있다. 그렇기 때문에 저들은 지표상의 유물이라 하더라도 특별한 절차를 거치지 않고도 자유스럽게 수집하여 이동하는 일을 자행할 수 있고 이 지침에 의하여 정당화되었으며,[328] 결과적으로 수탈인데 이에 자극되어 경향 각지에서의 도굴과 약탈과 착취가 거의 공공연히 자행되는 풍조를 조장하였다.

1917년도 특별조사계획에서 나타난 대로 1917년에서 이듬해 1918년에 조선총독부의 고적조사위원회의 야쓰이 세이이치谷井濟— 외 3명의 조사원에 의하여 가장 완전하고 큰 고분 2기가 발굴되었는데, 이곳에서 옹관과 화려한 장신구를 포함한 각종유물이 출토되어 학계를 놀라게 했다. 그러나 야쓰이谷井는 『대정6년도고적조사보고』에 간단하게 그 개보概報만 게재하고 또 하나의 고분에 관해서는 정식 보고서를 미간未刊했다.

---

328 『韓國文化財保護攷』, 韓國文化財保護技術振興協會, 1992.

그 미간된 고분에 관해서는 이 고분(신촌리 제9호분)의 발굴을 담당했던 오가와 게이키치小川敬吉가 1943년에 정년으로 총독부를 퇴관하여 개인적으로 자필 기록한 내용을 가지고 일본으로 돌아가 1950년에 사망하였는데, 수년 후 동경대학 문학부 우메하라 스에지梅原末治의 주선으로 오가와小川가 지니고 간 조선고적관계의 자료를 동경대학 공학부 건축학교실에 이양하면서 그 일부가 밝혀지게 되었다.[329]

이처럼 전라남도 반남면 고분군에 관심이 많았던 것은 "일종의 옹관은 당시 내지의 북구주 옹관과 유사하여 일선관계의 고고학상 흥미 운운"[330]하면서 소위 그들의 임나일본부설에 끼워 맞추려는 의도가 다분했다. 즉 그들은 진지하게 우리 문화를 보려 한 것이 아니라, 자기네의 고대문화에 대한 원류를 밝히는데 주 관심점이 있었으며 이러한 고분을 발굴함으로서 고대문화에 있어서 한국보다 우위점을 선점하려는데 그 목적이 있었던 것이다.

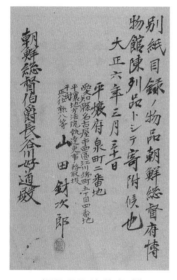

기증품 목록 앞장(기부원)

1917년 3월 31일

1917년 3월 31일자로 평양의 대수집가 야마다山田鈗次郎가 평양 일대에서 채집한 고와 총

329 有光敎一,「羅州潘南面 新村里 第九號墳 發掘調査記錄」,『朝鮮學報 第九十四輯』, 1980년 1월.
330 梅原末治,「日韓倂合の期間に行なわれた半島の古蹟調査と保存事業たすさわった一考古學徒の回想錄」,『朝鮮學報 第51輯』, 1969.

1,013점을 기증해 와 당일 '수령증' 교부했다.[331]

1917년 4월 12일

도쿠도미 소호(德富蘇峯)가 정림사지석탑을 탁본하고 유물을 채집해 가다.

4월 12일 도쿠도미 소호德富蘇峯가 정림사지석탑을 탁본하면서 일대를 탐색했다. 석탑 부근에서 와편을 채집하고, 규암리의 일본인 도미나가富永의 저택을 방문했다. 도미나가는 이 부근 이주자 중에서 가장 이른 시기에 정착을 한자로 당지 이주자청년회 회장으로 유사 이전 유물을 많이 수집하여 그의 저택에 소장하고 있었다. 도쿠도미는 도미나가가 수집한 약간의 석족, 석부 등을 얻고, 도미나가의 안내로 저택 뒷산에 올라 유사이전의 유물을 채집하고 일대를 살폈는데 부근 일대는 산이든 밭이든 모두 석기시대로부터 조선시대까지의 유적이고, 민가의 벽이나 담장에는 석기시대의 지석砥石과 백제시대의 관석棺石과 신라시대의 초석과 고려자기의 파편 등이 있었다.

정림사탑의 탁본은 이튿날 13일에 완성하였다.[332]

『매일신보』 1917년 4월 24일자에는 도쿠도미 소호德富蘇峯의 「백제왕조의 유

---

331 「토성동 발견 낙랑시대 와(瓦) 외 - 山田鈁次郎 기부」, 국립중앙박물관 소장 조선총독부박물관 공문서, 목록번호 : 97-기부05.

332 蘇峯生, 「百濟王朝의 遺跡」, 『每日申報』 1917년 4월 24일자.

적」이란 제하의 다음과 같은 글이 있다.

우리들은 와편을 채집하면서 낙화암에서 고란사 아래에서 배를 타고자 백
마강을 내려가 규암리에 닿았다. <중략> 규암리에서 백마강의 니갱鯉羹으
로 오찬을 마치고 차를 구하여 나복리인 도미나가富永 모씨의 집을 방문하
니 도미나카 씨는 이 부근 내지 이주자의 가장 오래된 사람으로 유사이전
의 유물을 다수 채집하였다. 먼저 나의 눈을 뜨게 함은 그 헌두軒頭에 기조
幾組의 격검도구擊劍道具를 열치列置함이라. <중략> 이곳에서 약간의 석족,
석부 등을 구하고 다시 동씨의 안내로 저택 뒤의 산에 올라 채집하였다.
이 부근 일대는 산이던 강이든 밭이든지 모두 그 위는 석기시대로부터 아
래는 이조시대까지의 유적이오. 민가의 담벽 중에는 석기시대의 지석砥石
과 백제시대의 관석棺石과 혹은 고려자기의 파편과 혹은 이조시대의 기와
가 혼재하여 담벽이 기천년 연속의 기록사라 하여도 무방하더이다. 돌아
오는 길에는 부여군청을 방문하고 다시 평백제탑의 탁본에 착수하였다.

『매일신보』 1917년 4월 24일자 기사

* **도미나가 고타로**富永光太郎는 언제부터 조선에 재주했는지는 명확하지 않으나 1907년 군산경찰서장이 내부경무국장에게 보고한 '본년 일월부터 본월 십오일에 이르는 폭도와 화적의 행해사건行害事件'[333]에 "1월 24일 부여군 라산리 재류 도미나카 고타로富永光太郎 집에 폭도 백여명이 내습來襲하였는데 당시 동지에 출장 중이던 공주지청 재근 순사 3명 재류민 3명과 같이 응전하여 드디어 격퇴하였다. 피해액은 약 680원이다" 라는 내용이 보이고 있다. 그리고 『황성신문』 1907년 2월 19일자에 "지난 월에 에 부여군 천을면에 주재혼 일본인 부영광태랑, 강원태랑 양씨 가에 의병 수십명이 방총돌입放銃突入하여 해 씨가에 충화하여 가산십물家産什物이 몰수소진沒數燒燼되고 강원태랑岡圓太郎 씨는 중상을 입었다더라" 라는 기사가 보이고 있어 최소한 1907년 이전에 부여에 건너와 정착하여 상당한 부를 누리고 있었음을 알 수 있다.

『조선총독부관보』 1924년 6월 5일자에는 "충청남도 부여군 은산면 합수리, 구룡면 현암리 소재 망진산의 임야성공 국유림야 113정보여가 부영광태랑에게 양여되다" 라는 것으로 보아 부여 일대에서 엄청난 농장을 경영한 것으로 보인다.

일제강점기에 대부분이 그러하듯 한국인의 피땀을 뽑아 부를 누린 자들은 외적으로 고아한 품위를 보이기 위해 가종 석물들을 반입해 정원을 꾸미고, 고미술품을 수집하여 그들의 취미를 누렸다. 도미나가 고타로富永光太郎 역시 그 범주에 드는 대표적인 자이다.

* **도쿠도미 소호**德富蘇峯(1863~1957)는 언론인이자 『근세일본국민사』 등 수많은 역사 서술을 통해 대중에게 큰 영향을 끼친 '민간사학자'이다.

---

333 국사편찬위원회, 『한국독립운동사 자료 8, 의병편 I』

도쿠도미는 25세의 나이로 민우사民友社를 창립하고 잡지『국민지우國民之友』를 창간했다. 국민지우는 종합잡지로서 청년층의 압도적 인기를 받아 1890년에는『국민신문國民新聞』을 발간하기에 이르렀다.『신일본』에 청년을 저술하여 문단에 이름을 널리 알렸다. 청일전쟁 이루 그는 "아시아에서는 오직 일본만이 근대민족국가를 이해하고 운영할 수 있는 능력을 갖추었기 때문에…… 대일본제국은 동아시아와 남태평양지역에 이 능력을 전파시킬 사명이 숙명적으로 지워져 있다"고 하여 열렬한 제국주의자로 변신하였다. 1910년 한일합방과 함께 데라우치 총독의 요청으로『경성신문京城新聞』의 감독(사장역임)으로 조선에 부임해 1918년까지 조선인 교화의 논진을 펼쳤다. 그가 남긴 정계, 학계, 경제계,

언론계 거물 및 예술가, 종교가들과 나눈 서한은 방대한 량으로써 현재 도쿠도미 소호기념관德富蘇峯記念館에 소장되어 있다. 이는 일제하 식민통치의 실태를 살피는데 중요한 사료적 가치를 가지고 있다.

1940년 5월 28일에는 서울 청운동 작소거에 그의 시비詩碑를 건립하기도 했다.[334]

시비(詩碑)

---

334 박광석,「德富蘇峯記念館 소장 서한 수집자료 해제」,『해외사료총서22 -일본·중국소재 한국사 자료 조사보고-』, 국사편찬위원회, 2010;『한민족독립운동사 5』, 1989년 12월; 朝鮮公論社,『(在朝鮮內地人)紳士名鑑』, 1917;『동아일보』1940년 5월 29일자.

1917년 4월 15일

4월 15일 평양에 도착한 도쿠도미 소호德富蘇峯는 토성리에서 고와를 채집하고, 아동들이 가져온 고와를 상당수 매입했다.[335]

1917년 4월 18일

박물관 기탁 심득 고시

총독부박물관 진열품 기탁 심득은 4월 18일 총독부고시 제90호로 공포했다. 박물관에 진열하기 위하여 물품을 기탁하고자 하는 자는 먼저 서면으로 제출하고, 서면에는 물품의 명칭, 개수, 형태, 중량, 가격, 전래 기타 참고할 사항을 기재하는 것으로 했다.[336]

---

335 蘇峰生,「대농강 江畔에서」『每日申報』1917년 4월 16일자.
336 『每日申報』1917년 4월 18일자.

1917년 5월 4일

제6회 고적조사위원회 의안 결의

제6회 고적조사위원회를 회의는 생략하고 1917년 5월 4일자로 안건에 대한 의견을 구하기 위해 '고분 발굴', '고적 및 유물 등록', '유물 보존' 등 의안 3건을 회람하였다. '고분 발굴' 안건은 오노다小野田 시멘트 제조주식회사가 소유지에 있는 회사공장 건설과 원료 석회석과 점토를 채취하기 위해 주요고분 3기를 제거하여 고분 발굴을 출원해 옴에 따라, 벽화가 있을 경우 즉시 본부에 보고하고, 유물이 발견될 경우 목록을 첨부하여 본부에 제출해야 한다는 허가 조건을 붙여 허가를 하였다.[337]

의안1 고분 발굴

만달면 승호리고분

의안2 고적 및 유물 등록의 건

만달면 승호리 제1~3호분

의안3 유물 보존

공주읍내 석옹石甕—죽책 수선

---

337 「제6회 고적조사위원회 의안 결의」, 『국립중앙박물관 소장 조선총독부박물관 공문서』, 문서번호 : 96-107.

1917년 5월 7일

세키노 일행의 황해도 평안도 만주 집안현 유적 조사

조선총독부 고적조사위원 촉탁 세키노 타다시關野貞, 촉탁 노모리 겐野守健, 오가와 게이키치小川敬吉, 오바 쓰네키치小場恒吉, 야쓰이 세이이치谷井濟一는 1917년 5월 7일부터 7월 15일까지 황해도 봉산군, 평안남도 순천군, 평안북도 운산군, 위원군, 초산군, 남만주 집안현 등지의 고적을 조사했다. 같은 해 7월 21일자로 제출한 복명서에는 조사기간, 지역, 고적명과 조사방법이 기재되어 있으며, 수집 유물 목록과 사진 목록이 첨부되어 있다.

먼저 고적조사를 위해 야쓰이, 오가와, 노모리 등은 5월 7일 경성을 출발 동일 봉산군 사리원에 도착하고, 뒤이어 오가와도 평양을 출발 사리원에서 합류했다. 이들은 황해도 봉산군, 평안남도 순천군의 조사에 종사했다.

세키노는 6월 11일 경성에서 출발하여 12일에 평안북도 운산에 도착하여 다른 4명과 합류했다.

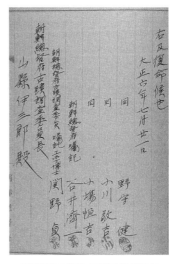

대정6년도 前季 고적조사 복명서

이어 이들 5명은 함께 운산군, 위원군 초산군 및 지나 봉천, 집안현에 있는 고적을 조사하고 7월 15일 경성에 도착한 것으로 복명서에 나타나 있다.

복명서에 나타난 내용을 대략 정리하면 다음과 같다.

1. 조사 시기

야쓰이谷井, 오바小場, 노모리野守(5월 7일~7월 15일)

오가와 게이키치小川(5월 9일~7월 15일)

세키노關野(6월 11일~7월 15일)

2. 조사 지점

황해도 봉산군

평안남도 순천군

평안북도 운산군, 위원군, 초사군

남만주 집안현

3. 고적 및 방법

봉산군 문정면 석성리 성내동 당토성 – 실측, 촬영, 발굴

송산리 1호분 – 발굴 실측, 촬영

태봉리 제1호분(대방태수묘) 촬영

봉산군 초와면 류정리 제3호분 발굴, 실측, 촬영

양동리 제3호분 발굴, 실측, 촬영

양동리 제5호분 발굴, 실측, 촬영

입봉리 제9호분 발굴, 실측, 촬영

대청리 장동 고분군 촬영

동선면 고산사 대웅전, 3층석탑, 사적비 촬영

순천군 선소면 검산동 제1호분 발굴, 실측, 촬영

제2호분 발굴, 실측, 촬영

사천동 전출토지 조사

석촌동 고분 조사

북창면 송계리 제1호분 발굴, 실측, 촬영

운산군 동신면 용호리 제평동 제1호분, 제2호분 발굴, 실측, 촬영

운산군 동신면 용호리 제평동 제3호분 실측, 촬영

위원군 위성면 만호동 고분군 촬영

밀산면 구읍동 사장리 제1호분 발굴, 실측, 촬영

제2호분 촬영

서태면 신천리 고분군 배치 약측

제3호분, 제6호분 발굴, 실측, 촬영

 집안현 고력묘자 동방산곡 지형 조사

삼실분(제1호분) 실측, 촬영

大墳(제2호분) 실측, 촬영

高墳(제3호분) 실측, 촬영

노출석곽분(제4호분) 실측, 촬영

무개양곽분(제5호분) 실측, 촬영

쌍분양곽분(제6호분) 실측, 촬영

고분군 배치 약측

이를 정리하면 대략 다음과 같다.[338]

---

338 關野貞,「平安北道及滿洲高句麗古蹟調査略報告」,『大正6年度 古蹟調査報告』, 朝
　　鮮總督府, 1918; 谷井濟一,「黃海道鳳山郡-古蹟調査略報告」,『大正6年度古蹟調

지역	조사자	내용	출토 유물
평안남도 순천군 북창면	谷井濟一, 小場恒吉, 小川敬吉,野守健	송산리 제1분 용암리 제1분, 제2분	봉산 송산리 제1호분- 釘, 鏃
봉산군 초와면	谷井濟一, 小場恒吉, 小川敬吉,野守健	류정리 제2호분	斧, 鐵鏃, 鐵製大刀, 管玉, 다갈색소옥, 기타 수점
봉산군 초와면	谷井濟一, 小場恒吉, 小川敬吉,野守健	류정리 제3호분	鐵製環頭大刀, 管玉, 漆器片, 鐵斧, 心葉形垂飾, 小玉
봉산군 초와면	谷井濟一, 小場恒吉, 小川敬吉,野守健	양동리 제2호분	청동금구, 토제품, 청동소완, 기타 수점
봉산군 초와면	谷井濟一, 小場恒吉, 小川敬吉,野守健	양동리 제3호분	철제도, 철정, 청동금구, 철환, 소옥, 토기, 기타 수 점
봉산군 초와면	谷井濟一, 小場恒吉, 小川敬吉,野守健	입봉리 9호분	壺, 土器片, 瓮片
황해도 봉산군 문정면	谷井濟一, 小場恒吉, 小川敬吉,野守健	당토성 발굴	鐵片, 鐵釘, 靑銅製棒, 塼
황해도 봉산군	谷井濟一, 小場恒吉, 小川敬吉,野守健	대방태수장씨분 (태봉리 제1분)	경, 관옥, 전 18매
평안북도 운산군 운산면 용호동	關野貞, 谷井濟一, 小場恒吉,小川敬吉, 野守健	1호총(宮女塚), 2호총 (皇帝塚), 3호총(馬塚) 등 3기의 고분 발굴	궁녀총에서 철제화로, 金銅透彫金具片 鳳凰形裝身具 4문, 鐵釘, 鐵鏃 등
만주	關野貞, 谷井濟一, 小場恒吉,小川敬吉, 野守健	大高力墓子, 2실총, 無蓋塚, 高塚, 石槨露出塚, 大塚, 3室塚	

査報告』, 朝鮮總督府, 1918; 國立中央博物館, 『유리원판목록집 Ⅰ』, 1997, 원판번호 230582~230601, 원판번호 230523~230573, 원판번호 230574~230581, 원판번호 230602~230616; 國立中央博物館, 『유리원판목록집 Ⅳ』, 2000, 원판번호 861-9; 關野貞, 『朝鮮の建築と藝術』, 岩波書店, 1941.

지역	조사자	내용	출토 유물
평북 위원군	關野貞, 谷井濟一, 小場恒吉, 小川敬吉, 野守健	덕암동 고분 만호동 고분 사장리 제1, 2, 3호분 신천동 제3, 6호분	

야쓰이 외 3명은 1917년 5월 7일 경성을 출발하여 먼저 황해도 봉산군에 이르러 문정면 석성리의 당토성, 송산리 및 장무이묘胎封(제1호분),[339] 초와면 유정리, 양동리 및 입봉리의 고분, 대청리 장동 고분군, 동산리 고선사 조사하고 순천군으로 들어가 선소면 검산동 고분, 사천동 묘전출토지, 석촌동 고분, 북창면 송계리고분 등을 조사하고, 평북 운산군을 나와 세키노와 합류한다. 야쓰이의 이름으로 「황해도 봉산군, 평안남도 순천군 및 평안북도 운산군 고적조사약보」(『대정6년도 고적조사보고』, 조선총독부, 1918)를 제출했다.

세키노는 운산에서 야쓰이 일행

양동리 제3호분 현실

운산군 동신면 용호동 제1호고분 발굴 장면

339 봉산군 문정면에 있는 웅대한 고분은 1911년 및 1912년에 내부 조사를 마치고 그 전곽 소용의 전을 획득했는데, 그 명을 근거로 대방태수 상씨의 무덤으로 확인되었다. 당시 약보고를 하고 이번에 다시 답사를 한 것이다.

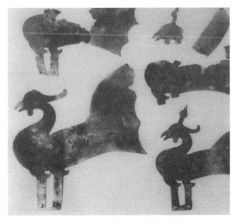
용호동제1호분 출토 봉황형장신구

과 합류하여 13일부터 1주일간 용호동고분 3기를 발굴조사하고, 극성동만리성을 답사하고, 북상하여 위원 덕암동, 만호동의 고분을 조사 후 서쪽으로 진출하여 밀산면 사장리, 신천의 고분, 서의 금산의 운해천동의 고분을 조사하고 압록강을 건너 집안의 유수림자 지역에서 대고려묘자, 고려묘자고분군, 외분구문자 고분군을 조사하고 세키노의 이름으로 「평안북도 및 만주 고구려고적 조사 약보고」(『대정6년도 고적조사보고』, 조선총독부, 1918)를 제출했다.

평안북도 운산군 운산면 용호동에는 궁녀총宮女塚(용호동 1호분), 황제총皇帝塚, 마총馬塚 등 3기의 고분지가 있었다. 1917년 6월에 세키노關野 등이 지역 주민들의 반대에도 불구하고 발굴(도굴)하였는데, 궁녀총에서는 철제화로, 봉황형 장신구 4문 등이 나왔으며,[340] 황제총은 봉토의 크기가 동서 30m 서북 28m라는 거대한 토총으로 현실의 넓이는 4면 모두 12m나 되는 엄청난 고분이나 부장품은 하나도 알려지지 않고 있다.

만주에서는 대고려묘자고분(이 중 6기를 선택하여 조사, 편의상 2실총, 무개총, 고총, 석곽노출총, 대총, 삼실총이라 가칭했다), 소고려묘자고분, 대대구 및 하대구고분, 유수림자 하구 부근고분을 조사했다.

---

340 關野貞, 『朝鮮の建築と藝術』, 岩波書店, 1941, pp.325~327.

무개총

삼실총

세키노 일행의 조사와 관련하여 『매일신보』 1917년 7월 20자에는 다음과 같은 기사를 싣고 있다.

고구려 환도성丸都城의 유적, 관야 박사의 발견

역사상에 천고의 의문이었던 환도성의 유적을 금회 관야 박사 일행 및 곡정문학사의 일행이 실지답사의 결과 압록강안에서 발견하였는데 그 발견에 이르기까지의 경로에 대하여 관야 박사는 말하되 왈,

역사의 전하는 바를 거據한 즉 고구려는 건국초에 국내성에 도읍하였다가 산상왕山上王 시에 환도성으로 천도하고 후에 다시 국내성으로 돌아와서 도읍하고 차차 영토를 사방에 개척하여 거금 1천5백 년 전 장수왕 시에 평양으로 천도하였다. 이 국내성과 환도성의 위치에 대하여 고래古來의 의문으로 제서諸書에 기記하는 바와 학자가 논의하는 바 지점에 피차 수십 백 리의 상위相違가 있어 의론이 분분하여 오래 동안 그 귀결할 바를 아지 못하는 상태이었다. 지난 대정2년에 우리 일행이 압록강 대안인 통구의 평야를 답사하여 국내성의 유적은 이곳이라야 한나고 하고 다소 증거를 발표한 후로 점차 식자의 찬성을 받고 우선 국내성은 토구라고 대체로 결정하였다.

그러한데 환도성의 위치는 결정치 못하고 혹은 영변의 검산이라고 하고 혹은 요양부근이라고 하고 혹은 판석령이라고 하고 갑론을박 쉽게 지점을 발견하지 못하였다.

금회에 평안북도 압록강안의 고적조사 시에 그 대안의 후보지도 답사하였더니 대체로 예기한 효과를 얻었다. 나는 유수림자 지방이 환도성의 유적이 아닌가 하고 여러 가지 조사를 하여 본 즉 위지 같은데 고구려가 환도 산하에서 도읍하였다 하였는데 참으로 그럴듯한 산이 있어서 그 아래에 비교적 넓은 평야가 있고 산을 중심으로 하여 약 4, 5백의 고구려시대의 고분이 있고 그 대안에도 30여 개소를 발견하였음에 이 유수림자야 말로 다년 사가史家 간에 문제되었던 환도성의 구적일 것이 명확하였다. 그러나 아직 한 가지 의문되는 것은 그 산상에 성을 축한 흔적이 없는 일이라 하何 방면으로 보든지 성에 적당한 곳이 있으나 산상에 성벽의 적跡이 없어서 다만 고적이 있는 것이라. 이것도 외찰구문外察溝門 부근에는 잔유殘有한 것이 불과 몇 개에 지나지 못하니 유수림자 지방과는 비교할 수가 없다. 유수림자는 대체로 환도성의 구적이라 하여도 부당하지 않은 모양이나 전술함과 같이 산상에 있지 성벽을 축설하지 아니하였는가 하는 사事인데 이 해결만 되면 유수림자가 환도의 구왕성舊王城인 것이 확정될 것이다.

1917년 5월 11일

오바 쓰네키치小場恒吉는 도쿄예술대학 자료관에 낙랑시대 기하학문조전幾何

學文条塼(考古 - 154~191)을 기증했다.[341]

1917년 5월 23일

상주 외남면 지사리(芝沙里: 구 상병리 속칭 탑곡)석심회피탑(石心灰皮塔) 파괴

이 탑은 지금 완전히 인멸湮滅되었으나『조선고적도보』제4권에 겨우 그 모습이 남아 있다. 1911년 세키노 타다시關野貞가 촬영하고 조사할 때는 '상주 외남면 상병리俗稱 塔谷 석심회피탑石心灰皮塔' 이라 하여 다음과 같이 기술하고 있다.

이 탑은 경상북도 상주의 1리반一里半 외남면 상병리에 있다. 신라시대에 있어 석심토피탑石心土皮塔의 유일唯一의 예이다. 높이 19척으로 지금 6중重이 남았다. 아마도 당초에는 7중重이었을 것이다. 기석基石은 매우 조대粗大하고 탑신은 대소의 안산암재를 쌓았고 <중략> 추녀 끝에는 같은 식재를 3, 4중重 올려서 받침을 삼고 그 위에 얇은 판석을 덮어서 지붕을 삼았다. 제2층 탑신은 얇고 추녀와 함께 차제次第로 감쇄減殺되어 그 권위 안동읍 7층전탑과 약간 닮았다. 당초에는 전부 표면에 흙을 바르고 다시 그 위에 석회를 바른 것이었으니 대부분 쇠락되어 지금 다만 동면 제2층에 그 형적을 남길 뿐이다. 그 연대를 추정하는 유력한 자료로 삼을 것이다.

---

341 東京藝術大學藝術資料館,『東京藝術大學藝術資料館 藏品目錄』, 1992.

이 탑 옆에서 약 1250년 전으로 추정되는 파와瓦를 얻었으니 년대를 추정하는 유력한 자료로 삼을 것이다. 신라시대의 탑파는 석조가 가장 보편적이고 전축 또한 왕왕 있으나 서심토피의 것은 오로지 이 하나의 탑파塔婆가 있을 뿐 구조는 조粗하나 매우 진귀한 유구遺構이다. [342]

라고 하여 최소 6층까지는 그대로 존립存立하였으며, 세키노는 매우 중요한 일 예로 들고 있다.

지사리탑 (고적도보)

1912년 1월에 이곳을 조사한 야쓰이 세이이치谷井濟一의 기록에도,

상주군 외남면 상병리의 전형석탑은 매우 귀한 신라탑으로 목조의 중심주는 부패되었으나 그 일부분은 현존하고 있습니다. [343]

1916년경의 총독부 토목국에서 조사한 '외남면지사리사지'에는 다음과 같이 기술하고 있다.

342 關野貞,『朝鮮の建築と藝術』, 岩波書店, 1942, p.551.
343 谷井濟一,「朝鮮通信」,『考古學雜誌』第3卷 9號 , 1913년 5월.

불탑佛塔이라 칭칭稱하는 부근에 석편石片, 고와편古瓦片이 산란하고, 전탑1기塼塔
一基의 고는 1장8척, 기단 직경 8척으로 전석塼石 및 절석切石이 섞인 탑이다.[344]

이 일대에서 고와편古瓦片 등이 출토된 점으로 보아 옛 사지로 추정되며, 탑
은 원위치에 존립해 있었던 것이다.

이곳에 유존한 탑의 석재는 편평하게 잘랐을 뿐 거의 야석野石에 가까운 석재를
사용하였으며 표면이 너무 조야粗野하기 때문에 표면에 흙을 바르고 그 위에 다시
회를 바른 국내 유일의 석심회피탑으로 1916년까지는 6층까지 존립되어 있었다.

그런데 1917년 5월 23일에 성씨불명의 日鮮人 2명이[345] 도청으로부터 관명
官命에 의해 발굴한다고 주민들을 속이고 탑을 도괴하고 탑 내의 장치물을 훔
쳐 달아났다.[346] 당시 이 탑의 피해조사에 나섰던 기수技手 키바 사이조木場才藏
의 복명서[347]에는 이 탑이 붕괴되기 전의 높이는 장정壯丁 키의 2배반으로 6층

344 『朝鮮寶物古蹟調査資料』, 朝鮮總督府, 1942.
345 「1933 경상북도 고적유물 보존상황 조사(崔世賢, 澤俊一 復命書)」, 『국립중앙박물관 소
    장 조선총독부박물관 공문서』.
346 『商山誌』(商山邑誌所, 1929)에는 다음과 같이 기술하고 있다.
    "外南石塔 在州南二十里外南面塔洞洞口 二千年前新羅所建 大正四年乙卯 樵輩欲毁
    暗探其裡郡守聞于總督府鐵絲網其塔."
347 金禧庚 編, 「韓國 塔婆研究資料」, 『考古美術資料』 第20輯, 考古美術同人會, pp.172-173.
    '상주군 지사리 석탑 피해조사의 건'
    대정6년 9월 13일
    토목국장
    총무국장 전
    고적보존시설에 관한 건
    客月 6일부 어조회하신 경상북도 상주군 외남면 지사리 석탑 설비방법 조사의 건은 복
    명서와 같아옵기 경상북도 경무부장으로부터 보고서를 첨부하여 회송하나이다.

까지 있었으며, 초층 남면에 감실龕室을 설치하였는데 초층의 4분의 1을 남기고 완전히 붕괴하여 형태불명形態不明이라고 하고 있다.

탑이 파괴된 후 바로 수리할 계획을 가지고 있었던 것 같다. 경상북도경무부장이 총무국장에게 보낸 '유물피해의 관한 건'은 상주헌병분대장이 보고해 온 내용을 그내로 서사書寫하여 보고를 했는데 그 내용은 다음과 같다.[348]

대정6년 7월 20일

상주헌병중대장

경상북도 경무부장 전

유물피해에 관한 건 조사보고

追而 우 복명서급사진은 어사용하신 뒤에는 어반송하시기 바랍니다.
復命書
경상북도 상주군 외남면 지사리 탑동에 있는 석탑조사의 명을 받고 대전6년 8월 31일 實地를 취조한 바 좌기와 같이 별지 도면과 사진을 첨부하여 복명하나이다.
대정6년 9월 5일
기수 木場才藏
토목국장 宇佐美勝夫 殿
좌기
위치 <중략>
탑의 구조 <중략>
형상 : 초층의 약 4분의 1을 남기고 崩潰하였음에 의하여 現形不明이다. 토민의 술하는 바에 의하면 6층탑으로서 고는 人丈의 약 2배반이라고 한다.
崩壞理由 : 상주헌병대에서 들은 바에 의하면 지난 5월 23일 미명에 2명이 와서 도청으로부터 官命으로 발굴한다고 토민을 기만하고 작업 중 俄然 서북으로 향하여 倒潰하기 때문에 도주하였다고 하며 발굴자는 불명이라고 하나이다.

348 「경상북도 상주군 외남면 지사리 석탑 보존」, 『국립중앙박물관 소장 조선총독부박물관 공문서』, 목록번호 : 96-108.

<중략>

1. 피해 후 처치

붕괴된 전탑의 주위에 목책을 둘리고 중인衆人의 출입, 석재의 산일을 막고 一面 부근 리동민으로 하여금 현장을 감시시키며 이상을 발견하였을 시는 곧 신고하도록 유시하여 두었고 수시로 헌병이 현장을 순찰하고 취체하고 있음

2. 가수加修에 관한 의견

탑에 사용한 안산석탄은 붕괴로 인하여 그 전체의 5분의 2는 분쇄되었다. 이를 원형에 복復케 하자면 분쇄로 인하여 사용의 가망이 없는 부분에 대한 석재를 보충하지 않으면 안된다. 따라서 석재의 유무에 대하여 조사하였는바 동일 종류의 안산석판을 현장에서 약 15, 16 町 떨어진 지점에 많이 존재함을 발견하였는데 이의 채취도 곤란하지 않다. 이상에 의하여 해 전탑은 원형에 회복할 가망이 있다고 인정됨. 만약에 복케 하려면 대요大要 별지와 같은 비용을 요할 것으로 믿어짐

<중략>

전탑복구공사비 견적

一金 180圓也 <이하 생략>

이같이 구체적인 복구계획이 서 있었기 때문인지 『고적급유물등록대장초록』(1924년 4월 현재)[349]에도 "6층까지 존" 한다고 하며 등재하고 있다.

1931년 6월에 총독부 학무국 종교과에서는 조선고적명소천연물보존령과

---

349 朝鮮總督府, 『古蹟及遺物謄錄臺帳抄錄』, 1924년 4월 현재.

붕괴 상태(국립중앙박물관 소장 유리건판)

보물보존령으로 심의 규정한 것으로 하여 지사리석탑을 그대로 등재하고 있다.[350] 그러나 복원을 포기했음인지 「조선보물고적명승천연기념물보존령」에 의해 1934년에 지정한 보물 및 고적[351]에서는 삭제하고 있다.

이에 대한 복구는 끝내 이루어지지 못하고 단지 석재의 산일을 막기 위해 도괴된 탑 주위에 목책木柵을 둘리고 그대로 방치하여 두었다.

1933년 후지시마 가이지로藤島亥治郎가 조사할 때에는 초층탑신 동남부가 일부 남아 있었으나 이미 완전히 붕괴되어 지상에 석편石片 등이 퇴적되어 있었으며, 설치해 두었던 목책마저도 사라져 완전히 관리범위에서 벗어나 있었다.[352]

고유섭高裕燮은 『조선 탑파의 연구』에서 "상주읍외에 '석심토피石心土皮'의 5

---

350 『東亞日報』 1931년 6월 9일, 10일자.
351 『東亞日報』 1934년 5월 4일자.
352 藤島亥治郎, 『朝鮮建築史論』, 1930, p.846.

중탑重塔이 있어 특이한 부류에 속하는 것이나 대체로 전탑塼塔 의욕意慾을 모방模倣한 것으로 유명하였지만 수년 전에 도괴倒壞되어 다시 더 참고할 여지도 없이 되었다" 라고 하고 있다. 이로써 국내 유일의 귀중한 석심회피탑石心灰皮塔은 세상에서 사라지게 되었다.

이 탑이 있었던 동리는 상주 외남면 구舊 상병리上丙里로 현재 지사리芝沙里라 부르고 있다. 이곳 외남면外南面은 한말에 이르러 상주의 지역으로 남쪽 바깥에 위치한 면이라 하여 외남면이라 하였으며, 상병上丙, 하병下丙, 구정九井, 지사芝沙 등 53동리가 이에 속했다. 1914년 행정구역개편에 따라 일부는 외서면, 공성면, 청리면에 할양하고 8개의 법정리로 개편하였는데 이때 지사리芝沙里는 상병上丙, 하병下丙, 구정九井, 지사芝沙를 병합하여 지사리芝沙里라 하였다. 그 후 1973년에 16개리로 분동分洞하여 오늘에 이르고 있다.[353]

지사리는 옛날부터 탑이 있었다고 하여 탑골 또는 탑동이라고 부르고 있으며 탑지塔址의 동북쪽은 탑골못이라고 부르고 있다(芝沙里長 차인호 씨 談). 사지에 대한 자료가 없기 때문에 이곳에 남아 있던 탑명塔名은 동리의 이름을 따서 1914년 행정개편이 되기 전의 기록에는 상병리탑이라 칭하였으며 그 후의 기록에는 지사리탑이라고 부르고 있다.

이곳 사지에 대한 고문헌은 현재 발견된 것이 없고, 다만 1969년 단국대학교

---

353 『嶠南誌』; 林茂樹,「大正2年 府君廢合事情의 追憶」,『朝鮮』, 朝鮮總督府, 1931년 1월; 『尙州誌』, 尙州市, 郡, 1989; 朝鮮總督府 編,『地方行政區域名稱閱覽』, 朝鮮總督府, 1912, p.143; 臨時土地調査局,『面의 名稱及區域』, 局報 제37호 附錄(1914년 3월 14일).

조사단에 의한 지표조사에서 탑지 주변에서 청자와편은 수습되었으나[354] 조선시대의 것으로 보이는 것은 아무것도 발견하지 못한 점으로 보아 조선전기 이전에 폐사가 된 것으로 짐작할 뿐이다.

현지에서 전문傳聞한 바에 의하면, 1970년 초까지만 하여도 탑지塔址에는 둥글게 돌무지처럼 높이 1.5미터 정도로 탑재塔材가 일부 남아 있었다고 하나 어느 때 이 탑지塔址마저도 완전히 경작지화 되어(現地住民의 談) 현재는 그 흔적조차 찾을 수가 없다. 이곳 탑지 일대의 밭둑이나 담장에 사용된 석재를 보면 편평한 것이 곳곳에 보이고 있어 탑재로 사용되었던 석재는 밭둑이나 담장을 쌓는데 사용된 것으로 추정된다.[355]

일제 때의 수리 포기와 해방 이후 무관심無關心과 몰인식沒認識으로 인하여 귀중한 문화유산이 사라진 대표적인 예라 할 수 있다.

---

354 단국대학교출판부, 『尙州地區古蹟調査報告書』, 1969, p.21.
355 筆者가 1996년 처음 이곳 外南面을 찾았을 때는 上丙里가 1914년 행정개편으로 芝沙里로 改名된 사실을 모르고 주민들에게 상병리를 수소문하였으나 아는 사람이 없었다. 면사무소와 군청에까지 찾아갔으나 상병리의 동명을 아는 사람이 없어 모처럼 마음먹은 답사기회를 포기해야만 했다. 그 후 몇 년 후에야 행정개편 때 동명이 개명된 사실을 알고 다시 답사를 할 수가 있었다. 특히 이런 탑지를 답사하는 일은 숲이 사라진 겨울이 적기인지라 겨울철을 선택하여 내려갔지만 가던 날이 장날이라고 간밤에 눈이 와서 일대가 온통 눈으로 덮여 있었기 때문에 탑지를 전혀 구분할 수가 없었다. 2002년에 다시 현지를 찾았으나 이미 경작지로 변한 탑지에는 농작물로 덮여 있어 아무것도 발견 할 수가 없었으며, 현지 주민들의 증언에만 의존할 수밖에 없었다.

1917년 6월 8일

전등사의 말사 경기도 개성군 영북면 북성암北聖庵을 폐지하다.[356]

1917년 6월 11일

전등사의 말사 경기도 파주군 와석면 성재암聖在庵과 봉선사의 말사 경기도 포천군 신북면 신륵사新勒寺를 폐지하다.

용주사의 말사 경기도 안성군 삼죽면 학수사鶴壽寺를 폐지하다.[357]

1917년 6월 13일

보석사의 말사 전라북도 진안군 정천면 봉황리 마조마을 심원사深院寺를 폐지하다.[358] 6·25 후 작은 법당이 새로 건립되었다.

---

356 『朝鮮總督府官報』1917년 6월 8일자.
357 『朝鮮總督府官報』1917년 6월 11일자.
358 『朝鮮總督府官報』1917년 6월 13일자.

1917년 6월 23일

동화사의 말사 경상북도 달성군 유가면 대견사大見寺를 폐지하다.[359]

대견사는 비슬산 중턱에 위치한다. 사찰에 대한 연혁은 자세하게 밝혀진 것이 없으나,『신증동국여지승람』에, "대견사는 비슬산 남쪽 모퉁이에 있으니 신라 헌덕왕이 세운 것이다"라고 기록하고 있다. 또 조선 초에 대견사의 장육관음석상에 땀을 흘렸다는 기록이 보인다.[360]

대견사는 계속 법등을 이어와『조선사찰사료 상권』경상북도 편에 대견사라는 명칭이 나타나나 1917년 6월에 무슨 이유에서인지 조선 총독부에서는 강제 폐사를 시켜버렸다.

대견사3층석탑

『조선보물고적조사자료』에는 "고 15척 기단석 폭 4척의 석탑 1기, 대견사지大見寺址라 부르는 비슬산 정상 부근에 있다"라고 하고 있다.

비슬산 암반 위에 남아 있던 3층석탑은 언제인가 도괴되어 있던 것을 1988년에 복원하여 지금의 모습

---

359 『朝鮮總督府官報』1917년 6월 23일자.
360 『太宗實錄』태종 31권, 16년(1416 병신) 2월 29일(임진).
　　경상도 현풍현 대견사의 관음이 땀을 흘리다.
　　『世宗實錄』세종 22권, 5년(1423 계묘) 11월 29일(병오).
　　경상도 현풍현 비슬산 대현사의 석상에서 땀이 흐르다.
　　경상도 현풍현 비슬산 대견사(大見寺)의 석상 장륙관음(丈六觀音)에서 땀이 흘렀다.

을 유지하게 되었다.

대견사는 2013년에 중창했다.

1917년 6월 27일

평안남도 중화군 풍동면 수락암水落菴, 평안남도 중화군 수산면 은구사殷□寺, 평안남도 순천군 읍내면 서림사西林寺 평안남도 안주군 대니면 전동사全同寺, 평안남도 순천군 성산면 활필암潤筆庵을 폐지하다.[361]

1917년 6월 28일

평안남도 강서군 함종면 백운암白雲菴, 황해도 해주군 금산면 안수사安壽寺, 해주군 송림면 명사鳴寺, 황해도 신천군 용진면 백련사白蓮寺를 폐지하다.[362]

---

361 『朝鮮總督府官報』 1917년 6월 27일자.
362 『朝鮮總督府官報』 1917년 6월 28일자.

1917년 6월 29일

직지사 청풍료 앞 석조여래좌상

동화사의 말사 경상북도 김천군 아포면 쌍비사雙飛寺를 폐지하다.[363]

쌍비사지는 아포읍 대성리에 소재하는 보리암(현재는 기도원) 입구에 위치한다. 1916, 1917년경에 조사한『조선보물고적조사자료』에는 "쌍비사지雙飛寺址라 부르는 부근에 와편이 산포하고 금박을 한 불입상 3체가 와즙을 한 건물에 보관 되어 있고, 또 그 부근에 화강암으로 조성한 불좌상 1체가 있다" 라고 기록하고 있다. 쌍비사의 창건연대는 알 수 없으나 법당 내에는 목불상 3구가 안치되어 있었는데 1915년경에 금릉군 개령면 계림사 승려와 금오산 약사암 승려 3명이 목불을 꺼내 불태웠으며, 3년 후 순흥 안씨 문중에서 건물을 해체하여 옮겨갔다고 한다. 그 후 석조물 일부는 증산면 사무소로 옮겨지고 석조여래좌상은 국사리 아포초등학교로 옮겨졌다. 아포초등학교로 옮겨졌던 석조여래좌상은 현재 직지사 성보박물관 야외전시장에 옮겨져 있다.[364]

---

363 『朝鮮總督府官報』1917년 6월 29일자.
364 佛敎文化財硏究所,『韓國寺址總攬 下』, 2010;『한국의 사지 : 현황조사 보고서』, 문화재청, 2012.

1917년 6월

조선총독이 일본왕실에
헌상한 물품

1917년 6월에 순종의 일
본 순행에 2대총독 하세가
와 요시미치長谷川好道가 배
종했는데 이때 하세가와는
일본 궁중에 헌상하기 위
해 조선산 물품을 지참하
고 갔다.『매일신보』1917

년 6월 16일자에 나타난 그 물품을 보면 다음과 같다.

	물품 명	비고
일본왕(大正)에게 헌상	호피 1개	함경북도에서 획득한 것
일본왕(大正)에게 헌상	鹿角 1개	함경남도에서 획득한 것
일본왕(大正)에게 헌상	한산모시 10필	충청남도에서 제작
일본왕(大正)에게 헌상	紙卷, 煙草 2종	연초는 강원도 産, 지권은 충청북도 産
일본왕(大正)에게 헌상	자기 2개(靑磁魚模樣彫刻花瓶, 漆手鳥模樣瓶)	총독부중앙시험소 제작
일본왕비에게 헌상	官紗 3권	평양염직소에서 제작
일본왕비에게 헌상	刺繡額子 1개	경성여자고등보통학교 기예과 졸업생 작품

	물품 명	비고
일본왕비에게 헌상	朝鮮童服 및 附屬品 1구	경성여자고등보통학교 기예과 졸업생 작품
일본왕비에게 헌상	五色詩箋 3권	총독부중앙시험소 제작
일본왕비에게 헌상	柞箋 4권	총독부중앙시험소 제작
일본왕비에게 헌상	초도 1箱	충청남도 산
일본왕비에게 헌상	봉밀	강원도 산
일본 왕세자에게 헌상	자기 1개 (白磁菊唐模樣彫刻花瓶-)	총독부중앙시험소 제작
일본 왕세자에게 헌상	硯 1개	황해도 산
일본 왕세자에게 헌상	墨 1개	이왕직미술품제작소 제작

구한국황실의 비장품 일본왕실에 선물

1917년 6월 8일에 순종이 일본에 행차하면서 구한국황실의 보고寶庫에 비장하였던 귀중품을 일본 왕실에 선물하기 위해 함께 가지고 갔다.

『매일신보』1917년 6월 9일자

그 내용은 일본왕(大正)에게는 홍옥문방구紅玉文房具 1식式, 일본왕후에게는 정교한 산호珊瑚세공품이라고 하는데 더 이상 구체적인 것은 밝혀지지 않고 있다.[365]

365 『每日申報』1917년 6월 9일자.

교과서에 관한 일반방침 수립

교과서편집과장 오다 세이고小田省吾는 보통학교 교과서에 관한 일반방침一般方針 11개항을 수립하였는데, 그 중 제3항은 교과내용의 방침을 담고 있는 바, 그 내용은 다음과 같다.

(1) 조선은 내지內地 대만臺灣 등과 같이 아국가我國家의 일부一部인 사事를 명백히 지득知得케 할 사事

(2) 아제국我帝國은 만세일계萬世一系의 천황天皇이 이를 통치統治하시는 바를 지知케 할 사事

(3) 아국我國이 금일今日과 여如히 국력이 발달됨과 함께 조선인이 대일본제국 신민臣民으로 밖으로는 세계일등국의 인민과 어깨를 나란히 하고 안으로는 행복한 생활을 영營함을 얻게 함은 전혀 황실의 은택恩澤에 유由함임을 인상印象케 함이며 각기 본분을 지켜 황실을 존尊케 하며 국가에 충성을 다함을 지知케 할 사事[366]

이는 한국은 이제 일본의 속국屬國임을 명백히 함과 동시에 일본의 속국민屬國民이 된 것을 큰 영광으로 생각하고 일본에 충성을 다 할 것을 가르쳐 한국을 영원한 속국민屬國民으로 만들려는 의도를 엿볼 수 있다.

일제가 식민통치 방침 중 가장 효과적이라고 생각했던 것은 헌병 경찰의 총과

---

[366] 『每日申報』 1917년 6월 23일자.

칼의 위협적 협력체제 구축보다는 한국인의 역사와 문화를 저열화시키는 것이라고 생각하고 있었다. 그래서 일제는 그들의 침략을 추진하는 한 방향으로 교육의 통제를 강화할 필요에 따라 검정규정을 공포하여 교과서의 내용에 대하여 간섭을 하기 위한 제도적 장치를 마련하여 한국민의 민족정신을 제고提高하는 내용이나 자주, 독립, 애국 등의 용어가 사용된 도서에 대해서는 검정을 불허하였다.[367]

이후 보통학교에서는 한국 역사과목 자체를 없애고,[368] 1939년에는 총독부 수사관 나카무라 에이고中村榮孝 등을 중심으로 국사교과서를 일본주의의 입장에서 새로 편찬하여 가르치게 하였으며,[369] 중등과정 학교에서는 혹 일본역사와 병합하여 그 부분으로서 가르치되 극히 제한적이었다. 또한 일본어로써 일본역사, 일본전설, 일본풍습을 교육하여 조선의 고유한 습성을 파괴함으로서 조선 역사관과 민족관을 완전히 소멸시키고 자기 비하병卑下症에 머물게 하여 스스로 무력감에 빠지게 하려는 의도였다.

367 김흥수, 「한말 역사교육의 실태와 그 성격」, 『산운사학』(창간호), 1985.
　　당시 교과서 검정에 대해 大韓每日申報(1909년 1월 30일)는, "국민을 교육하는 제일의 뜻이 국민으로 하여금 나라를 사랑하고 위협을 키우게 하는 것이니 만일이 애국 의협 등의 말을 기피하면 이는 노예교육을 만들려는 것이다"라고 비판하고 있다.
368 『每日申報』1921년 9월 22일자에는 다음과 같은 기사가 있다.
　　밀양군 부복면 퇴노리에서 사립보통학교를 설치하려고 돌리 재산가 유지들이 서로 의논하고 본년 봄에 관청에 청원하였으나 아직 인가가 되지 아니 하였음으로 경상북도 안동군 도산면 의촌리 이균호라는 사람을 교빙하여 정진의숙이라하여 보통학교를 교수하여 오던 중 조선역사를 교수한 일이 발각되어 지난 6일 교사 이균호는 밀양경찰서에 구인되얏다더라.
369 綠旗聯盟, 『今日の朝鮮問題講座』, 綠旗日本文化研究所, 1939, p.36.

1917년 7월 3일

청암사 낙성

경북 지례군 증산면 불영산 청암사는 불행히 1911년 11월 화재를 당하여 본당, 가람 기타 전부가 소실되었다. 이에 주지 김대운 기타의 승려는 이를 재건하기로 계획하여 경상, 전라, 충청, 경기 등 각도에서 유지자의 기부금을 모집하여,[370] 1917년 7월 3일 낙성식을 가졌다.[371]

1917년 7월 6일

석왕사의 말사 함경북도 경원군 경원면 소재 신흥사新興寺을 폐지하다.[372]

작원관鵲院關이 붕괴되다.

1917년 7월 6일 아침에 작원관 문루가 붕괴되었다. 임진왜란 때 격전지로 유명한 삼랑진의 작원관은 외적의 방어를 목적으로 건립한 것인데 그동안 돌보

370 『每日申報』 1912년 7월 5일자.
371 『每日申報』 1917년 7월 28일자.
372 『朝鮮總督府官報』 1917년 7월 6일자.

지 않아 붕괴된 것이다.[373]

1917년 7월 7일

은혜사 말사 경상북도 영천군 청통면 미타암彌陀菴을 폐지하다.

평안북도 영변군 보현사 말사 불지암佛智菴, 내원암內院菴, 내보현암內普賢菴, 일출암日出菴을 폐지하다.[374]

1917년 7월 9일

성불사의 말사 황해도 곡산군 서촌면 양수암兩水庵, 곡산군 청계면 희랑암熙朗庵, 곡산군 이녕면 국화암菊花庵을 폐지하다.[375]

---

373 『每日申報』1917년 7월 8일자.
374 『朝鮮總督府官報』1917년 7월 7일자.
375 『朝鮮總督府官報』1917년 7월 9일자.

1917년 7월 11일

제7회 고적조사위원회

제7회 고적조사위원회가 1917년 7월 11일에 개최되었다. 주요 안건은 '고분소재지 처분'과 '불상 반입(取壽)', '고적 및 유물 보존시설', '고적조사계획 추가'의 안건이다.

의안1의 '고분소재지 처분'건은 제6회 고적조사위원회 의안인 '고분 발굴'과 연관된 문서이며, 평안남도 강동군 만달면 승호리 국유림에 대한 오노다小野田 회사로부터 매각을 원출해 옴에 따라 국유림 내에 다수한 고분이 산재하여 이에 대한 심의했는데, 고적조사위원 세키노 타다시關野貞의 현지조사 후에 회사와 협의하여 보존 구역을 결정하도록 했다.

의안2의 '불상 반입(取壽)의 건'은 석불 2체를 박물관으로 취기하는 안이다. 경북 영천군 신녕면 치산동 소재의 백색 경질의 돌로 조각하고 채색을 한 고려기에 속하는 진귀한 참고품으로, 현재의 장소는 팔공산복 암굴 내로서 저번에 대구의 승이 이를 도거한 것을 순사가 발견하여 압수했는데, 현장에 보존하기는 곤란한 고로 박물관으로 취기하여 일반에 참고로 제공하는 것이 가장 적당하다는 취지의 건으로, 이는 취기의 필요가 있다고 인정되어 그대로 결의했다.

의안3의 '고적 및 유물 보존시설의 건'은,

첫째 상주 지사리석탑 건으로, 경북 상주군 외남면 지사리 소재의 암산암으로 건조한 7층탑으로 고 25척이다. 1917년 5월 23일 씨명불상의 일본인 한 명과 조선인 한 명이 이를 붕괴 실지조사 후 보존 설비 방법을 정할 필요가 있다는 취지의 건으로, 이는 실지조사를 하기로 결의했다.

둘째 봉산 초와면 제1호분의 수선공사 건은 수선키로 결의했다.

셋째 나주남문 수리에 대한 건(1917년 4월 27일자 전라남도장관이 정무총감에게 보내온 '나주군 소재 남문 수선공사 시공 건')은 수축의 필요가 있는 것으로 인정했다.

의안4 '고적조사계획 추가' 건은 충청남도장관으로부터 청양군 정산면 고분묘 2기소 조사 요청해옴(대정6년 6월 18일자 충청남도장관이 내무부장관에게 보낸 '고분묘에 관한 건')에 따라 본년도 조사계획에 추가하기로 가결했다.[376]

1917년 7월 12일

봉은사 말사 경기도 고양군 신도면 운수사雲水寺가 고양군 은평면으로 이전하다.[377]

월정사의 말사 강원도 울진군 평해면 수진사修眞寺, 울진군 상군면 대흥사大興寺을 폐지하다.[378]

---

376 「제7회 고적조사위원회 의안 결의」, 『국립중앙박물관 소장 조선총독부박물관 공문서』, 문서번호 : 96-107.
377 『朝鮮總督府官報』1917년 7월 12일자.
378 『朝鮮總督府官報』1917년 7월 12일자.

1917년 7월 20일

법주사 말사 충청북도 단양군 봉화면 상선암上禪庵과 단양군 영춘면 화장암華藏庵을 폐지하다.[379]

1917년 7월 26일

법주사 말사 충청북도 음성군 내면 가섭암迦葉庵을 폐지하다.[380]

1917년 7월

고려불상 발견

전남 영광군 영광면 남천리 조양중은 고려시대 절터로 추정되는 자신의 소유 전답에서 철불상을 발견하였는데 이를 영광 불갑사에 기증했다.[381]

---

379 『朝鮮總督府官報』 1917년 7월 20일자.
380 『朝鮮總督府官報』 1917년 7월 26일자.
381 『每日申報』 1917년 7월 7일자.

창녕군 발견 석등 기석(基石)

　대정6년 5월 31일 경상남도 창녕경찰서장이 조선총독에게 보낸 '유물발견에 관한 건'에 의하면, 경상남도 창녕군 읍내면 창녕보통학교장 하시모토橋本良藏 가 보존의 가치가 있는 석등기석 4개를 신고해 왔다.

　소재지는 창녕군 교동 56번지 및 57번지 중간 택지 밖 서방도로 변에 있다고 한다. 석등기석은 원래 인양사지仁陽寺址의 유물로 오래 동안 폐지에 남아있던 초석 등은 서문을 건설하는데 사용했다고 한다. 그 후 서문 불하와 동시에 석 등기석은 민유로 돌아가 홍모, 유모 등의 소유로 전매되다가 마지막에 아오누 마 헤이타로靑沼平太郎의 소유로 돌아갔다고 한다.

　7월에 당국에서 구입했다.[382]

석등기석

---

382 「대정 6년도 경상남도 창녕군 발견 석등 기석(基石)」, 『국립중앙박물관 소장 조선총독
　　부박물관 공문서』, 목록 번호 : 97-발견02.

1917년 8월 27일

경북 고령, 경남 김해지역 고적조사

1917년 8월 27일부터 9월 13일까지 고적조사위원 구로이타 가쓰미黑板勝美, 조선총독부 촉탁 노모리 겐野守健, 고원 사와 순이치澤俊— 는 경상북도 고령 및 경상남도 김해에서 고적조사를 실시한 후 조사 내용과 수집 유물 목록, 사진 원판 목록, 실측도 목록을 첨부하여 같은 해 9월 21일에 복명서를 제출했다.[383] 복명서에 나타난 일정과 내용을 요약하면 다음과 같다.

고적조사 출장 복명서

구로이타 일행은 1917년 8월 27일 경성을 출발, 고령에 도착했다.

8월 28일부터 9월 6일까지 고령군 고령면 지산동 주산의 고분군 중 4기를 발굴 조사했는데 발굴한 고분번호는 제12호, 제18호, 제22호, 제25호이다.

제12호분은 봉토직경 40척의 원분圓墳으로 수광식석곽竪壙式石槨을 가진 장 15척8촌 고 24척, 천정석 15매로 이룬 일찍이 도굴을 당한 형적이 있었다.

제18호 고분은 봉토 경 약 75척의 원분으로 하나의 봉토 내에 수광식 2석 곽을 포장한 것으로 큰 것은 거의 파괴되었고 작은 석곽은 대부분 완전하 게 남아 감埍 등의 부장품을 얻었다.

---

383 「黑板 고적조사위원 제출 고적조사 출장 복명서」, 『국립중앙박물관 소장 조선총독부박 물관 공문서』, 목록번호 : 96-137.

제22호분은 경 32척의 원분으로 일찍이 도굴 파괴되어 있어 조사를 중지하고 그 석곽 외부로부터 坩 등 부장품을 얻었다.

제25호분은 경 약 30척의 원분으로 석곽을 가진 수광竪壙에 석관을 납하고 내부에 금동제이환 기타 부장품을 얻었다.

9월 6일에는 고령을 출발히어 이튿날 7일 경상남도 김해에 도착하여 8일부터 9일까지 김해군 우부면 회현리에서 가야시대의 분묘 3기 중 1기를 발굴했는데 그 고분번호는 제2호분이다. 제2호분은 석곽이 반이나 노출되어 횡광橫壙으로 된 현실의 장은 9척2촌5분 폭 6척6촌1분 고 약 5척7촌의 할석割石으로 내부에서 금제이식을 얻었다.

9월 10일부터 12일까지는 주촌면 농소리 왜성지倭城址 및 양동리 가곡산성歌谷山城, 가라면 죽림리 죽도산성竹島山城, 장유면 내덕리 용두산성龍頭山城을 조사하고 류하리에서 가야시대의 고분 유적을 조사했다.

이상의 조사에 관계하여 수집품목록과 아울러 사진목록 및 실측도목록을 별지로 제출하고 사진 및 실측도는 구로이타 위원이 추가하여 제출했다.

복명서에 첨부한 '대정6년도 고적조사 수집품 목록(黑板 위원 조사)'은 다음과 같다.

지산동 제12호분(8월 30일)

철제마구부속품, 철창 1, 철황 5, 철편 2, 철족 3, 철정 1상, 토기 13개, 기타 약간

지산동 제22호분(8월 30일)

토기 2점

지산동 18호분(9월 5일)

토기 11점, 행엽파편 2, 마구부속품철편, 철족 2, 小刀子 2

지산동 제25호분(9월 1일)

금동이환 2, 토기 9점, 소도자파편, 철편 4, 刀 1, 철족 11

고령군 고령면 지산동고분 유적 수집(8월 29일)

도가파편 11점

고령군 운수면 월산동고분 유적 수집(8월 29일)

도기파편 2점

경상남도 김해군 우부면 회현리 제2호분(9월 8일)

도기파편 45, 토기파편 1, 玉石 1箱, 금동제이환 2

우부면 부원동 토성벽중(9월 7일)

와파편 2

김해군 장유면 류하리고분 유적 수집(9월 10일)

도기파편 65

경북 고령군 고령면 지산동 제25호분(9월 7일)

석관(판석) 4

출토 유물은 「대정6년도 고적조사 수집품 목록(黑坂勝美)」,『1918년도 유물 수입명령서』에 나타난 것과 일치하고 있다.

1917년 9월 12일

김룡사 말사 경상북도 문경군 가은면 환적암幻寂菴을 폐지하다.[384]

1917년 9월 13일

전등사의 말사인 경기도 강화군 선원면 혈구사穴口寺를 폐지하다.[385]

1917년 9월 21일

야쓰이 세이이치(谷井濟一) 일행의 고적조사

고적조사위원 야쓰이 세이이치谷井濟一, 조선총독부 촉탁 노모리 겐野守健, 오

---

384 『朝鮮總督府官報』 1917년 9월 12일자.
385 『朝鮮總督府官報』 1917년 9월 13일자.

가와 게이키치小川敬吉, 오바 쓰네키치小場恒吉는 1917년 9월 21일부터 12월 27일까지 주로 백제의 고지에 출장 그 유적 유물을 조사한 후 1918년 1월 24일에 복명서를 제출했다.[386]

그 조사 내용은 다음과 같다.

1. 성지

충남 청양군 청양면 벽천리 연기산 토성지, 나성지, 관비산성지, 천마봉성지, 공주군 주외면 금성리 공산성지

경기도 고양군 독도면 나성지, 광주군 구천면 풍납리 토성지, 광주군 중대면 이성토성지, 광주군 중부면 산성리 산선지, 광주군 서부면 예성산성지, 광주군 언주면 삼성리산성지

2. 고분

충남 청양군 청양면 벽천리 석총 1기 내부조사

경기도 광주군 중대면 고분 8기 내부조사

충남 부여군 부여면 능산리 전 왕릉 6기 중 3기 내부조사

능산리 왕릉 서 구릉의 4기(능산리 제7~10호분) 중에서 2기 내부조사

충남 논산군 연산면 북령 서남 산복 고분군

전북 익산군 팔봉면 석왕리 쌍릉 2기 내부조사

전남 나주군 반남면 덕산리, 신촌리, 대안리 고분군 중 2기 내부조사

---

386 「谷井 고적조사위원 복명서」, 『국립중앙박물관 소장 조선총독부박물관 공문서』, 목록번호 : 96-137.

3. 석탑

충남 부여군 부여면 동남리 5층석탑(정림사지탑)

공주군 반포면 학봉리 7층석탑 및 5층석탑

전북 익산군 금마면 기양리 폐미륵사 7층석탑

익산군 왕궁면 왕궁리 5층석탑

충남 부여군 홍산면 홍양리 5층석탑

청양군 정산면 서정리 9층석탑

청양군 청양면 구청 전 3층석탑

논산군 연산면 천호리 개태사지석탑

부여군 임천면 구교리 대조사석탑 顚倒 埋沒

공주군 운암리 마곡사5층석탑

4. 석불

충남 청양군 청양면 군청 전 석가삼존입상 顚倒 切斷

논산군 연산면 천호리 개태사지 석가삼존입상 顚倒 切斷

부여군 임천면 구교리 대조사 미륵보살입상

부여군 부여면 금성산 서남복 비로사나불좌상

부여군 부여면 동남리 여래좌상(전 소정방상)

5. 석비

충남 부여군 부여면 부소산 유인원기공비

충남 천안군 성환면 대홍리 홍경사비

6. 찰간지주

전북 익산군 금마면 기양리 미륵사지 찰간지주

충남 천안군 성거면 천흥리 찰간지주

7. 석조石槽

충남 부여군 부여면 읍내 원형석조, 장방형석조

충남 논산군 연산면 천호리 개태사지 석조

8. 초석

충남 부어군 부여면 음내 초석, 익산군 기양리 미륵사지 초석, 논산군 연

산면 천호리 개태사지 초석

9. 수반水盤

충남 논난군 연산면 연산리 철제수반(전 개태사대철부)

10. 소동불

충남 부여군 부여면 군청 보관 금동제여래입상

이런 등의 주요 유물 유적 중 특별한 시설을 요하는 것으로는 능산리 제1호
분, 제2호분, 익산군 팔봉면 석왕리 쌍릉 대묘, 청양군 정산면 서정리 9층석탑,
개태사지3존불을 들고 있다.

또 1918년도에 계속해서 조사를 수행할 필요가 있는 것으로는, 전남 나주군
반남면 덕산리, 신촌리, 대안리 고분군을 들고 있다.

특히 반남면에서 천미산蠶尾山이라 부르는 독립된 산의 동서에 존하는 고분군
은 어떤 것은 하나의 분구에 수개의 옹관을 가진 것이 있으며, 금회 그 비교적
규모가 큰 것 2기를 조사했는데 어떤 것은 하나의 분에 수개의 옹관을 장하고
관 전에서 수개의 감배가 병렬해 있고 그 옹관으로부터 금동보관, 금동행金銅杏,
대도, 도자刀子, 창, 부斧, 이식, 구옥, 관옥, 소옥 등이 출토되었다고 하고 있다.

야쓰이의 복명 후 1919년에 조선총독부에서「경기도 광주, 고양, 양주, 충청남도 천안, 공주, 부여, 청양, 논산, 전라북도 익산 급 전라남도 나주 십군 고적조사약보고」(『대정6년도 고적조사보고서』, 조선총독부, 1919)로 발행하였다.

보고서의 서언을 보면, 이 조사에서 가장 중요한 것은 종래 아직 알려지지 않은 마한시내의 유직으로 생각되는 충청남도 청양군에서의 조사, 왜시대(임나)의 유적으로 생각되는 전라남도 나주군에서의 실사, 경기도 광주군, 고양, 양주, 충청남도 부여 및 전라남도 익산 등의 제도에서의 백제시대의 많은 중요한 유적을 조사하고자 했다. 그 중 부여에서 처음으로 백제시대의 벽화를 발견한 것은 가장 주목되는 것이다.

보고서는 군 단위로 나누어 간략하게 기술하고 있다.[387]

광주군 조사

경기도 광주군에서는, 풍납리토성, 이리토성, 삼성리산성, 남한산성, 석촌 부근 고분군, 광암, 춘궁리5층석탑과 3층석탑, 하사창리 폐사지, 초일리 약사여래입상, 중대면 송파리의 청태종공덕비(삼전도비)를 조사했다.

석촌 부근 고분군에 대해서는 중대면 석촌리, 가락리 및 방이리에 걸쳐 고분군이 있다. 많은 것은 토분이고 석총도 섞여 있었다. "백제시대 초기의 분묘로 생각되며 타일 자세한 보고를 기함"이라 하고 있다.

춘궁리석탑에 대해서는, "공히 서부면 춘궁리 탑산곡에 있다. 5층석탑은 고

---

387 谷井濟一,「京畿道 廣州, 高揚, 楊州, 忠淸南道 天安, 公州, 扶餘, 靑陽, 論山, 全羅北道 益山及 全羅南道 羅州 十郡 古蹟調査畧報告」『大正6年度古蹟調査報告書』, 朝鮮總督府, 1919.

약 25척, 초층탑신 폭 5척4촌, 통일신라시대 대작이라 한다. 3층석탑은 현재 고 12척, 초층 탑신 폭 3척4촌, 역시 신라의 유물이다" 라고 한다.

하사창리 폐사지는 서부면 하사창리 객산의 서록 수전중水田中에 낮은 토단이 동서 약 27척5촌, 남북 경 약 26척 5촌이 있고, 이곳에 철불이 동서로 나란히 남면으로 있었는데, 서방의 것은 크고 동방의 것은 적은 것으로, 7, 8년 전 (대정6년으로부터) 이왕가박물관으로 옮겼다고 한다. 그리고 2칸 여의 와즙의 소우小宇가 있었다고 하나 그 후 자연적으로 무너져 없어졌다고 한다.

삼전도비는 명치27, 28년 전역 후 전도되어, 1909년 세키노의 조사 때 민가 담장 내에 넘어져 있었다. 근년 조선총독부에서 수립보존竪立保存이 점차 익어가 1917년 9월 야쓰이 일행이 송파리 체재 중 영선과원의 손에 의해 수립竪立하여 공준功竣했다고 한다.

춘궁리 석탑(5층, 3층)

고양군 및 양주군 조사

고양군 및 양주군에서는 광진산성, 장성을 조사했다.

천안군 조사

천안군에서는 직산면에 있는 성산성, 폐봉선홍경사비, 성거면 천흥리 석조5
층탑, 천흥리 당간지주를 조사했다. 동국여지승람 '직산현 고적' 조에 "천흥사.
성거산 하에 있다. 금폐今廢" 라고 하고, 광주읍 종각으로부터 근년에 옮겨 이왕
가박물관에 진열하고 있는 동종의 그 주명鑄銘에,

천안군 성거면 천흥리 석조5층탑 및 당간지주

"聖居山天興寺 鐘銘

統和二十八年庚戌二月日."

이라 한 것을 들어 이 종(천흥사종)은 원래 이곳에 있었던 것으로 보고 있다.

공주군 조사

공주군에서는 공주성, 마곡사 유물, 계룡산 중대리 고려부도, 계룡산 형매탑, 동학사 유물, 대학리왕총 등을 조사했다.

계룡산 형매탑兄妹塔은 반포면 학봉리에 있다. 산정의 조금 아래 평탄한 소지역에 대소 2기의 석탑이 나란히 있다. 큰 것은 7층탑, 작은 것은 5층탑으로 이 탑을 형매탑이라 부르는 것은 이에 대한 전설이 있기 때문인데, 야쓰이는 1917년 12월 5일 밤에 김만우 동학사 주지가 들려준 전설을 게재하고 있다.

* 계룡산 중대리 고려부도(갑사부도, 보물 257호)

야쓰이의 보고서(『大正六年度古蹟調査報告』)에는,

계룡면 중장리中壯里 갑사甲寺의 상방上方에 있는 계룡산 중에 재在하며 8각 지복석상角地覆石上에 립立, 8각부도로 청색 화강암으로 이루어 졌다.

하는 것으로 보아 직어도 1917년까지는 원위치에 완형完型으로 있었던 것으

원위치의 모습(『조선고적도보』)

갑사로 옮긴 후의 모습

로 보인다. 그런데 스기야마 노부조杉山信三의 기록에는, "후에 도괴되어 갑사로 옮겼다."[388]고 한다. 역시 내부의 보물을 훔치기 위해 도괴한 것으로 보인다.

『조선고저도보』에 실려 있는, 갑사 경내로 옮겨지기 전의 모습을 보면 상륜부가 완전하게 남아 있었다. 그러나 현재의 모습을 보면 상륜부는 복발과 보주만 남아 있는데 이 보주도 원래의 것이 아닌 듯하다. 갑사로 옮기기 전에 도실 당한 것으로 추정된다.

갑사로 옮긴 시기는 정확히 알 수 없으나 1920년대에 들어와 계룡산 일대의 도요지를 파헤치기 위해 몰려들었던 도굴꾼들이 인적이 드문 산중에 남아 있는 부도를 도굴하였던 것으로 추정된다. 1942년 6월 15일자 조선총독부 고시893호로 보물로 지정하였다.

---

388 杉山信三, 『朝鮮の石塔』.

＊ 계룡산 남매탑의 전설

계룡산 오누이탑에 관한 전설은 『동아일보』 1927년 9월 28일자에 상당성인上
黨城人이란 필명을 쓰는 사람이 「이천년이나 된 계룡산 오누이탑」이란 제목으
로 싣고 있으니, 그 전문은 다음과 같다.

이천년이나 된 계룡산 오누이탑

공주 계룡산 동학사에서 뒷길로 북쪽을 향하여 갑사로 넘어가는 비로봉
아래에 팔층되는 큰 탑과 오층되는 적은 탑이 아주 쓸쓸한 곳에 정다웁게
나란히 서있습니다. 둘이 나란히 서있는 이 탑 이름은 오누이탑娚妹이라
부르는데 이 탑에 대한 전설이 이러하답니다.

천년도 훨씬 넘은 아주 오래된 옛적에 이 평퍼짐한 곳에 절이 있고 이 절
에는 상원조사上元祖師라 하는 중이 살았더랍니다. 중이 젊었을 때에 저녁
마다 의례히 큼직한 바위를 업고 비로봉으로 오르락내리락 하면서 불경을
외웠답니다. 어느 날 밤에는 큰 호랑이가 와서 바위를 떠받혀 주기도 하여
중을 여러 번 도와주었더랍니다.

그런데 하루는 그렇게 기특하던 호랑이가 중의 앞으로 뛰어오더니 입을
딱 벌리고 금방 사람을 잡아먹을 듯이 중에게 덤비었답니다. 그러나 중은
조금도 무서움을 타지 않고 태연스럽게 말하였답니다.

『네가 나를 잡아먹고 싶으냐? 그렇다면 네 마음대로 하거라. 나의 운명이
그러할 바에야 낸들 어찌하겠니?』

호랑이는 머리를 흔들면서 결코 그렇지 않다는 뜻을 보였습니다. 그러나

야쓰이 조사 시의 모습

입은 여전히 벌리고 중 앞으로 가까이 오드랍니다.

중은 어스름한 달빛에 정신을 차리어 호랑이의 거동을 본즉 호랑이 목안에 무엇이 걸리어서 괴루워하는 것 같았습니다. 중은,

『올커니 네가 짐승을 잡아먹다가 그 뼈가 목에 걸린 것이로구나』

이렇게 말을 하고 호랑이의 입속을 자세히 살펴본즉 과연 짐승의 뼈다구가 목에 걸려서 고통하는 것이 분명하였습니다. 중은 손을 넣어서 호랑이의 목에 걸린 뼈다구를 빼어 주었답니다. 호랑이는 너무도 기뻐서 이리 뛰고 저리 뛰고 놀더니 조금 있다가 어디로 가버렸답니다. 그러더니 조금 있다가 어디서 살찐 도야지 한 마리를 물고 왔드랍니다. 그것은 은혜를 갚노라고 가져온 모양이었습니다. 중은 호랑이를 꾸짖었답니다.

『산 짐승을 죽이는 것은 옳지 못한 짓이거늘 어찌하여 이런 짓를 한단 말이냐? 어서 살려 보내라』

호랑이는 머리를 끄덕이더니 물어온 도야지를 도로 물고 가더랍니다. 몇 시간 후에 호랑이는 어디서 어여쁜 새악시(처녀)를 업어 왔더랍니다. 중은,

『네가 사람을 이렇게 괴롭게 하니 이런 못된 짓이 어디 있담? 업혀온 처녀는 필경 죽었으려니 네 어찌하여 이런 무도한 짓을 하느냐? 네 아무리 짐승이지만 너도 생명을 가진 영특한 생물이 아니더냐?』

이렇게 꾸짖은즉 호랑이는 어슬렁어슬렁 자기 굴로 가버리고 말았답니다.

중은 너무나 불쌍히 여겨 절 앞에 스러진 처녀를 따뜻한 방에다 안아다 누이고 미음을 끓여다 먹이고 두툼한 이불로 덮여 주었답니다. 이튿날 아침에 처녀는 휴우! 하고 한숨을 쉬면서 깨어 났습니다. 깨어난 처녀는 깜작 놀라서,

『여기가 어디냐? 스님! 이게 어찌된 일입니까?』

하고 심히 부끄러워서 머리를 숙이더랍니다.

중은 엄숙한 태도로

『어젯밤에 호랑이가 업어다놓고 어디로 가버렸습니다. 대관절 아씨댁은 어찌다가 이런변을 당했습니까?』

이렇게 공손하게 물은즉 처녀는

『나의 집은 경주올시다. 오늘은 제가 시집가는 날이라 하여 어제 저녁까지 온 집안이 분주하였습니다. 그래서 집안사람들이 곤히 잠들었을 때에 나는 안에서 문을 걸어놓고 목욕을 하였습니다. 목욕을 다한 후 옷을 입고 방을 향하여 걸어가다가 뜻밖에 이러한 변을 당하였습니다.』

라고 말하면서 이 절에서 경주는 몇 리나 되는지 물어보았다 합니다. 중은

『여기는 계룡산인데 여기서 경주는 꼭 천리라』

고 대답하였답니다. 처녀는 스님에게 말하기를,

『일이 이렇게 되었으니 이 몸을 그대에게 맡길 수밖에 없습니다. 경주가 천리라 하니 내 혼자서 갈 수 없고 설혹 간다 해도 까닭 없는 시비를 받을 것이니 돌아갈 수 없고 그뿐 아니라 그대는 죽을 목숨을 살려주었으며 천하나 여기지 마시고 허락하심을 바랍니다.』

이렇게 애원하였답니다. 그러나 중은 불교의 두리가 허라지 않는다하여 거절한즉 처녀는 도리어 머리를 숙이고 앉았다가 오누이의 의를 맺자고

간청하였더랍니다. 중도 이 말을 옳게 여기어 쾌히 승낙하여 그때부터 중은 오빠가 되고 처녀는 누이가 되었다 합니다.

처녀는 머리를 깎고 여중이 되어 불도를 닦고 있었답니다. 살같은 세월은 흐르는 물같이 빠르고 빨라서 처녀가 이 절에 온 지 벌써 일년이 되었고 그 오누이는 모두 도통하여 축지법을 쓰게 되었답니다.

그런데 처녀의 집에서는 혼인 전날 밤에 출가할 딸이 아무도 모르게 없어졌으므로 온 집안이 떠들썩하고 온 동리사람들도 이상히 여기어 한 이야기걸이가 되었더랍니다. 처녀의 부모는 딸이 없어진 까닭을 몰라서 여러 가지로 의심과 걱정을 일어났더랍니다. 그리하여 사람들을 사방으로 찾아 보았지만 천리 밖에 있는 딸을 뉘라서 찾을 수 있겠습니까. 혼인날이 되었으니까 신랑은 헛걸음만 하였고. 경사 날은 울음자리로 변했더랍니다. 그리하여 처녀의 부모는 수심으로 일년을 지냈더랍니다.

어느 날 저녁때에 중 두 사람이 이 집을 찾아왔더랍니다. 중들이 사립문을 들어오더니 어여뿐 중은,

『어머니! 아버지!』

하고 부르면서 안으로 뛰어 들어와 주인내외는 웬 영문인지 정신을 차리지 못하였더랍니다.

오랜만에 어머니 아버지 소리를 듣게된 주인내외는 중의 얼굴을 자세히 본즉 과연 작년 이때에 없어졌던 딸이 중이 되어 살아왔습니다. 슬픔의 눈물과 기쁨의 눈물! 부모의 사랑의 보금자리로 기어드는 처녀의 울음과 잃었던 딸을 다시 맞게 된 애정의 울음이 한데 어울려서 울음바다로 변하였다가 울음이 그치니 이 집 뜰에는 새로운 환희의 웃음이 돌았답니다. 딸응

최근의 모습

같이 온 오빠를 부모에게 소개하니 무수히 치사하고 아들이 없는 이 집에
는 양아들이 생긴 셈입니다.

오누이는 몇 날 동안 머물다가 부모를 하직하고 다시 절로 돌아와서 살다가
오빠 상원조사는 나이 많아 죽었고 누이되는 중도 다시 돌아오지 못할 길을
떠나게 되었는데 그때에 딸의 서기가 경주에까지 뻗치어 그의 부모가 알게
되어 여러 사람을 데리고 이 절을 찾아와 본즉 과연 딸도 잠을 자는 듯 죽었
더랍니다. 죽은 처녀의 부모는 양아들과 딸을 기념하기 위하여 탑을 쌓아
놓은 것이 거의 이천년이나 되도록 나란히 있는 오누이탑이라 합니다.

야쓰이가 1917년 12월 5일 이 탑을 조사하고 동학사로 내려가 동학사 주지
에게 남매탑에 얽힌 전설을 전해들었는데, 그 내용과 동아일보에 게재한 내용
은 대개 일치하고 있다. 그러나 야쓰이가 들은 내용은 "백제가 망한 후 왕족 한
명이 이곳에 토굴을 파고 수도를 하고 있었는데 어느 날 밤 호랑이 소리가 들

려 나가보니" 하는 점과, 신문에서는 "경주 처녀" 라고 하는데, 야쓰이가 전해 들은 것은 "상주 처녀" 라고 하는 점이 상이하다.

부여군 조사

부여 청마산성 수문지

부여군에서는 부여군 부소산 성, 나성, 청마산성, 성흥산성, 능 산리 전 왕릉, 정림사지탑, 유인원 비, 홍양리5층석탑, 대조사석조미 륵보살입상, 대조사석탑 잔석, 금 성산서남복 석조비로사나불좌상, 정림사지석조상, 동남리 석조여래좌상(속칭 소정방상), 부여읍내 석조 및 초석, 군청 보관 금동불 입상 등을 조사했다.

능산리 전 왕릉은 부여 능산리에 6기가 있는데 1915년 여름에 구로이타 가 쓰미黑板勝美가 2기, 세키노 타다시關野貞이 1기를 조사했다. 1917년에는 야쓰이 세이이치谷井濟一에 의해 재조사하면서 제2호분에서 사신도와 연화문벽화의 존 재가 학계에 소개되면서 주목을 받게 되었다.[389]

유인원비는 1909년 세키노의 조사 시에 비신과 이수가 절단 분리되어 초목 사이에 넘어져 귀부를 잃어버렸다. 야쓰이 일행의 조사 때는 조선총독부에서 비석을 접합하여 세우고, 비각을 설치하여 보호하고 있었다.

---

389 梅原末治,「百濟遺蹟調查の回顧と今春の發掘に就いて」『忠南教育』, 忠淸南道教育會, 1938.

홍양리 5층석탑은 홍산리 홍양리와 안양리의 산록에 있는데, 기단 하부는 매몰되어 있었다.

임천면 구교리에 있는 대조사석탑 잔석은 전도 매몰되어. 화강석으로 만든 개석 3개와 기단 측면으로 사용한 것으로 생각되는 석재가 잔존하였다.

금성산 서남복 석조비로사나불좌상은 "처음 지중에 매몰되었다가 최근에 발굴" 하였다고 한다.

부여읍내 석조는 후일 야쓰이가 탁본가 가구타 고우타로角田幸太郎에게 의뢰한 결과 그 외부

홍양리 5층석탑

주위에 대당평백제국비명大唐平百濟國碑銘이 새겨져 있음이 판명되었다고 한다.

군청에 보관하고 있는 금동불입상은 1913년 2월 1일 부여면 가탑리에서 발견되어 군청에 보관하고 있는데, 두부 및 양수, 양족이 결실되고, 수개로 파괴되어 있었다.

청양군 조사

청양군에서는 청양읍 우산성 관비산토성, 천마봉토성, 청양면장성, 두릉이성, 지곡리토성, 청양면 벽천리석총, 정산면 역촌리 전 왕릉, 청양읍 석조석가삼존입상, 청양읍 3층석탑, 정산면 서정리 9층석탑을 조사했다.

청양읍 석조석가삼존입상은 청양읍내 대압각수하大鴨脚樹下에서 발굴하였는데, 이를 옮겨 청양군청사 전정前庭에 눕혀 두었다. 본존은 석가여래입상으로 주형舟形의 배광을 갖추었으며, 좌우 협시는 보살입상이다. 삼체는 모두 장방형의

청양읍 석조석가삼존입상

간단한 대석을 가지고, 족부를 대석 붙여 만들었다. 삼체는 모두 분리되어 있다. 군에서는 우산牛山의 암벽에 기대어 세워둘 계획이라고 한다.

청양읍 3층석탑은 청양군청사 전정에 있다. 상륜은 보개만 존하고, 3층의 옥개 하부는 결실되었다.

서정리 9층석탑은 정산면 서정리의 정산에서 공주로 통하는 도로에서 약 1정여 떨어진 밭 사이에 있다. 조금 기울어졌으며, 초층탑신 내에 납한 사리용기로 생각되는 것을 틈 사이로 들여다 볼 수 있었다. 통일신라시대 9층탑으로 희유의 유물로 현지에 수리보존의 가치가 있는 중요한 유물이라고 한다.

청양읍 3층석탑

정산면 서정리 9층석탑

* 청양 읍내리 석조여래입상(보물 제197호)

현재 청양군 칠갑산로 9길 58에 소재하는
데, 안내 설명에 의하면, "읍내리 1구에 있었
으나 1961년 용암사 경내로 옮겼다가, 1981
년 정면 3칸 측면 2간의 전각을 짓고 모셨다"
라고 하고 있다.

* 청양읍 3층석탑

최근의 모습

청양읍3층석탑은 1961년에 용암사 경내에
옮겼다가 현재 석조여래입상(보물 제197호)
앞으로 옮겨 두었다.

도리이 류조가 제5회 사료조사 때 촬영한
사진에는 탑 옆에 석불 1구가 보이고 있는데
석조석가삼존입상중의 하나로 추정되기도
하나 훼손된 정도가 이보다 심하다.

논산군 조사

도리이 류조의 제5회
사료조사 때의 사진(유리건판)

논산군 연산북사성, 연산북산성서남고분군, 연산면 천호리 개태사 유적 유
물, 연산철수반, 천호리 발견 도호 등을 조사했다.

개태사5층석탑

개태사지는 석단, 전지 사이에 존하며, 석조삼존불, 석탑잔석, 석조 등이 남아 있었다. 석조삼존불입상 본존은 방형대석 상에 세웠으나 현재 절단되어 상부가 배후로 전도되었다. 우협시는 팔각대석 상에 세웠으며 형태가 완전, 좌협시는 상부가 절단되어 좌방으로 넘어져 있다. 본존 앞에 석좌가 있다. 5층석탑은 지상에 전도되어 있었다.

연산철수반은 1917년 조사 때 연산면 연산리 공원에 안치되어 있었다. 1909년 세키노의 조사 때 연산읍 서방 작은 개천에 있었는데 그 후 공원이 설치되어 옮기게 되었다. 세간에 개태사의 대부가 홍수에 흘러왔다고 하며, 보통 '연산대부'라 하는 유명한 유물이다. 최근에 또 옮기어 본부박물관에 진열하였다(야쓰이의 조사 시에는 연산공원에 있었으나 보고서를 완성할 즈음에는 박물관으로 옮긴 것으로 보인다).

천호리 발견 도호는 고 2척2촌5분 정도로 연산면 천호리 석교 주막의 북방 전지에서 나온 것으로, 일찍이 철도공사 때 취한 것이다. 현재 본부박물관에서 구입하여 수장했다고 한다.

* 개태사지

『조선고적도보』를 보면 당시의 사지는 완전히 황폐화되어 있으며 석조삼존불石造三尊佛은 우협시불右挾侍佛을 제외한 나머지는 완전히 파괴되어 두부를 잃

고 도괴되어 있어[390] 인위적인 손
상을 짐작케 하고 있다.

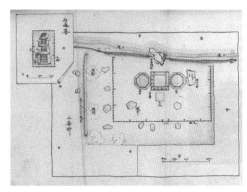

개태사지(開泰寺址)의 삼체불(三體佛) 및 석탑파(石塔婆)
현상도(現狀圖) (충청남도 고적조사 보고)

개태사석탑은 1917년도 고적조
사보고에, "화강석으로 이루어졌음,
현재 도괴倒壞되어 땅에 있다. 초층
탑신과 5층옥개 이상은 잃어버렸
다"[391]라고 하고 있으며,『조선고적
도보』에 나타난 사진을 보면 석탑은
탑재가 완전히 횡도橫倒되어 있어[392] 자연적 손상이 아님을 한눈에 알아볼 수 있다.

이처럼 관리하는 사람이 없는 틈을 타서 불법자들이 침범하여 탑내의 보물을
도취하기 위해 무참히 파괴를 했던 것이다.

익산군 조사

익산군에서는 오금산성, 미륵사지, 왕
궁리석탑, 쌍릉을 조사했다.

미륵사지에는 당간지주, 7층석탑, 정호
井戶, 석조 및 초석 등이 남아 있었다. 7층

왕궁리석탑

390 『朝鮮古蹟圖譜』第6冊, 圖版3157, 3221.
391 『大正6年度古蹟調査報告』, 朝鮮總督府, p.647.
392 『朝鮮古蹟圖譜』第6冊, 圖版2911.

석탑은 목조탑을 모방하여 축조한 것으로, 초층은 완전하나 2층 이상 5층까지는 그 면의 3분의 2가 남아 있었다. 1910년 세키노의 조사 때 그 서부西部의 붕괴가 심하여, 붕괴될 위험이 있어 1916년에 본부에서 응급 수선을 가하였다.

왕궁탑은 왕궁면 왕궁리 왕궁지라 하는 고지대의 남단 가까이에 있으며, 기난 측식을 잃어버리고 흙으로 쌓아 기가基脚을 덮어두었다. 타일 수선 보호를 요하는 유물이라고 하고 있다.

나주군 조사

신촌리, 덕산리 및 대안리의 대지상에 수십기의 고분이 산재함. 이런 등의 고분은 외형은 원형圓形 또는 방대형方臺形으로 봉토 내에 1개 또는 수 개의 도제 옹관을 장하였다.

금동관, 금동행, 대도, 도자, 부, 창, 이식, 구옥 등 상당한 유물을 발굴했다.

1917년 9월 23일

이마니시 류(今西龍)의 경상북도 선산군, 달성군, 고령군, 성주군, 김천군, 경상남도 함안군, 창녕군 일대의 고적조사

이마니시는 고적조사의 명을 받아 1917년 9월 23일 경성을 출발하여 경상북도 선산군 경상남도 함안군을 조사하고 귀도에 경상남도 창녕군, 경상북도 달성군 일부,

고령군, 성주군, 김천군 일부를 약조사하고 11월 25일에 귀청했다. 조사내용을 조사보고서 4책, 사진 162매를 1919년 12월에 제출한 것으로 그의 보고서에 나타나 있다.

이마니시의 이번 조사에 대하여 「대정6년도고적조사개요」[393]에는 다음과 같이 기술하고 있다.

> <전략> 이번 조사에는 경상북도 선산에서 고분의 분포형식과 아울러 불교입전 당시의 유적을 밝히고 경상남도 함안에서는 가야의 유적을 자세히 살피고 가야면 말살리 고분에서 개鎧, 마구 등의 조각과 기타의 부장품 등을 수집하는 일을 중점 둘 것.

이마니시의 이번 조사는 선산군과 함안군의 유물 조사와 더불어 유물 수집에 중점을 두고 있음을 알 수 있다. 또한 그가 매일신보에 게재한 「조선고적조사一, 임나任那에 대하여」라는 제하의 글에서는 다음과 같은 내용이 들어 있다.

> 나는 총독부의 명에 의하여 남신 지방의 고적을 조사하였는데 주요한 지방은 낙동강의 서의 조사와 아울러 경상남도 함안 지방에 있는 고분의 조사와 정리, 그리고 금회의 조사에 의하여 크게 얻은 바 있어 조만간 내지에 돌아가 문헌을 참고하여 상세히 연구하려고 생각하나 조사한 중의 임나任那(조선에서 言하면 加羅가 音便으로 伽倻라 함) 그 유적 유물로부터

---

393 「大正6年度古蹟調査槪要」, 『大正6年度古蹟調査報告』, 朝鮮總督府, 1919, pp.11~15.

추고하여 그 사실에 대하여 개요를 술하고자 한다.[394]

그의 이번 조사는 경북 선산군과 함안군에 중점을 두되 고대 한일관계를 밝히는 유물을 찾고자 하는데 목적을 두고 있다.

선산군 일대의 고적 조사

선산군 일대는 1915년에 구로이타 가쓰미黑板勝美가 이곳 고분을 발굴 조사하여 일부의 유물을 일본 고고학회에 소개한 바 있으며,[395] 다른 지역에 비해 도굴의 화를 가장 심하게 입었다. 선산면 원동院洞 고분군, 독동 고분군, 낙산동 고분군, 중리中里 하도동河圖洞 고분군, 불로동不老山 고분군, 월파정산月波亭山 고분군, 정묘산鄭墓山 고분군 등이 너무나 처참하게 파괴되어 이루 말로 할 수가 없을 정도이다.

1916년경에 식산국 산림과에서 조사한 선산군의 고분은 생곡동生谷洞 70기 현

존, 원동院洞 70기 현존, 독동동禿同洞 18기 현존, 신림동新林洞 10기 현존, 낙산동洛山洞 300기 현존, 월곡동月谷洞 120기 현존, 송곡동松谷洞 58기 현존, 창림동昌林洞 13기 현존, 금호동金湖洞 4기 현존, 원평동元平

선산 원동 제4호분

---

394 今西龍, 「朝鮮古蹟調査(一), 任那에 對하여」, 『每日申報』 1918년 2월 11일자.
395 『考古學雜誌』 第6卷 3號, 考古學會, 1915년 11월.

洞 70기 현존으로 기록되어 있는데, 생곡동, 원동, 독동동, 금호동은 전부 도굴당하였으며, 낙산동, 월곡동, 송곡동, 창림동, 월호동, 원평동은 이미 도굴되어 완전한 것이 드문 것으로 조사되었다.[396]

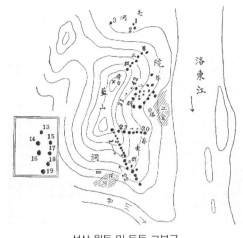

선산 원동 및 독동 고분군

첫 조사는 선산군에서 시작되었다. 선산군에서는 일부 고분 발굴과 아울러 이 일대의 고분 상태를 조사한 다음 그중 일부에 번호표주番號標柱를 세웠는데 이때 이마니시今西가 조사한 고분의 수는 다음과 같다.

선산면 원동 고분군古墳群[397]

　　제1군 30기 (이 중 30기를 선택하여 번호표주 1~30호를 세움)

　　제2군 30기 (이 중 12기를 선택하여 번호표주 31~42호를 세움)

　　제3군 15기基 (번호표주를 세우지 않음)

　독동 고분군[398] 3기 (번호표주 1~3호를 세움)

396 『朝鮮寶物古蹟調査資料』, 朝鮮總督府, 1942 參照.
397　今西龍, 「慶尙北道 善山郡 古蹟調査報告」, 『大正6年度 古蹟調査報告』, 朝鮮總督府, 1919, pp.31~39.
398　今西龍의 앞 報告書, pp.39-40.

낙산동 고분군[399]

　제1구(오목야군) 15기(번호표주 1~15호를 세움)

　제2구(중리하도동문군) 46기(이 중 10기를 선택하여 번호표주 16~25호를 세움)

　제3구(불노산군) 약 160기(이 중 번호표주 26~49호를 세움)

　제4구(불노산냉산군) 약 130기(이 중 번호표주 50~69호를 세움)

　제5구(월파정군) 약 70기(이 중 번호표주 70~110호를 세움)

　제6구(정묘산군) 약 60기(이 중 번호표주 111~145호를 세움)

　제7구(칠창동군) 수 십기(이 중 번호표주 146~158호를 세움)

　제8구(칠창동후강군) 51기(이 중 번호표기 159~161호를 세움)

월곡동 고분군[400]

　제1구 약 300기(이 중 번호표기 1~48호를 세움)

　제2구 약 30기(이 중 번호표기 49~51호를 세움)

　제3구 45기(이 중 번호표기 5~ 56호를 세움)

산양동 고분군[401] 약 30기(이 중 번호표기 1~5호를 세움)

송곡동 고분군[402]

　제1구 12기(이 중 번호표기 1~4호를 세움)

　제2구 30기(이 중 번호표기 5~10호를 세움)

　제3구 8기(번호표기 미부여)

---

399 今西龍의 앞 報告書, pp.40~76.
400 今西龍의 앞 報告書, pp.78~92.
401 今西龍의 앞 報告書, pp.92~94.
402 今西龍의 앞 報告書, pp.94~98.

금호동, 낙성동 고분군[403] 4기(번호표기 미부여)

신림동 고분군[404] 19기(번호표기 1~16호를 세움)

생곡동 고분군[405] 14기(번호표기 미부여)

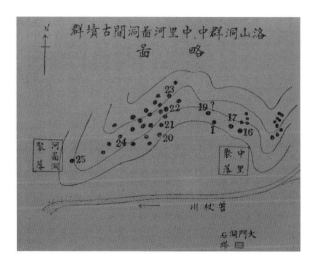

이상의 고분 상태 조사에서 대다수가 도굴 파괴당하여 "2, 3년 이래 거의 도굴이 다하여 완전한 고분이 극히 희소稀少하다"고 하며, 성한 고분은 거의 없었다. 특히 낙산동 고분군의 제2구의 경우에는 6, 7년 전에 파괴된 것이라고 하는 것을 보면 고려고분 파괴가 성할 무렵부터 이 지역에서 도굴이 시작되었음을 볼 수 있다.

이마니시가 발굴한 낙산동군 제28호분은 발굴하기 전에 이미 3회 이상 도굴된 흔적이 있었다. 조사는 1917년 8월 29일에 착수하여 중지했다가, 10월 1일에 다시 시작

---

403 今西龍의 앞 報告書, p.99.

404 今西龍의 앞 報告書, pp.99~106.

405 今西龍의 앞 報告書, pp.106-107.

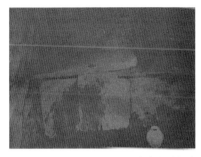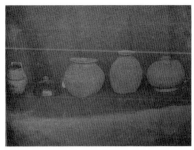

낙산동고분 제28호분 출토 유물

하여 10월 4일에 발굴을 종료했다. 이곳에서 와편, 관개석, 석침, 와기 등을 발견했다.

낙산동 고분군 중 제105호분을 조사 도굴분으로 제1일은 인부 6인을 독려하여 봉토를 제거하고 고분의 구조를 조사했다.

그리고 낙산동 제5구 월파동 고분군의 경우에는 거대한 수목들이 자라고 있어서 빗물에 봉토가 유실되지 않은 고분이 비교적 많고 더욱이 고분의 원형도 타에 비해 대형인 것이 많았으나 이런 고분들도 2-3기를 제외하고는 도굴꾼들이 교묘히 구멍을 뚫어 광의 속 벽에 정확하게 도달한 것을 보면 너무 놀랍다고 한다.

선산군 일대의 고분군을 조사한 이마니시는 도굴 파괴의 전반적인 견해를 다음과 같이 기록하고 있다.

본군本郡에 유존遺存하는 약 1천기 혹은 그이상의 고분은 2-3년 전부터 이 지방에 고분속의 유존고물遺存古物을 완농玩弄하는 폐풍弊風이 일어 사리射利의 도당들이 매수하는 바람에 무뢰한의 끊임없는 도굴장이 되었다. 봉토유실의 자연적 파괴는 드물고 그 대다수는 실로 최근 1-2년 사이에 도굴로 파괴된 것이다. 군집群集한 고분古墳이 무뢰한들의 도굴로 인해 파전破殘 황폐

荒廢한 참상慘狀은 차마 볼 수가 없을 정도로 잔인혹심殘忍酷甚의 극이다.[406]

라고 하며 "오늘날 사람들의 죄악과 땅에 떨어진 도덕성道德性을 보려면 이곳 고분 군집지群集地를 보라"고 일본인日本人인 그도 분노憤怒를 참지 못하고 있을 정도로 파괴破壞당했다.

또 선산군 옥성면 고분군에서 묘광墓壙이 노출되었음에도 도굴되지 않은 고분을 발견하고는 경의롭게 다음과 같이 기록하고 있다.

이 군群 중에 아직 묘광墓壙을 이 상태로 노출된 것이 있다. 고분의 분토가 유실되어 광이 노출되어도 민중이 이것에 손을 대지 않고 이것을 침侵하지 않는 순박淳朴하고 사자死者에 대한 예를 결缺하지 않던 시대와 도굴 파괴 릉욕陵辱을 고

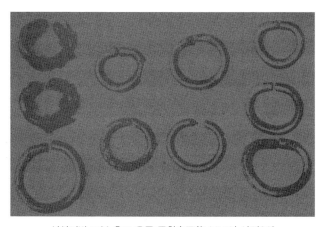

선산지방 고분 출토 유물 금환今西龍 보고서 사진30)

406 今西龍, 「慶尙北道 善山郡 古蹟調査報告」 善山郡古墳 槪記편, 『大正6年度 古蹟調査報告』, 朝鮮總督府, 1919.

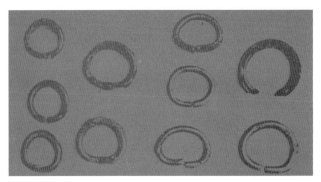

선산지방 고분 출토 유물 금환今西龍 보고서 사진31)

선산지방 고분 출토 유물 曲玉今西龍 보고서 사진32)

인의 분묘에 가하여 이르지 않는 곳이 없는 현대를 비한다면 송연한 것이 있다. 구조선의 도덕을 보려고 하려면 옥성면의 이 제분諸墳을 보아야 할 것이다.[407]

라고 하여 그 스스로도 도굴의 현상이 일본인들로 인해 행하여진 악 영향임을 은연중隱然中에 자인自認하고 있다.

---

407 今西龍, 「慶尙北道 善山郡 古蹟調査報告」, 『大正6年度 古蹟調査報告』, 朝鮮總督府, 1919, p.107.

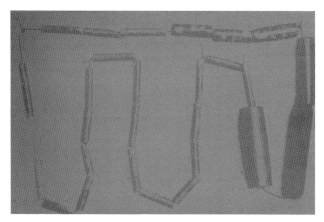

선산지방 고분 출토 유물 管玉今西龍 보고서 사진33)

선산지방 고분 출토 유물 劍頭今西龍 보고서 사진34)

　　그는 또 출처는 불명이나 여러 점으로 보아 선산지방의 출토품으로 추정되
는 것으로, 황금이식黃金耳飾, 금환金環, 관옥管玉, 유리옥琉璃玉, 기타 옥류玉類, 검
두劍頭, 기타 무기武器, 직도直刀, 대구帶鉤, 마형馬形 등이 경성고물상의 손으로
매매되는 것을 보았다[408]고 한다. 이것을 사진으로 게재하고 있다.

<hr />

408　今西龍,「慶尙北道 善山郡 古蹟調査報告」,『大正6年度 古蹟調査報告』, 朝鮮總督府, 1919, p.130.

그 외 월파정지, 선산읍성, 금오산성, 도리사, 대둔사, 주륵사지, 득익사지, 죽장사지, 대문동석탑, 원동석탑 등을 조사했다.

* 선산 주륵사지(朱勒寺址)석탑

주륵사에 대해 이마니시는 동국여지승람에 "재냉산서유고려안진소찬승혜각비명"이라 나타나 있으나 그 유지를 찾지 못했는데 도리사의 한 노승의 가르침을 받아 사지는 도개면 다곡동에 있다는 것을 알게 되어 찾을 수 있었다고 한다. 여지승람에 나타난 기록에 의해 이미 세종12년에 선산부 객사를 건축할 때 이 사찰의 재목과 기와를 가져다 사용한 사실을 발견하고 이 사지에 남아 있는 유물을 찾았던 것이다.

석탑에 대해서는 화강암제로 구성되어 장대 우수한 작품으로 현재 후방으로 전도되어 개석蓋石, 격석隔石이 산재했으며, 이마니시의 조사 당시 동네 주민의 말에 의하면 4, 5년 전까지는 세워져 있었다고 한다. 그 외 이곳에서 고비이수단석(혜각탑비편), 기타 두부를 결실한 석귀石龜 1개, 석불후배단편, 석등대석, 기형석물 등을 발견, 조사 당시에 날이 어두워 상세한 조사를 하지 못했다고 한다.

주륵사지는 경상북도 선산군 도계면 다곡1리(다황리)에 있다. 입구는 냉산과 청화산 사이의 협곡이며 청화산 서남방 계곡 중복에 위치한다. 본래 큰 사찰이었으나 조선 초기에 벌써 폐사에 가까워 세종11년에 부사 이길배가 남관南舘을 수리할 때 주륵사의 목재와 기와를 사용할 것을 상신한 기록이 보이는데,[409] 이때 이미 사세가 기운 것으로 추정된다.

---

409 『嶠南誌』, 佛宇條.

주륵사지 석탑재

『신증동국여지승람』에는 다음과 같이 기록하고 있다.

지금의 부사 이길배 공이 정치에 임한 지 1년에 <중략>
부의 관우와 누대와 못을 다스리되, 부역이 백성에 미치지 않고 재목을 산
에서 베이지도 아니 하였으므로 부의 백성들이 이상히 여기었다. 어느 날
향선생(시골 장로)장빈 등 1백여 명이 부사를 찾아보고 폐사의 재목과 기
와로 현의 향교를 지을 것을 청하였더니 부사가 기뻐하여 곧 감사 이승직
공에게 보고하여 마침내 임금께 아뢰어 허락을 얻었다.

이후 폐사가 되어 사지에는 석재로 이루어진 유구遺構만 남아 있었을 것으로
짐작된다.『신증동국여지승람』에는,

『一善誌』佛宇條에, "府使李吉培構南舘時撤毁材瓦廢今有遺址."

주륵사는 냉산 서쪽에 있으니 안진이 지은 승僧 혜각慧覺의 비명이 있다.

라고 기록되어 있으며, 『선산읍지善山邑誌』[410] 권지1에는 승僧 혜각慧覺의 비명碑銘에 대해 "금무今無"로 기록하고 있다. 『범우고梵宇攷』에는 "금폐今廢"로 기록되어 있다. 『조선보물고적조사자료』에는, "탑 도괴되어 부근에 산란 기석이간각초층솔석칠 척오촌각삼중석탑基石二間角初層率石七尺五寸角三重石塔으로 짐작, 부근에 사기급와砂器 及瓦의 파편점재破片點在"라고 탑의 도괴와 석재石材의 산일散逸을 기록하고 있다.

1917년 이마니시 류今西龍가 이 사지를 조사할 당시에는 날이 어두워 사진 촬영은 못했지만 당시 사지에 남아 있는 유구를 보면 석탑과 혜각탑비편慧覺塔碑 片, 두부가 결실된 석귀石龜 1개, 석불후배단편石佛後背斷片, 등롱대석, 기형석물 등이 남아 있었다.[411] 그리고 이 석탑에 대해서는 『대정6년도 고적조사보고』에,

그 1석탑은 화강석재로서 구성한 장대壯大 우수한 작품이다. 지금 후방에 전도顚倒하여 개석蓋石이 산재散在함. 마을사람의 이야기로는 4, 5년까지 서 있었다고 하는데 지금은 3층 이상의 용재用材가 있지 않은 듯하나 5층탑이 었을 것이다. <중략> 그 상면 중앙에 방공方孔이 있다. 그 상부의 폭이 10촌 5분十寸五分이지만 하부에 이르러서는 각角이 되어 이것을 좁게 하여 방6촌 5분方六寸五分으로 하였는데 전체의 깊이는 4촌5분四寸五分이다. 사리호舍利

410 예전부터 전하는 舊誌를 純祖2년(1802)부터 同王6년(1806)까지 善山府使로 재임하던 金箕憲이 續編하였는데 이를 바탕으로 丁圭三이 一編을 만들었다.
411 今西龍, 『大正6年度 古蹟調査報告』, p.148.

壺를 장藏하였던 것이겠음.[412]

파헤쳐진 탑지

라고 기록된 것으로 보아 불법자들의 보물 도취로 인한 파괴로 짐작된다.

현재는 1917년 이마니시 류今西龍의 조사에서 나타나 있는 혜각탑비편慧覺塔碑片, 석귀石龜, 석불후배石佛後背, 등롱대석燈籠臺石 등은 흔적도 보이지 않고, 탑의 옥개석 3개와 탑기단의 장대석편만 남아 있으며, 탑지塔址는 파 헤쳐져 있다. 탑의 옥개는 한 변의 길이가 2, 3미터나 되어 대단히 장대했을 것으로 보이며, 석탑재로 보아 3 내지는 5층탑으로 추정된다.

필자가 이곳을 탐방하고 내려오면서 사지에 남아 있던 석재의 행방에 대해 마을 고노로부터 들은 바, "수십 년 전에 돌쟁이(석공)들이 가져갔다"고 대답을 하였다. 1968년에 발간한 『선산군지』에 다음과 같은 기록이 있어 혹시 연관이 있지 않나 추정한다.

냉산 너머 주륵사 터엔 불국사 석가탑만한 석탑이 있었다. 넘어진 담돌을 깨어 묘석으로 다듬은 일선김 씨네의 정소리만이 요란하다. 여차리 나루 옆 원동3층석탑도 이미 그들의 사당축대가 돼 산산조각이다. 조사대는 분

412 今西龍, 『大正6年度 古蹟調査報告』, p.147.

을 참지 못해 가슴을 쳤지만 그것이 다시 탑으로 묶어지기엔 벌써 늦었다.

정영호 교수 등이 1968년에 조사한 『선산지구고적조사보고서』를 보면 이와 같은 내용을 기술하고 있다.

옥개석 2개는 현재와 비교해 보면 뒤집혀 있다.
(당시 이를 조사한 정영호 교수 일행이 찍은 사진)

현재 선산김씨 문중에서 묘석상을 만들기 위하여 탑신석 옥개석 할것 없이 모조리 파괴하여 각 부재가 완전한 것이 없다. 동민인 김모 두 사람의 증언 의하면 벌써 오래 전부터 이 탑석을 깨어서 상석을 만들고 있다는 바 장방형의 상석을 10여 기 치석해놓고 그 중 1석에는 <중략> 측면에 2행의 음기가 있어 김씨 문중의 역사로써 이렇듯 파괴되어가고 있는 것임을 알 수 있었는데 현재 이곳에는 김씨 문중의 묘소가 5기 유존하고 있어 각 묘전에 상석이 배치되었으니 이들도 그 석질이나 위치로 보아서 이 탑재로 재작한 것 같다. 아무튼 탑신석은 1석도 완전한 것이 없이 전부 장방형으로 쪽을 내었고 옥개석은 3석이 유존하나 그 중 1석도 반을 쪼개서 그 반석으로써 장방형의 상석을 치석하고 있는데 현재 4매를 재작해 놓고 또 계속 중이므로 그 외의 기단 부재는 완전히 파괴시켜 놓아 그 참상을 양식인으로서는 도저히 볼 수가 없다.

당시 조사단은 선산교육청에 수습대책의 수립을 건의 했다고 하는데, 교육청에서는 그동안 아무런 대책을 강구하지 않았던 것이다.

사지 일대는 40, 50미터 가량의 석축이 남아 있으며 민묘民墓 2기가 들어서 있다.

* 이마니시의 조사 당시의 남아 있던 유재만이라도 잘 보관 유지하였더라면 이 일대는 유명지로 변했을 것이며, 경북도의 시랑이 될 뻔 했으나 일부 주민들의 몰지각으로 우수한 석탑재의 일부가 사라졌다.

* 죽장동 5층석탑

죽장사지竹杖寺址는 경상북도 선산읍 죽장리에 소재한다. 언제부터 폐사가 되었는지는 밝혀진 것은 없으나『동국여지승람』에는 "죽장사재비봉산竹杖寺在飛鳳山"이라고 기록하고 있어 동국여지승람이 증보增補되어 간행된 1530년까지는 법등을 이어온 것으로 보이나, 임란 이후의 기록인『일선지一善誌』,『선산읍지善山邑誌』,『교남지嶠南誌』등에는 "폐지廢址", "구무俱無", "금폐今廢"로 기록된 것으로 보아 임진왜란 때 소진된 것이 아닌가 추정된다.

『조선보물고적조사자료』에는 "제성단에는 높이 3척 폭 2칸 길이 20칸의 석담이 현존한다. 탑은 고 3장의 5층석탑이며 완전하다. 사지부근에는 고와편이 산재한다" 라고 기록하고 있다.

현재 이곳에는 1954년에 법륜사法輪寺가 창건되어 있다. 경내에는 석탑과 주초석 외에도 징대식長大石이 남아 있다. 특히 주초의 크기로 보아 원 건물이 웅대했을 것으로 보인다.

경내에 있는 이 석탑은 신라시대의 것으로 추정되는 높이 10미터가 넘는 거대한 5층석탑으로 지대석으로부터 정상부인 로반까지 소요된 석새는 수백 개로 추산된다. 전설에 신라시대에 두 남매가 살고 있었는데 서로 자랑하다가 오빠는 타처[413]에서 누이동생은 죽장사의 탑을 세우게 되었는데 누가 먼저 세우겠는가 하고 서로 경쟁을 하여 누이가 먼저 5층탑을 세워서 이겼다는 전설이 있다.[414] 그러나 이렇듯 웅장하고 거대한 석탑을 건립한다는 것은 결코 개인의 힘으로는 불가능한 일이며 국가적인 상당한 비호 속에서 가능했을 것이다.

이 탑의 초층 탑신은 여섯 개의 돌로 조립되었는데 남면에 감실이 마련되어 있다. 그 내부는 원래 불상을 봉안했을 것으로 추정되나 현재는 최근에 제작한

죽장동5층석탑

---

413 『善山郡誌』(1968)에 의하면, 선군 해평군 낙산동에 餘次塔이 유존하는데 신라중엽의 건립으로 추정되는바 어느 두 남매가 재주를 자랑하다가 오빠는 타처에 누이는 죽장사에 5층석탑을 먼저 세웠는데 오빠가 타처에 세웠다는 탑이 바로 이 餘次塔이 아닌가 추정하고 있다.
414 『龜尾市誌』, 龜尾文化院, 2000.

불상이 모셔져 있으며, 양쪽에 문비門扉가 마련된 흔적이 있다.

1917년 이 석탑을 조사한 이마니시 류今西龍의 기록을 보면, 당시 이 석탑은 5층으로서 고아古雅 장대한 모습으로 아래 제1층에 감이 있었으나 그 기우석을 잃고 감내龕內에는 수색한 흔적이 있었으며 내용물은 아무것도 없었다.[415] 이미 도굴꾼들에 의해 도난을 당한 것으로 추정된다.

1층 탑신 좌우에는 잘 알아 볼 수 없는 묵서墨書가 보이는데 '쇼와昭和'라는 연대가 보이는 것으로 보아 일제기에 쓴 것으로 보인다.

＊ 낙산동석탑

이 탑이 위치한 지역은 행정구역상 경북 해평면 낙산1동으로 마을 입구에 옛날에는 큰 대문이 있었다고 하여 대문동이라 부르기도 한다. 이곳 뒷산에서는 삼국시대 지방 유력자의 고분 출토품으로 보이는 금동관이 발견되기도 했다.[416] 이 석탑 주위에는 아무런 유구가 없으나 일

낙산동석탑(이마니시의 보고서)

---

415 『大正6年度 朝鮮古蹟調査報告』, p.152.
416 黃壽永, 「선산출토의 금동관」, 『考古美術』 제2권 9호, 1961년 9월.
　　낙산동 신라석탑 뒷산의 고분, 속칭 八萬大將軍墓라고 일컫는 고총에서 1957, 1958년경 여름에 金銅冠이 나왔다고 한다. 일괄 유물로는 상검 2, 銅鐸, 토기 등인데 모두 산일되었다고 한다. 그 중 長劍은 서울 모씨의 소장으로 돌아가고 금도완은 출토 직후 대구시의 고물상을 거쳐 개인의 소장으로 돌아갔다고 한다.

최근의 모습

대의 경작지에서 몇 년 전까지만 해도 옛 기와와 토기들이 눈에 띄었다고 (2002년 동리 주민의 談)하는 것으로 보아 부근이 사지였음을 짐작 할 수 있다.

이 석탑(보물469호)은 각부를 많은 부재로 구성하고 있는 모전석탑계통模塼石塔系統의 장중한 탑으로 죽장사5층석탑과 거의 비슷한 양식을 취하고 있다.[417]

1918년 이마니시 류今西龍의 기록에는, "파손된 형태는 죽장사탑竹杖寺塔보다 심하여 급히 수리를 요한다. 감龕과 석선石扇이 유존하나 현재 개방된 상태"[418]라는 것으로 보아 불법자들의 보물도취로 인해 파손된 것으로 추정된다.

문교부문화재관리국의 이홍직 위원이 1967년 12월에 낙산동3층석탑을 조사하고 보물로 지정하게 된다.[419] 1968년에는 단국대학교박물관 조사단에 의해

---

417 『善山郡誌』(1968)에서는 이 탑을 남매가 탑을 누가 먼저 세우나 경쟁하였다는 죽장사 탑과 관계가 있는 일명 餘次塔으로 추정하고 있다.

418 『大正七年度 古蹟調査報告』, 原田淑人의 報告書, p.153.

419 국보로 지정하기 위한 보고서에는 다음과 같이 기술하고 있다.
소재지 경북 선산군 해평면 낙산동 1동 대문곡
낙산1동 경작지에 남향하여 유존하고 있는데 주변의 경작 범위가 점차 확대되어 석탑 기단부까지 침식(侵蝕)해 들어오므로 직접적인 손상을 입히고 있음은 유감스러운 일이다. <중략>
탑신은 수매석으로 구성되었고 초층 남면에는 감실이 있는데 문비는 없고 속은 비어 있다(門扉는 동리에서 수습 가능하다고 한다). 각 옥개석은 낙수면이 층단으로 되어 있어 곧 선산읍내의 죽장동 5층석탑의 인상을 주고 있다. 상륜부는 로반 이상이 결실되었다. 대체로 완형이나 기단부에 약간의 손상이 있다. 그러나 부재는 잔존한다. 이러한 점에서

탑의 외형 조사가 이루어지고,[420] 1971년에 해체복원을 하게 되었다.[421]

현재 로반 이상은 결실된 상태이며 곳곳에 일부 파손된 흔적이 보인다. 1층 탑신에 감실이 있으나 비어 있으며 탑지를 제외한 나머지 부분은 모두 논으로 되어 있다.

⁂ 원동석탑

이 석탑의 원소재지는 선산 원리院里 강창부락인데 현재도 주위에는 많은 와편이 산재되어 있어 사지로 추정되나 이 절에 관한 자료가 밝혀진 것이 없다.

석탑에 관해서 1917년에는 이마니시 류今西龍가 조사하였는데 간략한 지명에 관한 설명과 더불어 탑 사진(도판 제40호)만 게재되어 있다. 당시 사진에 나타난

시급히 지정하여 보호해야 되겠고 각 부재를 완전히 수습해야 되겠는데 이 석탑은 이미 국보로 지정된 他例에 비하면 조금도 손색이 없는 바로서 국보로 지정 보호함이 가할 줄로 사료된다(文敎部文化財管理局,『1968年度 第1次 指定申請文化財調査報告書』, 1968).

420 1968년 단국대학교박물관 조사단에 의해 탑의 외형 조사가 이루어졌는데, 당시 조사에, "현재 각 층의 부재(部材)를 검토해 보면 하층기단 남면1석이 도괴되었으나 면석(面石)이 그 자리에 잔존하므로 곧 복원될 것이며 상기면석(上基面石)에서 동쪽과 서북면에 약간의 파흔(破痕)이 있고 탑신부에서 2층의 탑신과 3층 옥개석에 결손된 부재가 수 석 있으나..."(단국대학교박물관,『선산지구 고적조사 보고서』, 1968, pp.129-130)라고 기술하고 있어 일부 인위적인 손상을 나타내고 있다.

421 1971년에 해체 복원공사를 하였는데, 해체 결과로 밝혀진 바에 의하면 도굴자들에 의하여 2층기단의 동면과 북면 서면의 일부 면석(面石)과 탱주석(撑柱石)을 파괴한 연후에 적심부(積心部)까지 파해(破害)를 입힌 공간이 있었다. 사리공은 3층탑신 상면에 있었으나 사리장치는 한일합방 직후에 일인에 의하여 도굴 당하여 아무런 흔적을 찾을 수 없었다. 다행히 1층 옥개의 적심(積心) 속에서 창건 당시에 사용하였던 것으로 추정되는 석재활식용(石材活石用) 공구인 철침(鐵針) 한 개를 발견하였으며, 2층기단에서 금동제파불(金銅製破佛) 4구와 금동제불대좌(金銅製佛臺座) 한 개를 발견하였다(鄭明鎬,「慶北地方 石造物 補修」,『考古美術』113, 114, 韓國美術史學會, 1972년 6월).

원동석탑(『대정6년도고적조사보고』)

전파된 원동 3층석탑재의
수습작업(1968년도) 조사단

상태로는 로반 이상은 실하였으나 온전한 상태로 보존되어 있었다.[422] 그러나 일제말기에 괴한 두 명이 나타나 이 석탑을 쓰러뜨리고 보물을 도취해 갔다고 한다.[423]

그 후 석탑은 원 위치에 도괴되어 주변에 모든 탑재가 방치되어 있었는데 부근 사방공사 때 이 탑재를 석축재로 사용하여 각 부재가 완전하지 않다.[424] 1968년도에 단국대학교 조사단에 의한 조사기록(『선산지구 고적조사보고서』, 1968)을 보면 "옥개 3석이 완전하고 탑신은 2석만 완전하나 파재破材가 수편 남아 있어서 원형은 짐작되며 기단부재도 수석이 잔존하므로 결실 파괴된 부분만 치석治石 보강하면 원형대로의 복원이 가능할 것으로 안다" 라고 기술하고 있다.

422 『大正6年度 古蹟調査報告』, pp.150~153.
423 단국대학교 조사단에 의한 조사기록(『선산지구 고적조사보고서』, 1968)에, "동민 이상모(58세)씨의 말에 의하면 兩년 전까지도 이 석탑은 건재하여서 어릴 때부터 이 탑에 올라가 놀았었는데 일제 말년에 괴한 2명이 나타나 이 석탑을 쓰러뜨리고 보물을 도취해 갔다'는 것이다. <중략> 각 부재가 완전하지 않다. 그 이유인 즉 이씨 말에 의하면 근년에 이르러 사방공사시 사태방지의 석축재로 사용하기 위하여 수점을 파괴하였다는 것이다. 지금도 근처의 석축에서 정연히 치석된 탑재의 파편을 볼 수 있다."
424 『구미시지』, 2000, 구미문화원; 『文化遺蹟總覽』 中卷, 文化公報部 文化財管理局, 1977, p.323.

1976년 파괴된 부분을 보완하여 군청 경내에 복원하였다가 1980년 김천 직지사 청풍료 앞에 이건하여 보물 제1186호로 지정하였다. 지대석과 기단석은 통일신라시대의 전형적인 양식으로 건립연대는 8세기 후반으로 추정되고 있다. 로반 이상은 모두 직지사로 옮긴 이후에 보충한 것이다.

직지사로 옮긴 후의 모습

1917년 9월 28일

조선총독부박물관 촉탁 오바 쓰네키치小場恒吉는 1917년 9월 28일부터 10월 13일까지 평안남도 순천군 북창면 송계리 고분의 벽화 모사를 마치고 돌아와 같은 해 10월 15일에 복명서를 제출했다.

1917년 9월

불화 절취범 체포

제천 신륵사의 불화를 절취하여 팔려던 범인이 체포되었다.

『매일신보』1917년 9월 29일자에는 다음과 같은 가사가 있다.

『매일신보』1918년 3월 9일자 기사

6천원의 불화, 종로서에 와있다.

작보에 게재한 충북 제천군 덕산면 월악리 신륵사에 감추어둔 석가여래불의 그림 한 축(싯가 6천원)을 제천 사는 김유한이란 자가 절취한 일이 발각되어 종로경찰서에 잡혔다는 일은 이미 다 아는 바이거니와 추후 자세한 말을 들은 즉 범인은 그 불화를 훔쳐 가지고 경성에 올라와서 경성 욱정 2정목 다나카田中 모에 대하여 이 그림은 조선 전래의 수백 년 된 불화인바 목하 살자 있으면 곧 팔터이니 값을 정하되 2천원이면 팔겠다고 하므로 그 때 매매계약이 되던 중 마침 종로경찰서 형사가 보고 수상히 여겨 인치 취조한 즉 범인은 신륵사 주지에게 2백 원으로 작정하여 우선 19원을 약조금으로 주었다고 대답하므로 종로서에서는 제천경찰서에 사실을 물어본 결과 절취된 일을 자세히 알고 범인을 취조한 후 검사국으로 보낼 일이라더라.

이 사건은 충청북도 제천군 덕산면 월악리 신륵사의 승려 김동규와 김유한이 공모하여 신륵사 불화를 경성의 일본인에게 매도하려다가 발각된 사건이다. 승려 김동

규는 1912년부터 보은군 법주사 주지로 있으면서 법주사의 말사 월악산 신륵사의 모든 집물을 보관해 왔다고 한다. 이들은 결국 검사국에서 경성지방법원에 넘어갔다.

일본 왕실에 헌상할 풍경화 제작

조선의 전국 문관 일동은 다이쇼大正의 즉위대례기념으로 일본 왕실에 헌상하기 위해 조선 각지의 풍경화를 제작하였는데 그 제작을 도쿄미술학교에 의뢰했다. 이에 도쿄미술학교에서는 평양 출신의 김관호에게 그 제작을 맡겨 그리게 했다. 『매일신보』 1917년 9월 11일자에는 다음과 같은 기사가 있다.

황실에 헌상할 기성箕城의 풍경화

모란대 부근의 여름 경치..... 김관호 씨의 영광

즉위대례기념으로 전국문관 일동이 황실에 헌상할 각 영토의 풍경화 제작을 부탁 받은 동경미술학교로부터 특별히 선택되어 조선의 풍경을 그리게 된 영광을 입은 평양의 김관호 씨는 먼저 그림에 올릴 풍경을 조선 중에서 제일 수려청아하다는 칭찬이 있고 또 청일전역의 전장이던 평양에 와서 6월 초순부터 모란대 부근을 소요하기 한 달 동안에 풍경을 살피며 그림을 생각하여 배포를 확실히 정한 뒤에 모란대를 물들이는 수목의 짙은 녹색이 유리를 깔아놓은 듯한 대동강의 물에 그림자를 드리워 강도의 여름 풍광이 한량없이 고은 7월 초순부터 그림을 시작하여 근자에 완성되었는데 헌상할 그림은 언광정 지나 모란대 회유도로 부근에 있는 구로정으로부

터 모란대와 수원지 능라도를 바라보는 경치 있는 아름다운 만산의 녹수
가 강수에 비치이우고 한 점 구름 없는 7월의 하늘빛과 사람의 눈을 황홀
케 하는 흥취가 있으며 부벽루의 주란이 은근히 보이며 모란봉 하의 구비
치는 물이 바위를 씻어 나가는 근처에 표묘의 서있는 경치도 자미스러웁
게 화면의 앞에 떠있어 수려한 기운이 전폭에 넘치는 것이 서경의 푸왕을
그린 것으로 극히 묘하다. 김관호 씨는 이 그림의 제작에는 매일 아침 아
홉시 경의 정신이 상쾌한 때를 가리어 붓을 잡았다하며 그림은 4, 5일 중
에 엄봉하여가지고 동경에 건너간다더라.

1917년 10월 4일

봉은사 말사 경기도 광주군 대왕면 용덕사龍德寺를 폐지하다.[425]

1917년 10월 5일

성불사 말사 황해도 봉산군 사원면 경암사景岩寺와 성불사 말사 황해도 봉산
군 동선면 백운암白雲庵을 폐지하다.[426]

---

425 『朝鮮總督府官報』1917년 10월 4일자.
426 『朝鮮總督府官報』1917년 10월 5일자.

1917년 10월 24일

도리이 류조(鳥居龍藏)의 경상도 고적조사

고적조사위원 도리이 류조鳥居龍藏와 조선총독부 고원 사와 슌이치澤俊一는 1917년 10월 24일부터 1918년 1월 14일까지 경상남도와 경상북도 소재 고적을 조사하고 돌아와 1918년 3월 25일 복명서를 제출했다. "명에 의해 10월 24일 경성을 출발하여 경상남북도에서 주로 유사이전의 유적을 답사하고 1월 14일 귀청하여 우 조사관계 학술보고, 수집품 목록, 사진 목록, 실측도 목록을 첨부하여 복명" 한다고 하고 있다.

조사 일정은, 1918년 10월 26일부터 11월 13일까지 경주군에 체재하면서 경주면 교리에서 반월성지 성벽 아래를 발굴 조사하여 고고 자료로 골족, 골침, 녹각, 수골 및 다수의 토기파편을 얻었다.

10월 29일 반월성지 성벽 아래에서 상층에서 도기파편 54개, 도기파수 2개, 토기파편 6개, 수골파편 2개를 채집했다.

10월 30일에는 중층에서 도기파편 18개, 도기파수 2개, 토기파편 7개, 토기환옥 1개, 수골파편 다수 기타를 발견했다.

10월 31일에는 하층에서 도기파편 23개, 토기파편 9개, 골족 2개, 골침 3개, 기타 다수를 발견했다.

11월 1일에는 최하층에서 도기파편, 토기파편, 수골파편 다수를 발견했다. 기타 경주면 효현리, 천북면 신당리, 동천면 오야리, 내동면 괘릉리, 내남면 남산 등에서 석기시대의 유적을 답사하고 상당한 유물을 수집했다.

11월 14일 경주를 출발하여 포항을 경유하여 울릉도에 도착, 18일부터 21일까지 울릉도 서면 석문동에서 고분 10기, 남서동에서 고분 4기, 북면 현포동에서 고분 1기, 나리동에서 고분 3기, 석포동에서 고분 2기, 남면 모동에서 고분 1기를 조사했다. 신라 및 석기시대의 유물을 다수 수집했다.

11월 22일 울릉도를 출발, 27일 영주군에 도착했다.

28일부터 12월 2일까지 영주면 영주리, 순흥면에서 신라시대 분묘를 조사하고, 영주면 하망리, 가흥리, 안정면 안심동, 서제동, 신정동에서 석기시대 유적을 답사하고 다수의 유물을 수집했다.

12월 3일 영주를 출발, 안동군 풍산면을 경유하여 12월 4일 안동에 도착하여 안동면 옥동의 유적 및 서악사지 석각인왕상을 조사했다.

12월 7일 안동을 출발하여 8일부터 13일까지 대구에 체재하면서 달성지 및 성벽 아래를 발굴 조사하여 다수의 유물을 얻었다. 기타 달성군 화원면 천내동, 월배면 상인동 산위에서 석기시대 유적을 조사하여 유물을 수집하고, 대구부내 및 화원면 천내동, 월배면 장천동에서 지석묘를 조사하고 분포도를 작성했다.

12월 14일 대구를 출발하여 김천을 경유하여 15일 거창에 도착, 16일부터 17일까지 거창군에서 유적을 답사하고 읍외면에서 유물을 수집했다.

12월 18일 거창을 출발하여 합천에 도착하여 19일부터 20일까지 강양면 영창리, 태양면 대목리에서 임나, 석기시대의 유적을 조사하여 유물을 수집했다.

12월 21일 합천을 출발 삼가를 경유하여 22일 진주에 도착하여 23일 평거면 이현리 산위에서 임나, 석기시대 유물을 수집하고 진주성지를 조사하고 실측도를 작성했다.

12월 24일 진주를 출발 사천을 경유하여 고성을 향하던 도중 사천군 읍동면 장산리에서 십수기의 석총石塚 및 탱석撑石의 존재를 확인했다.

12월 25일 고성에 도착하여 26일부터 28일까지 고성군 철성면 수남동 및 동외동 당산에서 패총을 발굴 조사하여 다수의 유물을 얻었다. 기타 삼산면 만년산 위에서 석기시대 유적을 답사하여 유물을 수집했다.

12월 28일 고성을 출발, 통영에 도착하여 읍 부근을 답사하고, 29일 통영, 부산을 경유하여 12월 31일 동래에 도착한 후 읍 부근 및 좌이면 구포리의 유적을 답사했다.

1918년 1월 1일 동래를 출발하여 밀양에 도착, 2일 밀양 석기시대의 유적을 조사하고 다수의 유물을 수집했다.

1월 3일 밀양을 출발, 구포를 경유하여 4일 김해에 도착했다.

12월 5일부터 12일까지 김해군 우부면 회현리에서 패총을 발굴 조사하여 다수의 유물을 얻고, 봉황대 및 패총의 실측도와 함께 사진을 촬영했다. 기타 김해읍 우부면 삼산리, 주촌면 망덕리의 탱석撑石을 조사하고 장유면 류하리에서 패총 및 석기시대의 유직을 답사하여 유물을 수집했다.

회현리 패총 하저부 식곽

1918년 1월 13일 김해를 출발하여 14일 경성에 귀착함으로 조사 일정을 마치게 된다. 그간에 수집한 유물은 총 1,286개이다.[427]

도리이 류조鳥居龍藏의 조사와 관련하여 다음과 같은 기사가 있다.

조거 유적조사.

동대 강사로 조선총독부 고적조사원으로 조거용장 씨는 당 지방에서 유적조사를 위해 총독부 택준일 과 함께 지난 월(10월) 25일 경주에 와 목하 같이 신라유족의 조사 시전여관에 체재 중 금회 조사 전에 경주에 왔을 때에 와 같이 남녀 측정하고, 지난 26일 고적보존회 제록 씨와 함께 회 간사 룡야 서기 및 금융조합이사 등 제씨와 석기시대의 유적을 조사를 위해 남산 기타에서 토기 및 석부, 석족, 석도 등 유물을 발견하고 그리고 29일 전년에 시도하였던 반월성지에서 유물포함층을 발굴하여 11월 8일까지 당지에서 유적조사를 마치고 동 9일 포항을 출발하여 울릉도로 향하여 동지에서 조사를 종료 후 강원도 일부를 거쳐 다시 경상북도 에 들어와 경상남북도에 조사를 할 예정이다(『부산일보』 1917년 11월 3일자).

인류학자 조거 씨는 8일 울산에 와 일박을 하고 다음날 9일 경주로 향하여 동지에서 고적조사를 하고(『부산일보』 1917년 11월 9일자)

---

427 「대정6년도고적조사수집품목록(鳥居龍藏 제출)」; 「경상도 고적조사 복명서(鳥居 위원)」, 국립중앙박물관 소장 조선총독부박물관 공문서, 목록 번호 : 96-131.

조거 박사는 고적자료 연구를 위해 지난 8일부터 3일간 달성공원 내의 2개소를 발굴하고 참고품 다수를 발견하고 동씨는 11일 오후 5시 대구 도착(『부산일보』 1917년 11월 11일자)

경주에서 조거 일행 동정. 이미 보도한 바와 같이 지난 월 25일 이래 경주에서 유사이전의 유적조사를 하기 위해 체재중인 농대 강사 조거 씨는 13일까지 대부분의 조사를 마치고 14일 오후 자동차로 택준일 씨와 함께 포항을 향해 출발, 조거 일행은 15일 동지를 출항하여 울릉도로 향했는데 약 6일간 울릉도에서 유적조사를 하고 그 후 강원도 일부를 거쳐 본도에 들어와 익덕, 안동 등지의 조사를 하기 위해 본월 10일경 대구에 도착, 금회의 여행에서 울릉도의 유적조사는 학계에서 최초로 시도된 것으로 예상했던 것과 같이 동지에서 석기 1편, 토기파편을 발견했다(『부산일보』 1917년 12월 일자).

당지의 조사를 마치고 울릉도로 향한 총독부 고적조사위원 조거룡장 씨 일행은 이미 울릉도의 조사를 마치고 지난 23일 익덕군 강구로 상륙하여 계속 안동지방 유적조사 중 이며, 조거 일행은 울릉도에서 새로운 석기시대 유적을 발견했는데, ... 강사 일행은 6일 대구에 귀착하여 7일경부터 달성지의 토벽에 대해 발굴조사를 시도했다(『부산일보』 1917년 12월 12일자).

조거 강사의 강연, 대구군인분회사무소에서,
동경제대 강사 총독부 촉탁 조거는 자료연구를 위해 시난 8일부터 3일간 달성공원 내의 2개소를 발굴하여 유물을 다수 발견, 조거는 11일 오후 5시대구재향군인분회회의소에서 '유사이전의 민족'이란 제목의 일장연설을 하고 달성공원의 축성연대를 설명하기 위하여 경상북도의 역사를 설명하고 달성공원의 축성은 경주의 반월성과 동시대에 이루어진 것으로 설명했다(『부산일보』 1917년 12월 14일자).

조거용장 일행은 16일 거창에 도착, 17일 동 군청에서 남녀 10명에 대하여 골격검사를 하고 부근 명소를 탐사 18일 발 합천을 향했다(『부산일보』 1917년 12월 21일자).

조거 일행은 21일 합천군으로부터 진주에 도착 망월여관에 투숙(『부산일보』 1917년 12월 2일자)

1918년 1월 18일 오후 7시부터 남미창정 경성구락부에서 조거룡장은 「경상북도 유사이전의 유적」에 관한 강연을 하였다(『매일신보』 1918년 1월 19일자).

대구 달성산 발굴
1917년 12월 8일 조거용장 씨 일행은 대구 달성산을 발굴하여 석기시대의 유물을 발굴(「휘보」, 『역사지리』 제31권 1호, 역사지리학회, 1918년 1월)

1917년 10월

이마니시 류(今西龍)의 함안군 고적조사

함안군의 고분군들은 이마니시今西의 기록에 "상당수가 도굴을 당했으나 최근(1917) 수년간 뜸했다"[428]고 하나 실은 즉 대부분이 이미 도굴의 화를 입었기 때문이다.

1916년경에 식산국산림과에서 조사한 말이산末伊山 고분군은 "기수삼십팔기 내이십삼기완전其數三十八基內二十三基完全"[429]이라고 기록하고 있는데, 1917년 조사에서는 말이산 고분군 39기 중 완전 도굴 파괴된 것이 19기이고 도굴 흔적이 있거나 봉토가 유실된 것이 10기나 되었다.[430] 1년 사이에 이렇게 된 것이다. 제38호분의 경우에는 수년전 일본인이 도굴하여 다수의 와기瓦器를 가져갔다고 한다. 1917년에는 이마니시今西 등이 그 중에서 완전한 고분 2기를 발굴하였는데, 이는 일본의 고대사와 함안 지방의 고대사가 밀접한 관계가 있을 것이라는 추정 하에 이를 확인하기 위해 2기를 선정 발굴하였다(말이산 5호, 34호분).

함안 제5호분은 1917년 10월 21일 인부 20여 명을 동원하여 발굴에 착수하여 31일에 발굴을 종료했다.

---

428 今西龍, 「咸安郡 上. 舊咸安郡 古蹟調査報告」, 『大正6年度 古蹟調査報告』, 朝鮮總督府, 1919, p.166.

429 朝鮮總督府, 『鮮佛物古蹟調査資料』, 朝鮮總督府, 1942, p.348.

430 今西龍, 「咸安郡 上. 舊咸安郡 古蹟調査報告」, 『大正6年度 古蹟調査報告』, 朝鮮總督府, 1919, pp.167~179.
특히 38호분은 "日本人이 도굴하여 상당수의 瓦器등을 가져갔다"고 기록하고 있다.

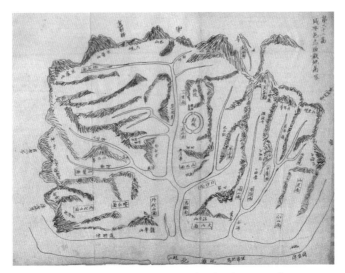

함안읍지부재도사(咸安邑誌附載圖寫, 今西 보고서)

말이산 34호분은 높이가 10m, 지름 40m의 함안군 최대의 고분으로 이 고분은 외적인 규모에서 뿐 아니라 유물부장양상遺物副葬樣相의 특이성과 함안지방의 최다수 순장인殉葬人의 존재가 확인되었다. 이러한 등으로 미루어 보아 말이산 34호분의 주인공은 안라국安羅國 최고의 수장首將이었을 것으로 짐작되는데,[431] 이마니시는 인부 29인을 동원하여 1917년 10월 14일부터 10월 26일까지 발굴조사를 하고 13일 만에 복구공사까지 끝냈다. 그 결과 수레바퀴 장식의 토기, 마구, 갑옷, 칠기, 각제병두角製柄頭, 고배, 오리형토기 등 엄청난 유물이 출토되었다.[432] 그 중에서 수레바퀴형토기는 가야지역에서 최초로 발견된 것으로 기록하고 있다.

431 李主憲,「末耳山 34호분의 再檢討」,『碩晤 尹容鎭 敎授 停年退任 紀念論叢』, 1996, p.418.

432 今西龍,「咸安郡 上. 舊咸安郡 古蹟調査報告」,『大正6年度 古蹟調査報告』, 朝鮮總督府, 1919, pp.179~184;『釜山日報』1917년 10월 23일자, 11월 11일자;「任那古地遺蹟」,『考古學雜誌』제8권 제5호, 1918년 1월.

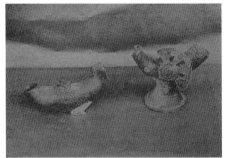

함안 제34호분 출토 유물(今西 보고서)

특히 오리형토기와 같은 동물형토우動物形土偶는 아주 희귀하여 우리가 알고 있는 것은 열 개가 조금 넘을 정도다. 확실한 고분이 밝혀진 것은 이것 오리형 토우 한 개뿐이다. 기타의 것은 대구 달성공원에서 나왔다고 하는 구형용기龜形 用器(국립박물관), 창령에서 나왔다고 하는 오구라 다케노스케小倉武之助 소장의 압형기鴨形器, 마형기馬形器, 그리고 덕수궁미술관과 대영박물관이 각각 소장하 고 있는 조형기鳥形器들이 그것이다. 이밖에 한일합방 전에 누가 대구로 가지고 왔다가 일인 고바야시小林 모가 구입하여 다시 도쿄대학 인류학교실로 기증한 조형고배鳥形高杯와 스기하라 쵸타로杉原長太郎 구장舊藏의 전傳경주출토 우형기 牛形器가 있고, 또 1960년 초에 현풍과 고령에서 나왔다고 전해지는 압형기鴨形 器 2개가 이대박물관에 있다. 이처럼 모두 출토지가 확실치 않은 유리遊離된 물 건들이다.[433] 이것만 보아도 얼마나 많은 고분이 도굴을 당하여 귀중한 유물이 개인의 손으로 돌아가 사장死藏되었는지를 짐작할 수 있다.

도경리, 가야리, 신음리 일대의 고분군들도 1917년 이전에 90%가 도굴 또는

433 金元龍, 「三國時代 動物形土器 試考」, 『美術資料 6號』, 1962년 12월.

봉토가 유실되거나 파괴당했다.[434] 도경리 고분에서는 소도小刀, 토기 등 각종 기물을 발굴하기도 했다.[435]

이마니시今西는 함안군 일대의 고분군에서 나온 옹甕 및 옹대甕臺를 "본원本員이 메이지明治39년(1906) 부산의 시점市店에서 이런 종의 옹대와기甕臺瓦器를 처음 보았음"[436]을 기록하고 있어 함안 일대의 고분은 1906년 이전에 이미 도굴이 시작되었음을 알 수 있다.

이외도 함안군에서는 봉상상성, 문암산성, 동지산성을 비롯한 기타 산성을 조사, 안라왕궁지, 그 외 고비, 금석류, 대사동석불, 북촌리석불, 주리사사자탑(함안군청전 정에 옮겨져 있는 것을 조사), 칠원군 장춘사석탑을 조사했다. 장춘사는 칠곡면 운

곡리의 산중에 있으며 대웅전 외에 승당, 산 령각 등이 있었으며, 대웅전 앞에 있는 석탑 은 심하게 파괴되어 장래 도괴될 위험한 상 태로 4층 내지 5층탑으로 보고 있는데 당시 3 층까지만 남이 있는 사진을 게재하고 있다.

주리사석탑에 대해서는 함안군청에 있 는 고적조사서류를 열람했는데, "주리사는 여항면 주리리에 건립된 것으로 폐사년대

장춘사석탑

434 今西龍,「咸安郡 上. 舊咸安郡 古蹟調査報告」,『大正6年度 古蹟調査報告』朝鮮總督府, 1919, pp.179~184.
435 『釜山日報』1917년 10월 23일자.
436 今西龍,「咸安郡 上. 舊咸安郡 古蹟調査報告」,『大正6年度 古蹟調査報告』, 朝鮮總督 府, 1919, p.274.

는 알 수 없으며 석사자4석탑 1기가 현재 군청에 옮겨져 있고 또 쌍철마가 있다"고 하여 군청 정원에 옮겨져 있는 석탑을 조사했는데 '석사자4석탑1' 이라 한 것은 4구의 석사자가 석탑을 봉대奉載하고 있는 것이라고 하면서 석탑사진을 함께 게재하고 있는데 이것을 조선고적도보에 실고 있다.

이마니시의 함안군 일대의 조사와 관련하여 다음과 같은 기사가 있다.

금서룡 씨는 함안군 가야면 도지리에서 고분을 발굴 중인데 19일에 이르러 지하 약 16척되는 곳에 埋沒한 석관을 발굴 중인데 소도小刀, 개鎧, 청색소소 靑色素燒, 도기陶器 등 140여 점을 발굴했다(『부산일보』 1917년 11월 3일자).

경도대 고적조사위원 금서룡 씨는 1개월 전부터 함안군 가야면 말산리의 고분을 발굴 중으로 8일에 발굴을 마치고, 고분으로부터 철창, 토기, 보옥, 골기, 합 등 181종을 출토하고 김해로 향하였는데 이 출토물은 모두 박물관에 진열하여 일반에게 종람할 수 있게 한다(『매일신보』 1917년 12월 12일자).

* 함안 주리사지(主吏寺址)사자석탑(獅子石塔)

주리사지는 함안군 여항면 주서리 좌촌부락에 소재하는데, 주리사의 사역寺歷에 관한 자세한 자료가 없으며 다만 1587년에 편찬한 『함주지咸州誌』에 "주리사재여항산동록主吏寺在餘航山東麓" 이라 전하고 있으며, 『교남지嶠南誌』와 『범우고梵宇攷』 등에도 전하고 있음을 보아 18세기까지는 법등法燈이 전하고 있었을 깃으로 추정된다.

이곳의 사자탑은 네 구의 석사자가 탑신을 받들고 있는 형식으로 만들어진 것으로 이러한 유례는 우리나라에는 본 탑을 포함하여 4기 밖에 없는 귀중한 것이다.

이마니시의 보고서에,

함안군청에 보관한 주리사사자석탑
(조선고적도보)

함안군청 고적조사 서류에 '주리사는 건물이 어느 해 어느 월에 폐하였는지 알 수 없으나 석사자사석탑石獅子四石塔 1이 지금 군청에 옮겨져 있다. 또 쌍철마가 있다. <중략> 4구의 사자가 석탑을 봉대奉戴하고 있는 형식으로 <중략> 4사자 중앙에 있어야 할 불상 등을 잃었다. 신라 말 또는 고려시대 작으로 가작佳作이다. 보존에 주의를……운운.[437]

하는 것으로 보아 주리사가 이미 불법자들의 화를 입어 그 석재들이 외지로 산일散逸되어 갔음을 짐작할 수 있다. 석탑이 군청으로 옮겨진 것은 「보물고적명승천연기념물지정관계잡건철」[438]에는 "1912년경에 현 위치(함안군청)으로 이건"한 것으로 기록하고 있다.

군청으로 옮겨진 이 탑을 구성하고 있는 부재는 4사자, 옥개석 4, 탑신 2, 로

437 今西龍,「廢主吏寺 獅子塔」,『大正6年度 古蹟調査報告』, p.319.
438 金禧庚 編,「韓國 塔婆硏究資料」,『考古美術資料』, 考古美術同人會, 1969, p.239.

반 보주 각 1 인데 그것도 중층방법重層方法도 순서대로 되어 있지 않고 기단부는 전무全無하다. 여기에서 착안하여 원 탑지에는 혹 탑재가 있지 않을까 하는 가능성에서 1964년 진홍섭 교수에 의해 조사가 이루어 졌는데 그 기록에,

이상 사지에 잔존한 유물을 보았는데 탑지에 잔존한 탑재를 이치移置된 탑과 종합 고찰하여 보면 탑지의 옥신과 옥개석은 자리만 바꾸어 놓는다면 제2층과 3층의 탑신을 형성할 수 있어 탑신부는 가능하지 않을까 한다. 다만 4사자 위에 놓일 5기단 갑석에 해당하는 탑재와 4사자 하부의 즉 하기단을 형성하는 탑재가 망실 혹은 파손된 채 탑지에 유존한다. 또한 4사자 밑에 놓여 있는 2개의 옥개석인데 이것은 그 형식 수법으로 보아 본 탑과 동시에 조성된 것으로 보여지나 아마도 본 탑과는 관계가 없는 듯 ....[439]

1914년의 주리사지 사자석탑 해체 모습(국립중앙박물관 소장, 유리건판)

439 秦弘燮, 「咸安 主吏寺四獅子石塔址의 調査」, 考古美術 第5卷 6, 7號, 1964.

혼재한 석탑재(함성중학교 교정)　　　　　복원한 모습

라고 하며 탑은 동일 탑재로 이루어진 것이 아니라 두 개의 탑재가 혼재混材되어 있음을 말하고 있다.[440]

　사지에 있어야 할 석재도 물론 일부 사라졌지만 당시 옮기는 과정에서 얼마나 무성의했는지를 알 수 있다.

440　塔石이 두 개의 탑재가 혼성된 듯한 점에 대해, 朴敬源은『慶南의 古蹟과 그 文化』
　　(1955) 함안군 大寺里 石佛 條에서,
　　1936년 여름 大水 뒤에 大寺부락 뒷산에서 우연히 발견된 等身大의 菩薩形立像一體를
　　동리 사람들이 운반하여 이곳에 안치한 것이 있는데 당시 발견자의 이야기는 현 위치
　　에는 대좌가 있는 것 같다고 한다. 이 大寺里 부락 前面一帶 전답 중에는 각종 기와의
　　파편과 전편이 무수히 발견되는 것인데 동리의 이름이나 위치로 보아도 옛적의 사원지
　　임이 틀림없는 것이며, 함주지에, "北山在各只山南有石彌勒西有六層塔" 이라 하는 데
　　가 바로 이 자리가 아닌가 생각된다고 하며, 석탑은 근처에는 없으나 군청전 주리사사
　　자석탑의 석재 중에는 북사탑의 단편도 섞여 있지 않을까 의심되는 점이 있다고 한다.

탑은 구 군청자리에서 현재 함성중학교 교정의 정문 옆에 옮겨져 있었는데 1999년 7월에 문화재 절도범들이 석사자상 4구 중 2구를 훔쳐 달아났다. 후에 2구를 찾기는 했으나 도난을 우려하여 석사자상은 수년간 함안면사무소 창고에 보관하고 있다가 오늘날 새로운 부재를 첨가하여 복원하였다.

❋ 함안 칠원면의 석탑

『조선보물고적조사자료』에는 함안군 칠원면에는 4기의 석탑이 나타나 있다. 즉 무기리에 2기, 용산리에 1기, 구성리에 1기가 등재되어 있다. 그러나 칠원면 내에 남아 있는 것으로 알려진 것은 칠원고등학교와 칠원초등학교에 각 1기씩 옮겨져 있다.

칠원고등학교 정원에 있는 탑은 무기리 탑골의 무기리사지에서 흩어져 있던 것을 1959년에 칠원면사무소로 옮겼다가 그 후 이 곳으로 옮겨 복원했다고 하는데,[441] 국립중앙박물관 소장 유리건판 사진을 살펴보면, '함안 칠원면 용산리 3층석탑' 이라 하여 1917년에 이마니시 류가 촬영한 사진이 남아 있다. 이 석탑이 현재 칠원고등학교 교정에 옮겨신 석탑이다. 이마니시의 촬영 당시에 옥개 위에 남았던 일부의 석재는 현재 사라진 상태이다.

함안 용산리 3층석탑
(1917년 이마니시 촬영, 유리건판)

---

441 아라가야향토사연구회, 『文化遺蹟分布地圖 -咸安郡-』, 2000,

이 석탑의 원위치에 대한 것은 기록(이마니시 류)의 오류일 수 있으나, 문제는 나머지 2기에 대한 행방이 의문이다.

1917년 11월 5일

강원도 간성군 서면 유점사 산내 말사 명적암明寂庵을 폐지하다.[442]

1917년 11월 10일

창덕궁 대화재

순종황제가 덕수궁으로부터 창덕궁으로 이어한 후 창덕궁을 대수리를 했다. 하지만 1917년 11월 10일에 대조전大造殿 서방 1실에서 실화失火하여 대조전大造殿, 희정당熙政堂, 경훈각景薰閣, 징광루澄光樓, 기타 건물이 일시에 소실되었다.

『매일신보』1917년 11월 11일자에는 당시 화재 사건을 1, 2면 전면으로 다루고 있는데 몇 기사를 보면 다음과 같다.

---

442 『朝鮮總督府官報』1917년 11월 5일자.

창덕궁 대화재

어침전 대조전 전소

10일 오후 5시 20분경 창덕궁
내 이왕 동비양전하의 어상전
인 대조전의 여관실로부터 출
화되어 때마침 불어오는 맹풍
에 즉시 대조전에 불이 옮겨
대조전 전부를 소실하고 주위
의 제반 부속건물 수 동도 소
실되었는데 창덕궁 부속소방

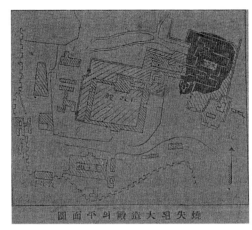

소실된 대조전 평면도
(『매일신보』 1917년 11월 11일자)

대 및 경기도 경무부 각 소방대와 고양관내 각소방조의 극력 활동에 의하여
다행히 오후 7시경에 소화된 건물의 좌우를 훼철하여 거의 진화되었는데
동궁 부근은 대혼잡하였으며 경성내외의 현병 경관이 전부 출동하고 용산
군대와 조선보병대도 출동하여 소방에 진력하며 경계에 진력하였다더라.

양전하 무사 어피난

이왕전하 및 동비 양전하께서는 무사 어피난하옵시고 좌우의 어조도품御
調度品은 덕수궁에서 시급 반래하였다더라.

가내전(假內殿)은 낙선재, 11일 아침부터 설비

이왕전하께서는 인정전 동 행각으로부티 장락문 내 닉신재로 옮기시고 궁선
신축완전까지 어 주거에 충하신다는 데 11일 아침부터 설비에 착수하였더라.

대조전 회록(大造殿 回祿), 처참(悽慘)의 극(極), 불측(不測)의 화(禍)

이미 호외로 보도한 바와 같이 창덕궁안 이왕 동비 양전하의 기거하오시는 대조전에 실화되어 동전 전부와 부근의 전각을 소실하였음을 황송하기 이를 데 없는 바어니와 지금 당시의 처참한 광경과 양전하의 어동정을 기록하건대 응봉 아래 복치혈에 축융이 감히 침범하였도다. 첫겨울 처음 추위 맹렬한 서북풍이 북한 인왕으로부터 경성 천지를 흔들던 십일의 오후 다섯 시 삼십 분 창덕궁 대조전의 왕비전하 처소되는 지밀 옆 여관대령처소의 온돌로부터 불이 일어나며 마침 불어오는 서북풍에 대조전 전부를 화염으로 싸가지고 이왕전하의 기거하옵시는 흥복헌興福軒에 옮겨 붙어 즉시 남편복도로 양심합養心閣 희정당熙政堂까지 전소하게 되었더라. 처음에 불이 서온돌西溫突에 퍼지매 왕비전하께오서 창황히 피난하옵시고 흥복헌으로 건너오며 이왕전하께오서 임변피난하사 양전하께서는 일시 비원 안의 연경당에 좌정하옵셨으며 일변 창덕궁 상비소방대가 달려오고 조선보병대 이백 명이 출동하여 전각을 문흐며 소화에 진력하는 중 시엇의 각소방대가 달려와서

전소된 대조전

힘을 다하였으나 원체 화력이 맹렬하여 어찌할 수 없이 내전 전부를 소실하고 다행히 소방대와 경관의 죽을 힘을 다한 활동으로 선정전과 인정전은 회록의 재앙을 면하였더라. <중략> 오후 일곱시 경에는 불붙은 전각은 거의 다 문헛으며 또는 좌우편

에 연소될 곳은 모두 끊은 까닭에 진화에 가까웠으나 오히려 활화산의 분화와 같은 화광은 밤새이도록 비원의 동산에 비추어 그 광경이 극히 처참하였더라.

전루손해(殿樓損害)만 30만원, 이번이 세 번째의 화재, 무려 8백평의 소실, 이왕직 기사(李王職 技師) 김윤구씨담(金倫求氏談)

이번의 화재는 실로 놀라운 일로 다만 황송할 뿐이올시다. 불은 당초 대조전의 서온돌에서 일어나서 대조전과 연결된 건축물은 전부 소실되었는데 소실된 전각은 대조전으로부터 보면 서온돌 불난 부근에 있는 목욕실, 여관처소와 대조전 전부와 대조전 옆에 붙어 있는 흥복헌과 그 위에 새로이 이왕 전하의 서재로 건축중이던 천운재도 전소하고 그 앞 복도로 붙어서 양심합 창고, 희정당이 전소하였는데 그 중 중요한 처소로 말하면 대조전, 희정당, 징광루, 경훈각, 양심합, 흥복헌, 정묵당, 청향각, 옥화당, 욕실, 여관처소, 찬시처소, 건축중의 천우재와 기타로 건축물의 평수로 말하면 무

화재를 입은 대조진 현관

려 팔백여 평이오, 건축물에 대한 손해만 무려 삼십만원이상 될 줄로 생각하며 이십여만 원의 화재보험을 붙여있는데 이 건축물의 대부분은 모두 거금 82년전 순묘조시대에 소화되어 다시 이전대로 건축한 것인즉 삼백여년 전 임진난리의 화재를 합하면 이번이 제삼회의 화재이라.

평시의 소화설비로 말하면 전각주위에 수다한 수도 소화전을 설비하였을 뿐 아니라 조그만 처소이라도 일일이 소화기를 설비하였으며 궁감, 야경, 기타 불을 경계하는 사람도 다수하였으며 기외에도 굉대한 전각일 뿐 아니라 양전하의 기거하옵시는 지밀안인 고로 화재의 예방에 대하여는 물론 힘을 다하였건만은 맹렬한 바람에 사나운 불길은 평시의 고심이 수포로 돌아갈 뿐 아니라 경성의 소방기관이 힘을 다하여도 이만한 재화를 면치 못하였으며 특별히 여러 처소가 서로 연첩된 까닭에 손해가 더욱 크게 된 것이로다.

장래의 복구공사 에 대하여는 물론 아직 아무 계획도 결정되지 아니하였는데 하여간 급속히 공사가 시작될 줄로 생각하나 아마 소실이 큰 만큼 복구를 하려면 아무리 하여도 매평에 삼백 오십 원 이상의 건축비용이 들 줄로 생각하며 그 중에는 대조전과 징광루 같이 또는 건축학상으로도 가치 있는 전각도 그대로 못 지을 것은 아니나 불여간 근백년된 건축물을 일야에 소실함은 실로 황공한 일로 소조를 알지 못하노라

보물몰소(寶物沒燒) 손해는 수백만원

내전 부근에 감추었던 보물은 전소되었다. 불이 한 채에서 차차로 붙어 나와야 여간 세간이라도 구하여 내일 터인데 대조전의 화재는 한번 불이 바깥으로 나오며 걷잡을 사이 없이 나란히 잇는 세 채가 함께 붙었는 고로

귀중한 보물과 장식품은 물론이오 양전하의 좌우에 쓰시던 조조품과 기타의 대금침에 이르기까지 하나도 집어내이지 못하고 전부 소실되었으므로 그 손해는 실로 수백만 원일 뿐 아니라 그 중에 금전을 주고도 사지 못할 왕가의 귀중품이 다수함은 물론이라. 여관처소의 뒤편 언덕 위에 철근 콘크리트로 방화설비가 충분한 창고를 새로이 지어놓았으나 내전과 거리가 조금 격원한 고로 여관들은 일상 소용되시는 물품의 출입에 불편히여 내전 조조의 제반 귀중품은 대조전과 징광루, 경훈각과 양심합과 접속되어 있는 창고와 희정당 등에 넣어 있었으므로 인정전 선정전에 비부한 물품 이외에 내전에 장치하였던 전부 귀중품은 하나도 건지지 못함이 애석한 중에도 애석한 일이더라.

당시 화재를 대비하여 소방 기구를 설비했었고, 화재가 발생하자 소방대가 출동하여 전력을 다했으나 불붙은 목조건물은 세찬 바람에 감당해 낼 수 없었던 것이다.

화재의 원인은 다방면으로 조사를 했으나 화재가 출화한 곳은 내인의 옷 갈아입는 방이라는 것은 일치하나 명확하게 밝히진 못했다. 내인의 옷 갈아입는 방은 "원래 그 방은 내전 비전하의 기거하시는 바로 옆이며 고급 내인만 쓰는 방일뿐 아니라 그 밖에는 주야로 순시가 경호하고 그 부근에는 경감들이 파수를 보아 자못 엄중히 경계함으로써 결코 외부로부터 들어와 방화할 수는 없는 곳"임으로 내부의 부주의로 발생한 것으로 보고, 온돌에서 발생한 것으로 추정하는 것으로 마무리 했다.[443]

---

443 『每日申報』1917년 12월 2일사.

소실된 전각은 1917년 12월에 중건을 시작하게 된다. 그러나 고종의 승하와 3
· 1운동 등으로 중건 공사는 지연되어 1920년 12월에야 낙성되었다. 이때 창덕궁
에 중건된 건물은 대조전, 희정당, 홍복헌, 경훈각, 함원각 등이었고, 중건을 위해
멀쩡한 경복궁의 교태전, 강녕전, 경선전, 흠경각, 함원전, 만경전 등의 경복궁의
주요 전각이 철거되었는데, 여기에는 복합적인 일제의 의도가 작용했다고 볼 수
있다. 일제가 경복궁에 조선총독부청사를 건립하면서 위압적인 총독부청사의
건립을 위해 철저하게 경복궁을 파괴함으로써 민족정신을 저하시키려는 수순의
일환으로 창덕궁 화재는 경복궁 파괴의 또 하나의 빌미가 되었던 것이다.

경복궁의 전각을 헐어 중건하는 창덕궁 전각에 대해『매일신보』1920년 1월
16일자 '창덕궁의 신조전新造殿(1)' 이란 기사에서는 다음과 같이 설명하고 있다.

창덕궁의 신조전新造殿(1)

대정6년 11월 11에 화재로 인하여 오유로 돌아간 창덕궁 대조전大造殿과

희정당熙政堂, 징광루澄光樓, 생과방生菓房현관 기타 제종의 부속 전각의 재

축은 그 후에 착착 공사를 진행 중이더니 요사이는 내부 장식을 제한 외에

는 대개 준공을 고하여

<중략> 그런데 공사의 기공은 대정7년 1월 11일에 상량식을 거행하고 즉

시 설계에 착수하여 동 5월말에 기공한 것이니 금년 1월은 전부 완성할 예

정이라 하며 동 궁전의 건축 재료는 대부분 경복궁의 재목을 옮기어 이에

쓴 것이니 만약 경복궁의 재목을 사용하지 않았으면 도리어 새로 옛 같은

재목을 구할 수 없다하며 원 경복궁 만경전萬景殿의 재목은 경훈각景薰閣의

건축 재료에 쓰고, 교태전의 재목은 대조전, 원 흠경전欽敬殿의 구 재목은

생과방, 원 강녕전 구 재목은 희정당으로 하고, 그리고 현관은 원 연생전 延生殿의 구재를 사용하고 부족한 재료는 전부 조선 소나무를 사용하였는데 약 3천주나 들었다. 하면 궁전의 모양은 전부 구 궁전을 모방하였고 다만 내부의 장식만 근대식으로 편리하게 설비를 한 것이니 이전 내전內殿은 전부 온돌로 하였던 것을 이번에는 왕전하와 비전하의 기거하는 방 외에는 전부 증기난로 장치를 참고하여 대부분 개량하였다. 전에는 지상地相이라든가 방위 등에 구애하여 각 궁전의 방향을 달리 하였던 배치를 이번에는 전부 남향으로 하였는데 건물의 총 평수는 그 전에 750평이던 것을 이번에는 920평으로 확대하였고, 희정당 같은 것은 순 조선식 건축물 중에 아마 가장 큰 건물이라 할 만하니 석왕사釋王寺의 본전보다도 오히려 크다 하며 공사예산은 이미 말한 것과 같이 재목은 모두 총독부와 왕가에서 공급하고 예산에 들은 것은 공사 뿐인 고로 처음에는 50만원이었던 것을 약 30만원 내외의 부족이 생긴 모양이오.

대조전 상량식(『매일신보』 1918년 1월 20일자)

이어지는 『매일신보』 '창덕궁의 신조전新造殿(2), (3)'의 기사에는 신조하는 창
덕궁 전각의 구조에 대해 다음과 같이 설명하고 있다.

창덕궁의 신조전(2)

대조전은 왕전하의 침실과 기거하는 곳이니 희정당과 인정전의 동북에 면
적 100평 주위를 차지하여 가지고 내부 중앙에는 50평 가량의 넓은 대청
이 되어 그곳에는 의자, 탁자 등 실내기구를 화려하게 장치하고 그 좌편의
온돌은 일찍이 조선식 건축물에서 보지 못했던 완전한 방화장치를 하였고

신축 중인 창덕궁 어전(『매일신보』 1920년 1월 18일자)

그밖에 세 방의 오락실이 있고 평상시에 늘 기거하시는 방은 오른편으로 다시 20여평 가량의 온돌실이며 그 방 오른편으로는 다시 이발실, 강습소, 교수실, 창고 등의 전각이 건조될 터이오, 뒤로 서재와 변소 등이 있고 왕 전하의 침실 오른편에 다시 비전하의 복실, 화장실, 목욕실 등이 있으며 경훈각景薰閣은 대조전의 북에 높이 솟아 있으니 이곳은 전하의 오락과 쉬시는 곳이라 72평이나 되며 월대루月臺樓는 대조전의 앞에 있으니 세편의 석계가 있고 앞에는 넓은 뜰이 있으니 여름에 납양하시는 곳이라 뜰 앞에 화초분을 배치하고 정원은 그 전에 비하여 배나 되게 확장하여 나무와 돌의 배치를 더욱 재미스럽게 하는 중이다(『매일신보』1920년 1월 17일자).

창덕궁 신조전(3)
불에 태워 다시 짓는 전각은 내부를 제한 외엔 거의 준공, 전부 준공은 올일년 걸리어
대조전의 정면에 밝은 칠을 한 둥근 기둥 수십 개로써 웅장하게 세운 집은 희정당이라 하여 건평 42평이나 되니 이곳은 왕전하와 왕비 전하의 알현하는 곳이니 중앙은 조선식 알현실과 좌우에는 양식으로 하여 좌에는 왕비전하의 알현실이 될 터이다. 희정당의 천정과 처마 끝에 걸린 그림은 화미를 극하여 정취를 다한 것이오. 주위에는 1칸이나 넘는 난간이 있고 정면에 넓은 뜰을 사이에 두고 현관에 면하였으니 현관으로 건너가면 좌우로 통하나니 내빈의 쉬는 집과 공 전하의 쉬시는 곳이 있고 세면소 변소 등의 설비가 완선하다. 다시 왼편으로 랑하를 따라가면 사장실司長室 찬시사무실, 숙직실, 식당 등이 있고 찬시사무실 이웃으로 안으로 들어가면 현관이 있으

니 그 현관으로 나아가면 대현관에 이른다. 대현관의 총건평은 합계 161평의 굉대한 것이니 그 안에 휴게실이 40평, 찬시사무실이 68평, 각 부속실 합계 50여 평이나 넘는다. 또 생과방生果房이라 하는 곳은 과자와 기타 음식을 만드는 방이다. 음식제조, 조리에 대한 완전한 설비가 있고 넓기가 40평이나 되며 생과방에 이어서 식물저장소가 있으니 이곳에 모든 식료품과 조미품 등을 저장하고 엄중히 감독을 한다. 다시 대현관 동북으로 비원길로 통한 곳에 기관실機關室과 화부실火夫室 등이 있으니 기관실에는 아메리카제 보일라를 두 개 장치하였고 이는 난방장치에 사용하며 기관실과 기타 정원감독숙사 여관실 급사 등의 숙사가 다 본년 1년이면 모두 준공될 모양이오. 이상에 열거한 대조전, 경훈각, 생과방, 희정당 대현관과 부속창고, 시관사무실, 여관실, 기관실, 월대루 등의 대소 십수의 전각의 총평수는 920평이니 전체를 합하여 내전內殿이라 한다(『매일신보』 1920년 1월 20일자).

이상의 구조를 보면 연회, 오락의 공간을 확대하고 있음을 볼 수 있다. 또 경복궁에서 전각을 헐어 옮겨 짓기는 했으나 그 장식은 프랑스식을 새로 꾸몄다. 그 과정에 대한 다음과 같은 기사가 있다.

불원에 준공 낙성될 선원, 의효 양전
연전에 화렴이 충천하며 경성시내가 불야성이 되게 큰불이 일어나서 소실된 창덕궁의 내전은 그 후 보기 싫은 빈터만 남아 있었고 양전하께서는 불편하심을 참으시고 임시로 지금까지 내전을 가정하고 계신터인데 재작년 5월부터 경복궁 내에 있던 강녕전과 교태전을 헐어다가 불탄 빈터에다 다시 두 채의 전각을 건축하는 중인데 그 교태전은 지금 대조전이라는 것이 되고 강녕전은 희정당이라는 것이 되었는데 금년 10월 말경에는 전부 준공되어 대조전에는 즉시 두 분 전하께서 오시게 될 터이며 회정당은 그전 같으면 정사를 들으실 데가 되겠지 만은 오늘날은 그 필요가 없으니까 알현 또는 오락실에 충당되기 쉬울 모양이며 예산을 60여 만원으로 계상되어 건축비에 30만원 기타 실비와 장식에 20만원 가량이었는데 그 후 물가등기로 인하여 다소간 예정한 범위를 초과될 염려가 있다하며 또 이외에 북일영에다가 선원전과 의효전을 지금 건축하는 중인 것이라 낙성되면 선원전에는 열성조의 어진을 모시게 되겠으며 의효전에는 의릉懿陵 선왕비

전하의 사당을 뫼시게 될 터이라고 하는데 그 전각들은 지금 한창 역사 중이오(『매일신보』 1920년 7월 22일자).

경복궁 강녕전(『조선고적도보』)

조선 고식에 불국식佛國式을 가미한 창덕궁 내 대조전 이왕직에서 목하 건축 중의 창덕궁 내 대조전과 희정당은 11월 중순까지로 준공할 예정인네 그 중 이왕 선하의 계입실 대조전의 구조는 그 기초를 주선 고래의 건축법

경복궁 교태전(『조선고적도보』)

에 따라함과 또 내외의 장식은 불국식(프랑스식)을 가미하여 매우 화미하고 거려하게 되었는데 그는 오는 14일경에 대체 준공할 터이므로 이왕직에서는 특히 동일에 신문기자의 배람을 허가하리라 하며 인하여 그 건축비는 모든 재료를 제하고 약 80만원을 계산하고 총건평은 천여평이라 하는데 <후략> (『매일신보』 1920년 10월 13일자)

창덕궁의 대화재로 인해 경복궁의 강녕전, 교태전 등 많은 내전 건물을 헐어서 창덕궁 건축 자재로 사용하게 되자 경복궁은 더욱 황폐화 되었다.

1917년 11월 14일

보석사 말사 전라북도 진안군 부귀면 내원암內院菴을 폐지하다.[444]

1917년 11월 30일

전남 장성군 백양산 지장암에서는 11월 30일 온돌에서부터 불이 나 30평의 절간 건물을 소실했다.[445]

---

444 『朝鮮總督府官報』 1917년 11월 14일자.
445 『每日申報』 1917년 12월 11일자.

1917년 11월

이마니시 류(今西龍)의 창녕, 고령, 김천 일대의 조사

영산읍 부근의 고분은 전傳 신라태자묘傳新羅太子墓 외에 읍 남쪽 칠원가도漆原街道
와 밀양가도密陽街道 분기점分岐點 부근 즉 영산면 죽사리에 나누어 수 기가 분포하
였는데, 1917년 이마니시今西가 조사 기록한 것을 보면, 전 태자묘는 발굴을 시도한
흔적이 있다고 하며 제시한 사진(109호)을 보면 처참히 도굴되어 석재가 산란하고
묘의 광壙이 완전히 들어나 있었다.[446] 그리고 이 일대의 고분은 1~8호까지를 기록
하고 있는데 성한 것이 하나도 없으며 전부 도굴 파괴당한 것으로 짐작된다.

계성면桂城面 고분군은 영산에서 약 10리 되는 계성천桂城川 일대 즉 계성면 사리
계성리에 다수의 고분들이 있다. 이곳은 영취산
의 북으로 뻗은 산줄기가 여기에 와서는 낮은
언덕이 되어 계성천에 끊어지고 영산 창령가도
는 이 고분군이 있는 언덕을 횡단하여 계성교에
이른다. 이 일대의 고분은 1916년경에 산림과에
서 조사한 기록에 의하면, 사리舍里의 도로 양측
에 무려 60기가 있는데 많은 것이 붕괴되고 일
부분은 도굴되었으며 직경 3칸間 내지 5칸으로

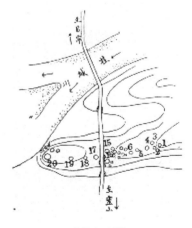

계성면고분군

---

446 今西龍, 「第4編 昌寧郡 下 舊 靈山郡地方 古蹟調査報告」, 『大正6年度 古蹟調査報告』,
朝鮮總督府, 1917, p.338.

기록하고 있으며, 계성리에는 직경 3칸 내지 5칸이 3기, 직경 10칸이 3기, 직경 5칸이 3기, 직경 3칸이 30기가 있다고 기록하고 있다.[447] 그 후 1917년 고적조사에서는 1~21호분까지를 조사 기록하고 있는데 대부분이 도굴 파괴당했다.[448]

창령 읍내면 고분군도 26기를 조사 기록하고 있는데 그 대부분이 도굴되었거나 봉토가 깎이어 광이 노출된 것이 대부분이었다. 이마니시今西는

종래 광내壙內에서 고배高杯, 호壺, 옹류甕類, 와기瓦器, 동銅 철제鐵製 마구馬具 등의 출토… 이들 고분이 많이는 파괴되었고 그 발굴되지 않은 것도 이것을 시험試驗해 보아서 봉토封土가 손상되고 그 피해가 없는 것이 심히 적다.[449]

라고 하고 있으며 특히 22호분은,

봉토의 북측에 대규모의 도굴을 시도하였다가 중지한 흔적이 있어 봉토 정상에서 산 밑에까지 폭 수척 깊이 3.4척의 정연한 호를 파 뚫은 후에 정지하였다. 백주에 다수인多數人이 공연하게 도굴을 자행했던 것이다.[450]

라고 하고 있다.

447 『朝鮮寶物古蹟調査資料』, 朝鮮總督府, 1942.
448 今西龍, 「第4編 昌寧郡 下 舊 靈山郡地方 古蹟調査報告」, 『大正6年度 古蹟調査報告』, 朝鮮總督府, 1919, p.340.
449 今西龍, 「昌寧郡 古蹟調査報告」, 『大正6年度 古蹟調査報告』, p.358.
450 今西龍, 「第4編 昌寧郡 下 舊 靈山郡地方 古蹟調査報告」, 『大正6年度 古蹟調査報告』, 朝鮮總督府, 1919, p.370.

이외 읍성 및 산성을 조사하고 보림사지寶林寺址를 조사했다. 보림사지에 남아 있는 유물과 타지로 옮겨진 유물을 조사 기록하고 있다.

창녕읍의 조사는 선산, 함안의 조사를 마치고 돌아가는 귀도에 대충 일람했다고 하는데, 창녕 읍내면 고분군의 처참한 도굴상을 기록하고 있다.

그 외 창녕읍 화왕산성, 수마산성, 진흥왕탑경비, 탑당치성문기비, 읍내면 송현리 석불, 읍내3층석탑, 창녕읍내서교3층석탑 조사했다.

고령군에서는 고분의 외형 조사를 했는데, 고령군 지산동 고분군, 운수면 월산동 고분군, 성산면 박곡동 고분군 등의 도굴 상태와 외형 조사를 했다. 고령 왕궁지, 고령심상소학교로 옮겨진 석조물, 그 외 당간지주, 읍북사지 석탑 및 기타 유물을 조사했다.

창녕읍내 서교3층석탑

경상북도 성주군 일대의 고분군은 1916년경에 식산국 산림과에서 조사한 바에 의하면 월항면, 성주면, 성임면, 대가면의 고분을 조사하였는데 이 고분들은 모두 '을종요존예정임야乙種要存豫定林野'로 분류해 놓고 있으며, 월항면 수죽동의 양지산 1, 2, 3, 4지구의 조사된 고분의 수는 총 63기로 과반수 이상이 도굴된 것으로 기록하고 있으며, 수죽동 초지산 일대는 25기가 조사되었는데 그 중 20기가 도굴되었다. 대가면 옥화동의 사창곡산과 대가면 도남동의 층암산 일

대의 고분도 상당수가 도굴되었다.[451]

이후 1917년 이마니시에 의해 수죽동, 도남동, 벽진면 근봉산 일대의 고분군이 조사되었는데, 이미 도굴의 화를 입어 묘광이 노출되고 봉토가 유실된 것이 대부분이었다.

기타 읍성, 성산산성, 폐동방사8층석탑 등을 조사했다.

김천군 개령면 동부동 및 김천역 부근 고분, 감문산성, 성대산산성, 장릉 남방사지석탑 등을 조사했다.

경북 김천군 일대의 고분군에 대한 조사는 1916년 조선총독부 식산국산림과에서 곡송면 삼성동, 보광동, 개령면 양촌동, 동부동, 서부동, 아포면 회성동, 봉곡동, 남면 월명동, 김천면 성내동, 봉산면 봉계동 등이 조사되었는데 반 이상이 도굴 파괴되었다.[452] 또 김천역 북노선 서방 산릉에 대소고분이 있는데 언제인지 모르나 이미 도굴을 당하였다.[453]

이마니시는 1917년의 이번 조사 후 소회를 다음과 같이 기술하고 있다.

요컨대 임나는 순수한 조선민족의 국임으로 유적 유물은 玆에 착목著目하여 조사연구의 보步를 나가지 않으면 불가하고 금회 나의 조사에 대개

451 『朝鮮寶物古蹟調査資料』, 朝鮮總督府, 1942, pp.284~286.
452 『朝鮮寶物古蹟調査資料』, 朝鮮總督府, 1942.
453 原田淑人, 「慶尙北道 金泉郡 遺蹟調査報告書」, 『大正7年度古蹟調査報告』, pp.12-13.

취미의 감이 용출하는 것은 전라도의 유적 유물에 대하여 하물何物도 존재
치 아니할지라도 추충령과 조령의 유적 유물을 본즉 일본과 유사한 것이
유有함으로 고대부터 교통이 있었던 것이 명백하고 신라의 고분은 일종
특별한 물物이나 낙동강 유역에 재한 고분은 대개 일본과 유사한 점이 있
으며 이 유사한 점이 있다하는 사事는 타로부터 영향을 받은 고로 동일한
가 또는 동일한 것이었으므로 동일한가 즉 동민족인 고로 동일한가 혹은
제3자의 영향을 받아 동일이 된 것인가 차변此邊은 극히 연구를 요할 것이
라 일본의 고분 중에는 구옥勾玉이 비상히 많으나 임나에는 매우 적고 또
일본의 고분에서는 보통 훌륭한 장식물 등이 나오나 임나에서는 훌륭한
것이 없음이오. 나의 이번 발굴한 고분에 의하여 볼지라도 일본의 문명은
임나보담은 매우 진進한 줄로 생각한다.[454]

※ 창녕 영산면 보림사지 유물

보림사지는 창녕군 영산면 구계리에 있다. 『신증동국여지승람』 영산현의 '불
우' 조에,

보림사: 영취산에 있음. 이 절에 반야루般若樓가 있으니 고려 김륜이 합포 만
호가 되었을 때, 서역 중 指空을 위해서 이 누를 세워 3일 만에 마치었다. 지
공이 여기 올라가서 반야경을 강론하였으므로 인하여 이렇게 이름 지었다.

---

454 今西龍, 「朝鮮古蹟調査 8」, 『每日申報』 1918년 2월 20일자.

하고, '산천' 조에서는 "영취산 : 현의 동북쪽 7리에 있는 진산이다. 서역의 중 지공이 여기에 와서 천축天竺의 영취산과 모양이 같다 해서 이렇게 이름을 지은 것이다" 라고 하여 지공과 깊은 관계를 가지고 있었던 사찰이다.

임진왜란 때 소실되어 오래 동안 폐지로 남아 있었다. 『동아일보』에 연재한 <순회탐방> 란의 창녕의 「명승고적」에 소개된 보림사에 대한 설명은 다음과 같다.

원래 영산읍내 동편 약 30정 되는 구계리(영취산 동록)에 있었던바 석상, 석등, 5층석탑, 사리탑, 본당 주초석 등이 있으나 당시 역사에 관한 가고可考할 기록이 없음이 유감이다. 읍지 및 전설에 의하여 겨우 그 유서의 일단을 규지窺知하면 옛날 신라 때 건설되어 팔방구암八房九庵이 있었다 하며 승려가 천여 명을 산算하였다 한다. 전성시대에는 이 사찰의 쌀을 씻는 물로 인해 하류 계천이 항상 탁류로 변하였다고 한다.

이마니시의 조사 시에 사지에는 초석 및 와편이 산란하고 고려 말에서 조선 초에 만든 것으로 보이는 소상塑像잔편이 남아 있었다. 중요한 유물을 열거하고 있는데, 대략 다음과 같다.

(1) 탑기석, 방 3척 2촌, 두께 약 6촌 화강암의 판석 상에 方 2척4촌, 고 5분의 凸면을 작성한 것으로, 법화암으로 이건한 와탑의 대臺이다.

(2) 석탑대석 잔편 2

(3) 석종 2기, 1기는 사지의 동 약 2정 떨어진 송림 중에 고 3척7촌, 원형의 대석 위에 있다. 1기는 사지의 후방에 현재 전도顚倒되어 있다.

(4) 석탑 1기, 2,3년 전에 지방민이 이를 영산공립보통학교의 정원에 이치했다. 3층으로 현재 隔石 2개가 결실되고, 소탑이나 작가作佳이다(이 탑은 영산공립보통학교에 소재한 모습을 사진 110호로 게재하고 있다).

(5) 소상塑像, 1913년 음력 7월 23일 사지에서 우연히 발굴되어 현재 영산공립보통학교 정원에 이치한 승형입상 1점, 동 두부 2점, 의관을 착용한 상 1점

창녕 보림사지3층석탑(보고서 사진110)

이 석탑은 현재 영산초등학교 정원에 있다. 그 외 이곳으로 이치 했다는 승형입상 1점, 동 두부 2점, 의관을 착용한 상 1점 등은 보이지 않는다.

＊ 고령심상소학교로 옮겨진 석조물

이마니시가 고령심상소학교 교문 앞으로 이치한 석조물들을 조사했는데, 이를 성리해 보면 다음과 같다.

유물명	내용	비고
고령읍 북 5정 사지 3층석탑	고 약 10척, 기단 위 3층석탑으로 諸部 완비, 제4에 기한 석등롱이 있는 지점 (군청 북 5정) 서남 약 1정의 곳에 있었으나 지금은 고령심상소학교 교문 앞으로 이치했다. 이치할 때 탑 가까이에 首部를 결실한 소석불(좌상)을 발굴하여 현재 탑 가까이에 안치했다.	 사진 138호
고령 향사당 앞 석불	석불좌상 고 3척2촌, 읍내 향사당 (현 등기소) 앞에 있던 것을 옮겨 현재 고령소학교 교문 앞에 있다. 안면은 마멸이 심하고 膝部 결손됨. 방형대석 상에 있으며 대석은 석탑의 탑신석을 사용	 사진 제139호

유물명	내용	비고
고령석불	전자와 같이 향사당 앞에서 소학교 문 앞으로 옮겨온 것으로 두부를 결실함, 대좌 상에 앉아 있는 좌상, 대좌 고 2척8촌, 좌상 고 2척5촌	 사진 140호
고령읍 북 사지석불 2구	함께 좌상으로 고 3척3촌, 별도의 후배를 가지고 있다. 읍의 북 7정 떨어진 폐사지 에 있던 것을 소학교 교문 앞으로 이치	 사진 제141호
고령 석등롱 (장명등)	소학교 교문 앞에 이치	 사진 제142호

고령읍내 석등, 석탑, 석불
(鳥居龍藏이 1914년 제3회 사료조사에서 촬영, 국립중앙박물관 소장 유리건판)

1914년에 도리이 류조鳥居龍藏가 제3회 사료조사에서 촬영한 '고령읍내 석등, 석탑, 석불' 사진이 남아 있는데, 이마니시의 조사 당시에 고령심상소학교 앞으로 이치되어 있다는 6점의 석조물이 한 곳에 진열되어 있는 사진이다. 이로 보아 석조물들이 옮겨진 시기는 도리이 류조鳥居龍藏의 조사(1914) 이전임을 알 수 있다.

『동아일보』1934년 12월 18일자 <고적과 명승(고령)> 란을 보면, "석불은 좌불로서 큰 것은 7척여나 되는데 현재 일본인 심상소학교 구내에 보관되어 있다. 석등롱은 일본인 심상소학교 구내에 보관되어 있다" 라는 점으로 보아 오래 동안 그대로 보존되었던 것으로 보인다.

고령심상소학교에 있던 석조물들은 현재 고령대가야박물관 야외전시관에 옮겨 진열하고 있다.

고령대가야박물관 야외전시관

＊김천 서부동 석탑

김천군 개령면 서부동의 일명－名 장릉獐陵이라 일컫는 것[455]은 봉토가 반이

---

455 『新增東國輿地勝覽』, 개령현 조.
　　獐陵은 縣의 서쪽 熊峴里에 있다. 俗稱 甘文國時의 獐夫人 陵이다.

김천 장릉 능역의 석탑이 훼손된 상태

복원한 모습

나 붕괴되고 광의 석재가 노출되어 전도되어 있었으며, 또 부근 구릉에는 이 고분에서 출토된 도기편陶器片이 산란散亂하였다. 장릉의 남가도의 옆에 도괴된 석탑의 사진을 보고서에 싣고 있다.

허물어진 석탑 주변에서 통일신라시대, 고려, 조선에 이르는 기와조각과 자기조각들이 발견되어 조선 중기까지는 사찰이 남아 있었던 것으로 추정되고 있다. 탑은 원래 일반적인 3층 석탑이었을 것으로 보이는데, 현재 탑신塔身의 1·2층 부재만 남아 있어 새로운 석재를 보강하여 복원 했다.

충주 탑평리7층석탑(국보 제6호) 해체공사

『조선고적도보 제4책』 도판에 나타난 충주 탑평리7층석탑은 기단석이 일부 파손되어 잡석으로 보완하고 있으며 해설편에, "충북 충주군 가금면 탑정리에 있는데, 복발 수화가 존, 그 상부는 잃어버림" 으로 기록하고 있다. 또 1911년 11월에 세키노 일행이 이 탑을 조사하면서 근처에서 수 종의 와편瓦片과 당초와唐草瓦를 획득하고는 그 해설편에는 "모두 당대에 속하는 것으로 대략 탑건립년대를 추정하기에 족하다"고 하고 있다.

1916년에 와서는 탑이 한쪽으로 기울게 되어 조선총독부에 탑의 수선을 요청하게 되었다.

1916년 6월 22일부 충청북도장관이 투목국장에게 보낸 '중앙탑 수선에 관한

건'[456]에 의하면, "충주군 가금면 한 강연안에 있는 유명한 중앙탑 기초의 일부가 결괴缺壞되어 점차 경사傾斜의 도가 더해 위험의 우려가 있음으로 보존상 수선의 필요가 있다"는 내용과 함께 탑의 수선을 의뢰하고 있다. 이듬해인 1917년 4월 23일자에도 충청북도장관이 토목국장에게 보낸 '중앙탑 수선에 관해 기술관 파견에 관한 건'이 보이고 있다. 이후 조선총독부로부터 상황조사가 행해진 후 수선공사에 착수하게 되었다.

공사는 1917년 11월부터 1918년 1월까지 중앙탑의 해체수리가 이루어졌다. 탑의 해체과정에서 1917년 11월 18일에 탑의 제6층 옥개석을 들어내는 과정에서 탑신의 상단에 약 1척1촌의 방심方深 5촌 정도의 혈穴을 파내고 석개石蓋를 덮은 것이 나타나 이를 조사한 결과 중요한 유물이 발견되었다. 현장감독 구스하라 마쓰타로楠原松太郎가 토목국장 우사미 가쓰오宇佐美勝夫에게 올린 '상신서'에 의하면 6층 탑신부에서 목제사리함, 은제사리호, 고경古鏡 2매, 지편(종이조각) 등을 발견했다.

1917년 12월 14일부 충청북도장관이 조선총독부로 보낸 '충청북도 충주군 가금면 탑평리 중앙탑 고물古物 발견'(충북학 제803호)은 다음과 같다.

456 『國立中央博物館 所藏 朝鮮總督府博物館 公文書』, 목록번호 : 96-107.

고물발견의 건 보고

지금 수리를 위하여 취훼取毀 중인 충주군 가금면 탑평리 중앙탑에서 별지와 같이 고물이 발견되었음을 충주군수로부터 보고하여왔으므로 보고하나이다.

추이追而

현품은 편이 충주군청에 보관하여 두었아옵기 참고로 부언하나이다.

기

一. 고물은 중앙탑 6단째의 부석敷石 관내棺內에 장치하였던 것

二. 고물종류

환합개부丸盒蓋付 직경 5촌오분, 고 3촌

환합丸盒의 상하에 경鏡 2매를 부附하여 있음(상의 경 직경 3촌6분, 하의 경 직경 2촌8분) 환합의 중에 은제호銀製壺(직경 1촌9분, 고 3촌) 1개 최소형의 초자병硝子瓶 1개가 넣어 있었다(이하 생략).

6층 탑신부에서 유물을 발견한 후 해체공사는 계속되어 11월 29일에는 기단부까지 해체하여 기단 밑의 평판석을 제거하자 이번에는 구멍이 있는 덮개돌蓋石이 발견됐고 이를 제거하자 은제 사리기가 나타났다. 1917년 11월 29일부 구스하라 마쓰타로楠原松太郎가 토목국장 우사미 가쓰오宇佐美勝夫에게 올린 '상신서'의 내용 일부는 다음과 같다.

상신서

충청북도 충주군 중앙탑 수선공사 중 본월 29일 탑 기초의 중앙에 있어서 장

보수 후의 중앙탑 『충주관찰지』(1931)

약 9척 폭 6척 두께 2척5촌 내외의 평
석 및 폭 약 3척5촌 두께 2척3촌 내외
의 평석 각 1개를 거부据付하였다. 그리
고 전자 평석의 상단 중앙에는 폭 1척1
촌 방 두께 2촌 중진中眞에 4촌의 혈을
판 개석을 한 석혈을 발견하였다. 우 개
석은 자연 상부의 하중으로 벌써 3개로
파손되었다. 따라서 개석을 열어젖히
고 조사한바 다시 폭 7촌 방심方深 7촌
의 석혈이 있고 그 중에는 기물器物 1개
를 발견하였다. 해 기물은 진유제개부
眞鍮製蓋付로서 극히 정교한 것이다.[457]

발견 유물에 대해서는 1917년 12월 17일부로 총무국장이 토목국장에게 보낸
'충주 중앙탑 발견물에 관한 건'에 의하면 "본부에 가져다가 박물관에 보존 진
열하기 위하여 송부하도록 출장원에 지도 있기를 바랍니다"[458]라는 내용이 있
으며, 총독부의 이 같은 지시에 이듬해인 1918년 1월 10일 중앙탑에서 발견된
사리장엄들을 총독부박물관에 인계했다고 한다.[459]

457 金禧庚,『韓國塔婆研究資料』考古美術資料 第20輯, 考古美術同人會刊, 1969.
458 『國立中央博物館 所藏 朝鮮總督府博物館 公文書』 목록 번호 : 96-107.
459 장준식,「중앙탑」,『충북의 석조미술』, 2000.

스기야마杉山信三는 "1917년에 개건改建을 하였을 때, 이때 제 6층 축부軸部에서 경감鏡鑑 2매와 목재칠합자木材漆盒子가 발견되었다"고 하고, 유물은 신라시대와 고려시대의 것으로 추정되어 고려시대에 이르러 재차 사리장치를 봉안하였을 것으로 보고 있다.[460]

하지만 지금까지 충주 중앙탑에서 발견됐던 사리장엄들은 행방이 전혀 확인되지 않고 있다고 한다.[461]

1917년 해체보수 할 때 석탑부재의 잘못 사용과 탑재조립의 잘못으로 변형된 부분이 있어 원형을 일부 잃었으며,[462] 『고적급유물등록대장초록古蹟及遺物登錄臺帳抄錄』(1924년 조선총독부)에는 "기단에 붕괴된 개소가 있음"으로 기록하고 있다.

조선총독부 촉탁 고이즈미 아키오小泉顯夫가 1933년 3월 6일부터 14일까지 충청북도 내 등록 고적 유물을 조사한 후 제출한 복명서「충청북도 고적유물 보존상황 조사」[463]에는 "탑의 남방 약 6척의 지점에 지름 3척4촌5분의 방형석에 팔변연화八辨蓮華의 조각이 있고 중앙에 지름 1척4촌5분의 팔각형조출八角形造出로 원형 구멍이 있는 석등기석 1개가 존재" 한다고 하면서 사진을 게재하고 있는데 석탑 기단부의 사진을 보면 일부 파괴되어 있는 사이로 잡석 등이 보이고 있다.

1940년에는 중앙탑을 중심으로 로타리를 신설하고 주변도로를 개수하면서 이

---

460 杉山信三, 『朝鮮の石塔』, 彰國社, 1944, p.98.
461 「충주 중앙탑 사리장엄, 지금 어디있나」, 『충북일보』 2012년 8월 13일자.
462 秦弘燮, 「圖版解說」 『韓國文化財大系』, 藝耕産業社, 1986.
    이달훈, 「중원 탑평리 7층석탑의 복원적 고찰」 『충북의 석조미술』, 충북개발연구원 부설 충북학연구소, 2000.
463 「忠淸北道 古蹟遺物 保存狀況 調査」, 『國立中央博物館 所藏 朝鮮總督府博物館 公文書』, 목록번호 : 96-279.

1933년 3월의 모습
(「충청북도 고적유물 보존상황 조사」)

일대의 유지를 완전 파괴해 버렸다.[464]

충주는 신라시대 이후에도 육로와 수로를 통한 남북 교통의 요충지로 격이 높은 문화유산이 산재해 있다. 그 중에서도 고대의 유적과 유물들이 '가금면可金面'이라는 특정한 지역 내에 밀집되어 있는 것이 매우 주목되고 있다.[465] 특히 탑평리 부락의 장엄한 14.5미터의 고탑은 충주지방을 상징하는 대표적 문화재이다.

이곳 탑평리는 본래 충주군 금천면의 지역으로서 탑이 있음으로 해서 '탑들'또는 '탑평塔坪'이라 하였는데, 1914년 행정구역정리에 따라 성내리城內里, 금성리錦城里, 사교리沙橋里(일부)를 합병하여 탑정리라 동리 명칭을 변경했다.[466] 이후 군, 면 폐합에 따라 반천리盤川里, 율목리栗木里, 신촌新村과 가흥면의 부도동浮圖洞 일부를 병합하여 탑평리라 하고 가금면에 편입하였다.

사지에서는 고려시대로 추정되는 유물이 수습되기도 하여 고려대에 이르기

464 『매일신보』 1940년 6월 7일자.
465 장준식, 「중원지방의 석조부도」, 『충북의 석조미술』, 충북개발연구원 부설 충북학연구소, 2000, p.153.
466 『官報』, 1914년 5월 12일.

까지 성세를 누렸던 것으로 추정되고 있으나[467] 이 절의 연혁이나 사명을 밝혀줄 자료가 나타나지 않아 탑평리 7층석탑은 이 석탑의 위치가 한반도의 중앙부라 하여 '중앙탑' 또는 '탑평리탑'이라고 부르고 있다.[468] 또 일설에는 충주에 왕기王氣가 있어 이를 누르기 위해 탑을 건립했다고 한다.

일본의 한국 진출과 함께 도한한 일본인 학자들 중에 고고미술 분야의 학자로서 가장 먼저 이 석탑을 살핀 자는 야기 쇼자부로八木奬三郞로 그는 1900년에 한국에 들어와[469] 이곳을 탑방한 후, "토지土地의 구비口碑에 근거하면

1900년의 모습
(『고고계』 제1편 제9호 1902년 3월)

옛날에는 정사精舍가 있었으나 그 후 퇴파頹破하고 탑만 남아 있다고 한다. 탑명은 행정탑杏亭塔이라 하며 촌명村名은 행정촌이라 하고 또 탑평塔坪이라고 한다" 하며 근처에 있는 행정촌이라는 동리의 이름을 따서 '행정탑'이라는 탑명을 붙이고 대략 구전된 내용을 기술하고 있으며 당시 탑의 사진을 1902년에 간행한 『고고계』에 소개하고 있다.[470] 이때 남긴 탑평리7층석탑의 사진이 현재로서는 가장 오래된 것으로 보인다.

그 다음으로 조사한 세키노는 이 탑을 '탑정리칠층석탑'이라 하고 등급을 갑

467 李在俊, 『한국의 폐사』, 한국문화사, 1995.
468 忠淸北道 編纂, 『忠淸北道要覽』 '附錄'條, 1934.
469 정규홍, 『우리문화재 수난사』, 학연문화사, 2005, p.54.
470 八木奬三郞, 「韓國 佛塔論」, 『考古界』 第1編 第9號, 考古學會, 1902년 3월.

甲, 시대는 신라시대로 구분하고 있다.

1930년에 간행한 「충북의 명승구적」에서는 탑의 건립연대를 신라 원성왕元聖王 병자丙子 12년이라고 구체적으로 기술하고 있는데[471] 어디에 근거를 하는지는 밝히지 않고 있다.

보수전의 중앙탑 『충주발전지』(1916)

고유섭 선생은 「조선 탑파의 연구」에서, "탑정리탑은 그 소속 사지명은 미심未審이나 다소 참고자료가 있다. 제1로 「조선의 풍수」 속에 전하는 설로 이 지방이 조선의 중앙에 처함으로서 국가진호國家鎭護의 의미로 원성왕12년 건립하였다는 것이다. 따라서 중앙탑이라 부른다는 것인데 이 전설의 출처도 모르거니와 원성왕12년이라면 저 천보天寶 17년(즉 景德王17년)의 건탑기명이 있

는 원 김천 갈항사의 쌍탑보다 37년이나 뒤지는 연수인데 쌍탑의 양식으론 그 갈항사탑보다 고고高古하기 짝이 없으니 이 세대에 관한 설은 믿어지지 아니한다"라고[472] 하며 원성왕12년 이전에 건립된 것으로 보고 있다.

「조선의 풍수」(村山智順, 1931)와 비슷한 시기에 간행된 『충주관찰지忠州觀察誌』(奧土居天, 1931)에는, "이 탑은 그 지방이 조선의 중앙에 위치함으로서 이를 표시하

---

471 森田耕一, 「忠北の名勝舊蹟」, 『朝鮮』, 朝鮮總督府, 1930.
472 高裕燮, 「朝鮮塔婆의 研究」, 『震檀學報』第10券, 1936년 4월.

기에 이르는 것이고, 일설一說에 의하면 충주의 왕기王氣를 보고 이를 누르기 위하여 건설하였다 하나, 현재 전해지는 두 가지 설은 유래가 상세하지 않다. 건설은 신라 원성12년이라 하는데 그 후 보존물로서 수리…"라고 하고 있다. 1933년에 발간한 『충주발전사忠州發展史』에도 이와 같은 내용을 기술하고 있으며, 1916년에 간행한 『충주발전지忠州發展誌』에도 이와 비슷한 내용을 간략하게 기술하고 있다. 그러나 모두가 출처가 명확하지 않아 중앙탑의 건립연대는 고유섭 선생의 기술과 같이 탑의 양식상 갈항사탑보다 이전에 건립된 것으로 추정하는 것이 마땅할 것이다.

1917년 12월 4일

월정사 말사 강원도 정선군 정선면 관음사觀音寺를 폐지하다.[473]

1917년 12월 10일

데라우치(寺內)에게 선물한 금인(金印)

전 조선총독 데라우치寺內의 조선 재임 중 그 치덕(?)에 대하여 사은하는 의미로서 13도 민간

---

473 『朝鮮總督府官報』 1917년 12월 4일자.

유지 1,583인이 금전을 모아 기념품을 제작하여 12월 10일 데라우치에게 발송하였다. 기념품은 이왕직미술품제작소에 제작한 금인金印으로 조선산 순금덩어리에 '八道山河靜'이라는 5자를 새기고 손잡이에는 거북형으로 만들었는데 중량이 63냥 중이다.[474]

1917년 12월 13일

고운사의 말사 여주군 순흥면 석륜암石崙庵 및 해인사의 말사 선산군 미봉암尾鳳庵을 폐지하다.[475]

1917년 12월 22일

보현사 말사 평안북도 위원군 위송면 음지사陰地寺를 폐지하다.[476]

474 『每日申報』1917년 12월 12일자.
475 『朝鮮總督府官報』1917년 12월 13일자.
476 『朝鮮總督府官報』1917년 12월 22일자.

1917년 12월

금강산 유점사 불상 절취범 공판에 부치다.

『매일신보』1917년 6월 27일자에는 다음과 같은 기사가 있다.

> 금강산 유점사에서 유명한 53불은 작년 봄 어떤 도적에게 그 중 17불상을
> 잃고 그동안 당국과 협력하여 범인과 불상의 거처를 수색하기에 고심 중
> 이더니 일전에 그 중 하나를 개성의 어떤 고물상에서 발견하는 동시에 범
> 인 한 명도 체포되었다니 이제 이 수사의 단서를 얻었은즉 미구에 전부를
> 발견할 것이며 그 수사한 전말을 추후에 전하겠노라[477]

도난당한 불상 1체와 범인 한 명도 체포하였다고 하는데, 그 후 도난당한 불상 중
9점을 찾게 되는데『조선시보』1917년 7월 19일자에는 다음과 같은 기사가 있다.

> 도난 불상 감정, 진물은 겨우 1체
> 기보한 바와 같이 금강산 유점사의 도난 불상은 그 후 발견되었으나, 불상
> 8체를 유점사 승려의 감정 기타 방법으로 감정한 바에 의하면 진물로 단
> 성할 수 있는 것은 겨우 1체이고 7체는 진물에 가까운 것이라 한다.

---

477 『每日申報』1917년 6월 27일자.

범인들은 속속 검거되어 공판에 부쳤는데 『매일신보』 1917년 12월 8일자에는 다음과 같은 기사가 있다.

유점사 불상 절취범 6명 공판

금강산 유점사의 불상도난 사건의 범인 일부는 지난번 검거되어 경성지방법원 예심에서 취조중이더니 일전 예심을 마치고 모두 유죄로 결정되어 동법원의 공판에 부쳤더라. 범죄 사실인즉 대정5년 음력 3월 중 윤치복, 김재선의 두 명이 금강산 유점사에 들어가서 불상 16체를 절취하고 이 일을 아는 강원도 회양군 난곡면 사동 박윤희에게 팔아달라고 부탁할 때 윤희는 먼저 불상을 가지고 개성에 가서 송도면 궁정에서 쌀장사하는 지태환, 장단군 진서면 전재리 이화영의 두 명에게 다시 팔아달라는 부탁을 하고 3명이 공모하여 송도면 남본정 거주 운송업하는 가나이 죠스케金井祥助, 대화정 거주 목수일 하는 사가구치 신이치坂口新一, 송도면 남산정 가게이 마쓰타로影井增太郎 등에게 팔고자 하여 장단군 수남면 유덕리 김만흥에게 의뢰하였음으로 만흥은 주선한 결과 먼저 그 불상들을 가나이 죠스케金井祥助와 가게이 마쓰타로影井增太郎가 먼저 샀고, 다시 가게이 마쓰타로影井增太郎는 절취한 불상을 모두 사겠다고 함으로 그 후 윤희, 재선 두 명으로 하여금 나머지 불상 14체를 개성으로 가져오게 한 결과 다시 가게이와 가나이가 2번에 셋을 55원에 샀고 사가구치 신이치坂口新一는 2번에 6체를 5백원에 샀고 남본정 나카무라 유노스케中村勇之助는 3체를 모두 샀던 터로 이 관계자 중에서 박윤희, 가나이 죠스케金井祥助, 사가구치 신이치坂口新一, 이화영, 지태환, 김만흥의 여섯 명 뿐만 검거된 일이라더라.

그런데 문제는 도난당한 17체의 불상 중에서 완전하게 회수를 하지 못했다는 것이다. 사지寺誌에 의하면,

1916년 병진丙辰 3월에 53존중尊中 17위位의 도난이 발생하여 그 중 9위는 개성으로부터 추환推還됨으로 이준공비李埈公妃 김씨부인金氏夫人이 개금改金하여 구위舊位를 환안還安하다.

라고 한다. 사지寺誌에는 53존 중 17위가 도난을 당하고 9위가 돌아왔다고 하는데, 세키노關野, 야쓰이谷井 등이 1912년 조사 시에 이미 3구를 잃어버리고 50구뿐이라고 밝히고 있기 때문에 숫자상의 차이가 생긴다.[478]

이러한 숫자에 대한 의문보다도 되찾은 9구(또는 7구)속에도 유점사 전래품이 아닌 가품假品이 섞여 있다는 것이다.[479]

---

478 사지(寺誌)대로라면 53구중에 17구를 잃었기 때문에 36구가 남는데 되찾은 9구를 합하면 45구가되어 실존(實存)하는 42구보다 3구가 남게 된다. 당시 남아 있던 50구(1912년 조사 수)에서 17구를 잃었다면 33구가 남게 되는데 되찾은 9구를 합하면 42구가되어 실재 남아있는 수와 일치하게 된다. 따라서 당시 기록상의 오류가 생기지 않았나 가정해 볼 수도 있다.

479 황수영은 「유점사 53불」(『고고미술자료 제16집』 1967, 한국미술사학회)에서,
"망실 금동여래와 보살입상이 11위에 달하고 있는 사실에서 미루어 소위 '還安品'이란 것에는 同寺 전래상 뿐이 아니라 출처 미상의 無緣像이 들어 있었음을 알 수가 있다. 바꾸어 말하면 日警에 의한 반환품 중에는 전래상 이외의 것을 고의로 混入하였다고 할 것이니 우선 『朝鮮古蹟圖譜』에 아니 보이는 신라상 3구는 모두 유점사 53불과는 무관한 것으로서 도난품 반환이라고 사칭된 것이며 더욱이 그들은 小像이거나 또는 고려 이후의 粗作品 들이다" 라고 한다.
또 이구열은 『한국 문화재 수난사』에서,
"무력했던 중들은 9점만이라도 살아 돌아온 것을 다행으로 여기고는 그 이상의 문제를 삼지 못했다. 또 그 불상들의 조형적인 양식이나 세부적인 형태에 평소 아무런 지식도 관찰도

당장 눈에 띄는 것으로 1912년에 조사한 세키노의 기록에는 신라불이 44구이고 고려불로 추측되는 것이 6구(조선 초로 추측되는 1구 포함)인데, 나카기리 이사오中吉功의 기록에는 조선급근세보작朝鮮及近世補作이 3체로 나타나 있음을 보아도 알 수 있다.

나카기리 이사오中吉功의 기록에,

신라불 53체 중 고적도보에 따르면, 신라불 44체, 고려불 3체로 당시 이미 6체를 상실했다. 신라불(원래 53불은 모두 신라불) 본래의 상실된 숫자는 9체로 고려불은 중도에 신라불을 상실하여 보안한 것으로 생각된다. 그러나 현재 유존遺存하는 총수는 42체로 고려불로 생각되는 것이 4체, 조선 내지 근세보작近世補作을 제하면 신라불은 겨우 36체에 달한다.[480]

라고 기술하고 있다.

또한 신라불 36구라는 숫자에도 의문이 생기지 않을 수 없다. 약탈자들이 불

없었던 중들은 돌아온 9점 가운데 6점은 능인보전에서 도난당했던 유점사 전래의 신라유물이 아니고 일본인 악당들이 개성에서 지능적으로 바꿔치기한 원위치 불명의 보잘것없는 小像들이란 점을 전혀 눈치채지 못했다. 범인을 추적하던 일본인 순사는 개성에서 쉽게 그들을 붙잡았을 것이다. 그러나 그는 범인들에게 매수되어 악질적인 음모에 가담했다. 그들은 개성에서 쉽게 구할 수 있었거나 아니면 범인들이 어디서 또 약탈해 갖고 있었던 듯한 전혀 별개의 대단찮은 작은 불상 6점에다가 유점사에서 훔쳐온 것 중에서 조각수법이나 형태가 가장 떨어지는 3점을 붙여 도합 9점을 경찰에 압수 반환시키는 것처럼 꾸몄다"고 한다.

480 中吉功,「榆岾寺 小銅佛'特に如來形表現に對する一管見'」,『考古學 第9卷』, 東京考古學會, 1938년 11월.
中吉功이 본래의 상실된 숫자를 9체로 한 것은 고적도보에서 신라불 44체라는 상정하에서 계산한 숫자가 아닌가 생각된다.

상을 훔쳐 갈 때에는 그 중 가장 우수한 것(신라불)만을 골라서 가지고 갔을 것이다. 그렇게 가정했을 때 돌아온 9점 모두 신라불일 때 36구가 되는 것이다.[481] 따라서 돌아온 것 중에 상당수가 가품假品인 것이 뚜렷한 이상 신라불 36구라는 것도 정확히 신라불이 아닐 수 있다는 것이다.

조선총독부 촉탁 사와 슌이치澤俊—와 가야모토 가메지로榧本龜次郎가 1935년 3월에 금강산 유점사榆岾寺 53불을 조사한「금강산 유점사 신라, 고려불 조사 복명서」에 의하면,[482] 신라불 34체, 고려불 5체, 이조불 2체, 동자상 1체, 모두 42체로 조사하고 있다.

그리고『조선고적도보』와 대조하여 도난을 당하여 행방을 잃어버린 불상과 새로 제작한 불상을 다음과 같은 것을 확인하고 있다.

---

481 寺誌에 기록된 숫자로 상정히면,
    44구(1912년 조사 시 신라상) - 17구(분실수) + 9구(되찾은 수) = 36구
482 「金剛山 榆岾寺 新羅, 高麗佛 調査復命書」,『國立中央博物館 所藏 朝鮮總督府博物館 公文書』, 목록번호 : 96-136.

2점 사진누락

*경성미술제작소에서 만든 신작 불상 8구

익산 석왕리 쌍릉 조사

전북 익산군 팔봉면 석왕리의 쌍릉은 구릉 상에 남북으로 서로 마주보고 있는데, 북은 대왕릉이라 하고, 남은 소왕릉이라 부르고 있다. 이 부근지역을 왕묘리王墓里라 부르고, 마한의 왕릉이라는 말이 전하고 있다.

이 두 능은 1917년 12월에 야쓰이 세이이치谷井濟一 일행이 특별조사를 위해 전남으로 향하던 도중에 조사를 했다.

대왕묘는 직경 30m, 높이 5m 정도이며, 소왕묘는 직경 24m, 높이 3.5m 정도의 원분으로서, 내부는 각각 크고 작은 차이는 있으나, 모두 부여 능산리고분 석실과 같은 형식의 판석조횡혈식석실板石造橫穴式石室을 가지고 있었다.

야쓰이의 조사 당시에 두 무덤은 모두 도굴을 당하였는데, 대왕묘는 옛날에 이미 도굴을 당하여 현실에는 하등의 유물을 발견할 수 없었으며, 현실 입구에서 겨우 도제완陶製埦 1개를 발견했다. 소왕묘는 근년에 또 한 번 도굴당한 흔적이 있었다. 하등의 유물을 발견할 수 없었다.[483] 그런데 「대정6년도 추기 고적조사 수집품 인계목록谷井濟一」(1918년 4월 22일)에 의하면, 팔봉면 석왕리 쌍릉의 소묘에서는 도기파편, 도금투조금구鍍金透彫金具를, 대묘에서는 소옥파편, 도제완陶製盌, 목관木棺을 발견하여 보고서 작성 후 1918년 4월 22일자로 인계한 것으로 나타나 있다.[484]

---

483 谷井濟一, 「益山郡 古蹟調査報告」 『大正6年度古蹟調査報告』, 朝鮮總督府, 1919, p.652; 梅原末治, 「百濟遺蹟調査の回顧と今春の發掘に就いて」 『忠南敎育』, 忠淸南道敎育會, 1938.
484 「大正6年度 秋期 古蹟調査 蒐集品 引繼目錄(谷井濟一, 1918年 4月 22日)」, 『1918년도 유물수입명령서』, 국립중앙박물관.

익산 쌍릉 북분(국립중앙박물관 소장 유리건판)

전남 나주군 반남면 고분 조사

고적조사위원 야쓰이 세이이치谷井濟一, 조선총독부 촉탁 노모리 겐野守健, 오가와 게이키치小川敬吉, 오바 쓰네키치小場恒吉는 12월 16일 특별조사를 위해 전남으로 향했다.

전남 나주군 반남면潘南面의 신촌리新村里, 덕산리德山里, 대안리大安里, 흥덕리興德里에는 대소 고분 30여 기가 분포되어 있었다. 1917년에 야쓰이谷井 일행이 여러 기의 고분을 발굴하였는데 이때의 조사기록은 자세하게 밝혀지지는 않았다.『1917년도 조사사무개요大正六年度調査事務槪要』[485]를 보면,

이번 조사에서는 옹관이 묻혀있는 고분이 발굴을 위수로 한다. 시일 관계

---

485 「大正6年度調査事務槪要」,『大正6年度古蹟調査報告』, 朝鮮總督府, 1919. p.15.

상 비교적 큰 것만을 둘 골라서 발굴한다. 옹관甕棺에 들어 있는 금동보관

金銅寶冠, 대도大刀, 칼날, 창, 도끼, 톱, 화살, 귀걸이, 귀옥, 관옥, 작은 구슬,

배杯 등이 나오면 가져올 것.

이라고 하며 특별조사로 박물관의 진열품 수집을 목적으로 하고 있다.[486]

1917년 당시 야쓰이 등 4명의 조사위원이 반남면 일대의 고분군을 조사하였

으나 간단한 약보에 그치고, 보고서는 미간인 채로 4명은 모두 타계하고 말았다.

그 후 아나자와穴澤咊光 · 마노메馬目順一 두 사람에 의해 1973년에 신촌리 9호

분 발굴 자료를 정리하여 보고함으로써 세상에 알려지게 되었다.[487]

이어 신촌리9호분으로 발굴 작업에 참가하였던 오가와 케이기치小川敬吉가

발굴 경과를 노트형식으로 기록한 것을 일본 도쿄대학에서 입수하여, 1980년

에 이리미츠 교이치有光敎—에 의해 그 일부가 밝혀졌다. 신촌리 9호분은 이곳

의 대소 7기 중의 주분으로서, 한 변 33m, 고 6m의 방형분구이다. 분정墳頂의

평탄한 지면하에 상하 2층으로 모두 12기의 옹관이 매설되어 있다. 옹관은 대

소 2개의 후육무견환저厚肉無肩丸底의 조제粗製이다. 작은 쪽 구부를 큰 쪽에 삽

입하여 합구횡치合口橫置되어 있는데, 관용棺用으로 특수제조한 옹甕이다.[488]

이곳에서 발굴된 금동관은 삼국시대의 것으로는 최초의 것으로 한반도 남부

---

486 「大正6年度 古蹟調查計劃說明」, 『大正6年度 古蹟調查報告』, 朝鮮總督府, 1919, p.11.
　　"특별조사는 급속함을 요망하거나 또는 박물관 진열품 수집의 필요에 의하여 전라남도
　　나주군 반남면과 기타 몇 곳은 예정하고 있다."

487　穴澤咊光 · 馬目順一, 「羅州潘南古墳群」, 『古代學硏究』 70, 1973.

488　有光敎一, 「羅州潘南面 新村里 第九號墳 發掘調查記錄」, 『朝鮮學報』 第九十四輯, 1980.

지역의 고대사를 연구하는데 귀중한 자료로 오랫동안 국립박물관에 수장되어 있다가 1997년에 국보 제295호로 지정되었다.

『박물관 진열품도감』제3집에 의하면 1917년 12월에 나주 반남면 신촌리 제5호분으로부터 출토한 도옹관 및 감을 싣고 명기 내에 수개의 옹관 및 토기를 장藏하고 관내로부터 도금관, 환두도, 도금이환, 창, 검, 도자, 옥류 등을 얻었다"고 설명하고 있다.

「대정6년도 추기 고적조사 수집품 인계목록谷井濟一, 1918年 4月 22日」에 의하면 1917년에 나주군 반남면 덕산리 제8호분에서 출토한 유물을 1918년 4월에 인계한 유물 목록이 보인다.[489]

그 외에도『유리원판목록집』(국립중앙박물관)에도 일부가 수록되어 있어, 야

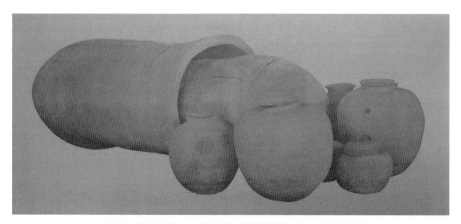

신촌리 제5호분 출토 도옹관 및 감(『博物館陳列品圖鑑』제3집)

---

489 「大正6年度 秋期 古蹟調査 蒐集品 引繼目錄(谷井濟一, 1918年 4月 22日)」,『1918년도 유물수입명령서』, 국립중앙박물관.

쓰이 일행이 나주 반남면에서 발굴 조사한 것을 정리해 보면 다음과 같다.

1917년 가을	전남 나주군 반남면	谷井濟一, 小川敬吉, 小場恒吉, 野守健	덕산리 제8호분	甕棺, 坩, 鐵鏃, 金環, 勾玉, 管玉, 耳環, 斧, 靑銅双利具, 小玉 그 외 다수	출처[174]
1917년 가을	전남 나주군 반남면	谷井濟一, 小川敬吉, 小場恒吉, 野守健	덕산리 제5호분	大刀, 勾玉, 小玉, 甕棺破片, 刀子, 鐵鏃, 鐵斧, 土器, 曲玉 등	출처[175]
1917년 12월, 1918년 10월	전남 나주군 반남면	谷井濟一, 小川敬吉, 小場恒吉, 野守健	신촌리 제9호분[176] 외 1기 (덕산리 제4호분)	甕棺 8기, 金銅冠, 坩, 鏃, 刀子, 小玉, 金環, 環頭太刀 기타.(박물관 유물수장 번호5828~7592)	有光敎一은 1917, 8년 2회에 걸쳐 谷井濟一 일행이 6기를 발굴다고 한다.[177]
	나주군 반남면	谷井濟一, 野守健, 小場恒吉, 小川敬吉	신촌리 제9호분	호, 도자, 철족, 금환, 유리구슬, 옹관	출처[178]

---

490 國立中央博物館,『유리원판목록집 Ⅰ』, 1997, 원판번호 230432~230474.
491 國立中央博物館,『유리원판목록집 Ⅰ』, 1997, 원판번호 230305~230317.
492 정식 발굴조사보고서는 미간으로 그쳤지만 그 중 1기는 9호분으로 발굴 작업에 참가하였던 小川敬吉이 발굴 경과를 노트형식으로 기록한 것을 해방 후 일본 동경대학에서 입수하여 그 일부가 밝혀졌다(有光敎一,「羅州潘南面 新村里 第九號墳 發掘調査記錄」,『朝鮮學報 第九十四輯』, 1980).
493 有光敎一,「羅州潘南面古墳の發掘調査」,『昭和13年度古蹟調査報告書』, 朝鮮古蹟研究會, 1940.
이 지역은 大正6, 7년 2회에 걸쳐 谷井濟一 일행이 6기를 발굴, 大正6년도 고적조사보고에 수록, 발굴품은 총독부에 수장했다(대안리 제9호분, 1918).
有光敎一,「羅州潘南面新村里第9號墳發掘調査記錄」,『有光敎一著作集 第3卷』, 1999.
494 國立中央博物館,『유리원판목록집Ⅰ』, 1997, 원판번호 230425~230431, 230476~230521.

1917년에 도쿄국립박물관에서 기증 받은 유물은 다음과 같은 것이 있다.

高杯	경주	『東博圖版目錄』2004, 圖138	기증. 1917년 重田定一
小壺	경주	『東博圖版目錄』2004, 圖236	기증. 1917년 重田定一

색인